A DANÇA DOS DEUSES

HILÁRIO FRANCO JÚNIOR

A dança dos deuses

Futebol, cultura, sociedade

COMPANHIA DAS LETRAS

Grafia atualizada segundo o Acordo Ortográfico da Língua Portuguesa de 1990, que entrou em vigor no Brasil em 2009.

Capa
warrakloureiro

Foto de capa
George Barber, O'Dowd, Law, Alex Cheyne e Pearson, durante treino do Chelsea.
Hulton Archive/ Getty Images

Preparação
Marcos Luiz Fernandes

Índices
Luciano Marchiori

Revisão
Cecília Ramos
Marise S. Leal

Atualização ortográfica
Página Viva

Dados Internacionais de Catalogação na Publicação (CIP)
(Câmara Brasileira do Livro, SP, Brasil)

Franco Júnior, Hilário
A dança dos deuses : futebol, cultura, sociedade / Hilário Franco Júnior. — 1ª ed. — São Paulo : Companhia das Letras, 2007.

Bibliografia
ISBN 978-85-359-1056-8

1. Cultura 2. Futebol – Aspectos sociais 3. Futebol – História I. Título.

07-4458 CDD-796.33409

Índice para catálogo sistemático:
1. Futebol : História 796.33409

EDITORA SCHWARCZ S.A.
Rua Bandeira Paulista, 702, cj. 32
04532-002 — São Paulo — SP
Telefone: (11) 3707-3500
www.companhiadasletras.com.br
www.blogdacompanhia.com.br
facebook.com/companhiadasletras
instagram.com/companhiadasletras
twitter.com/cialetras

Os Deuses são a encarnação do que nunca poderemos ser.

Fernando Pessoa

Sumário

Prefácio

Aqueles que acreditam tudo saber devem saber pelo menos uma coisa: eles não entenderam nada do futebol.

Éric Cantona, *Football International*, nº 5, setembro de 1994

A ideia deste livro surgiu há muitos anos de uma constatação simples e nem por isso menos surpreendente: no Brasil, o futebol é bastante jogado e insuficientemente pensado. No entanto, outros trabalhos na nossa área de especialização — a história medieval — e o próprio fato de ela estar muito distanciada das reflexões sobre o futebol foram adiando o projeto. Este foi retomado há quatro anos, quando nosso amigo e colega no Departamento de História da Universidade de São Paulo, Flavio de Campos, aceitou a proposta de ministrarmos em conjunto um curso de pós-graduação sobre o assunto. As três versões dele, em 2003, 2004 e 2005, serviram de laboratório imprescindível para o presente livro. O curso representou, de fato, oportunidade privilegiada para organizar enorme massa de informações, sistematizar leituras variadas que equacionassem as questões centrais do tema, buscar uma formulação das hipóteses que fosse ao mesmo tempo rigorosa e clara. Ele permitiu ainda interessantes trocas de ideias com os alunos, de quem recebemos indicações e sugestões. A eles esta obra deve bastante.

Mas as dívidas são bem mais amplas. Alguns colegas não hesitaram em falar de suas especialidades para um público misto (mestrandos e doutorandos em história, antropologia, educação física, jornalismo, sociologia), fornecendo instrumentos para nossa reflexão sobre o futebol: Fernanda Liberali, José Carlos Marques, Jorge Almeida e Sergio Miceli. Alguns renomados profissionais de áreas variadas do futebol concordaram em partilhar, em sala de aula, suas experiências e debater certas ideias em desenvolvimento no curso: Carlinhos Neves, José Astolfi, Juca Kfouri, Walter Casagrande Jr. Membros de torcidas organizadas (Augusto Juncal, da Gaviões da Fiel, e Atílio Antônio Martorelli, da Império Alviverde) aceitaram falar sobre esse universo específico do futebol. Familiares, amigos, colegas e alunos forneceram material e informações: André Luís Nery, Ariel Guiance, Daniel Valle Ribeiro, Gerardo Fabián Rodríguez, Heloisa Franco, Iza Franco, João Manuel Casquinha Malaia Santos, José Rivair Macedo, Luiz Zanin, Maria Beatriz Franco, Maria Beatriz França Guimarães, Mario Jorge da Motta Bastos, Nello Avella, Yara Frateschi Vieira. Alguns deles dispuseram-se a aplicar nas suas cidades nossa entrevista sobre o perfil de torcedor: Daniel Valle Ribeiro e Rodrigo Ribeiro (Belo Horizonte), José Rivair Macedo (Porto Alegre), Mario Jorge da Motta Bastos (Rio de Janeiro), Patrícia Burgos de Oliveira Leite (Salvador). Outros aceitaram realizar a leitura crítica de certas páginas do livro: David Levisky, Heloisa Franco, Lênia Márcia Mongelli, Maria Lúcia Victorio Andrade, Osmar Luvison Pinto.

A maior colaboração, no entanto, devemos a Flavio de Campos, com quem este livro deveria ter sido escrito em conjunto. Impossibilitado por razões pessoais de levar adiante o projeto editorial comum, ele não hesitou em generosamente ceder suas versões preliminares dos capítulos 2 e 4. Embora tais versões constituam ainda a base desses capítulos, os vários cortes, acréscimos e modificações que aí procedemos tornam-nos naturalmente de nossa exclusiva responsabilidade. Da mesma forma, se certas ideias defendidas neste livro nasceram do profícuo diálogo estabelecido com Flavio de Campos durante a preparação do curso de pós-graduação acima referido, a seleção, a fundamentação, o desenvolvimento e a formulação dessas ideias cabem apenas ao autor, e portanto também os eventuais erros ou inconsistências.

O fato de este livro estar dividido em duas partes não é opção meramente formal. A primeira parte, por ser histórica, deve ter seus capítulos lidos preferencialmente na sequência. A segunda, por ser temática, permite maior liberdade, não tem ordenamento fixo. Ela pede, contudo, leitura mais atenta por dois motivos. Um, o fato óbvio de que fatiar o futebol (ou qualquer outro objeto de estudo) em aspectos sociológicos, antropológicos, religiosos, psicológicos e linguísticos é mera imposição da análise. Tais capítulos estão estreitamente interligados, são olhares diferentes porém complementares sobre nosso assunto, daí a presença de algumas aparentes repetições, na verdade enfoques distintos sobre um mesmo evento ou personagem. Outro motivo é que cada um daqueles olhares exige óculos próprios, conceitos específicos que não poderiam ser dispensados, embora tenhamos tentado simplificá-los bastante (em excesso mesmo, para os especialistas de cada uma daquelas áreas). Por fim, não custa ressaltar, as duas partes devem ser consideradas na sua profunda articulação, da qual decorre a proposta essencial deste livro: o futebol como fenômeno cultural total.

Introdução

Ninguém nega, sem dúvida, o lugar de destaque que o futebol ocupa no mundo contemporâneo. Nos cinco continentes ele mobiliza profissionalmente, de forma direta e indireta, dezenas de milhões de pessoas. Mais significativo, mobiliza emocionalmente várias centenas de milhões de indivíduos. Entretanto, as razões da força desse fenômeno têm recebido explicações apenas parciais, quando não superficiais. Na verdade, o futebol desperta dupla reação, muito curiosa. De um lado, há quem veja nele atividade de espírito infantil praticada por homens adultos, desviados dessa maneira de tarefas produtivas e de ações sociais mais nobres. De outro lado, há parcela considerável da população mundial que atribui a ele papel importante, se não central, na sua vida. A contradição está no significado que — por razões ideológicas, sociais, culturais, religiosas, psicológicas — cada pessoa confere às práticas lúdicas em geral. Embora muito interessante, deixaremos de lado essa discussão, secundária para nossos objetivos e ademais bastante técnica, abordada de ângulos diferentes e com frequência inconciliáveis por etnólogos, filósofos, historiadores, pedagogos, psicólogos, sociólogos.

Não menos problemáticas que as questões conceituais, porém mais pertinentes a este livro, são as questões históricas a propósito de possíveis origens longínquas do futebol. Diz uma lenda que na China, entre 2000 e 1500 a.C., guerreiros inventaram uma curiosa e macabra diversão para relaxar após a tensão das batalhas: chutar o crânio de um inimigo procurando fazê-lo ultrapassar duas estacas de bambu fincadas no chão. Essa cruel comemoração derivou no século III a.C. para um exercício militar chamado *tsu-chu*, literalmente "chutar a bola". Exercício cujo objetivo continuava a ser colocar a cabeça — a partir de então simbolizada por bola de couro de 22 centímetros de diâmetro recheada de crina — no vão de quarenta centímetros que separava as varas de bambu. A movimentação envolvia de cada lado doze jogadores, tantos quanto os signos do zodíaco, em um terreno de trinta por sessenta metros; havia, ainda, uma variante praticada em campo quadrado por oito pessoas em cada grupo. Nas duas modalidades o simbolismo cosmológico era claro, como mostra a descrição de um poeta do século II a.C.: "A bola é redonda e o terreno quadrado, como o Céu e a Terra. A bola sobrevoa como o Sol enquanto as duas equipes se enfrentam". Importada pelo Japão no século II, a atividade manteve o nome, apenas traduzido (*kemari*, igualmente "chutar a bola"), mas perdeu o caráter competitivo que tinha entre os chineses. Tornou-se um cerimonial em que a bola circulava entre oito jogadores sem tocar o solo.

Outro suposto antepassado do futebol foi jogado na América Central desde mais ou menos 900 a.C., o *tlachtli*. Ele era disputado em espaço retangular de tamanho variado, entre 25 e 63 metros de comprimento, seis a doze de largura. Cada um dos dois grupos, geralmente de sete jogadores, deveria trocar passes sem deixar cair a pequena (entre quinze e vinte centímetros) e pesada (mais de três quilos) bola de borracha maciça, depois arremessada ao campo adversário. Todo toque da bola no chão contava pontos negativos, que seriam anulados caso se conseguisse introduzi-la em um dos dois aros de pedra fixados nos muros laterais. Sendo na origem rito de sentido cosmológico, razão pela qual ocorria em pátio que separava dois templos, parece que, ao menos no princípio, o capitão da equipe perdedora era sacrificado, na maioria das vezes por decapitação. Na verdade, essa descrição é de um modelo ideal que oculta muitas variações regionais e temporais. O próprio nome do jogo indica seu caráter inespecífico, pois vem do verbo *tlachia*, "olhar", de forma que *tlachtli* deve ser traduzido simplesmente por "espetáculo".

No espaço cultural indo-europeu no mínimo duas atividades lúdicas com bola têm sido evocadas pelos estudiosos do futebol. Na Grécia clássica, o *epyskiros*, jogado pelo menos desde o século IV a.C. em campo retangular, entre dois grupos de nove ou de quinze participantes, que deviam introduzir em determinado espaço a bola recheada de ar e areia. Dessa prática grega surgiu em Roma, talvez no século III a.C., o *harpastum*, destinado inicialmente a aperfeiçoar os soldados na sua capacidade atlética (exercício físico proporcionado pelo próprio ato de jogar) e tática (senso de posicionamento nas três linhas, defensiva, intermediária e de ataque). Com o tempo esse jogo ultrapassou sua origem militar e tornou-se bastante popular a partir do século I, sem perder seu caráter de batalha simulada. Hipótese muito difundida, embora sem fundamentação documental, afirma que do *harpastum*, introduzido pelas tropas romanas nas ilhas britânicas, é que teriam sido inventados os diferentes jogos com bola praticados naquela região, inclusive o moderno futebol.

Anteriormente, a Florença do século XVI, bem de acordo com o espírito do Renascimento, também atribuiu ao *harpastum* a origem de um jogo com bola ali praticado desde o século XIV, o *calcio*, termo ainda hoje usado pelos italianos para designar o futebol. Sem discutir a procedência ou não desse suposto nascimento, importa notar que o *calcio fiorentino* marcou de fato nova etapa na história do jogo. Ele apresentava características próprias, que se revelariam promissoras. Era um jogo urbano e realizado no principal espaço público da cidade (piazza Santa Croce); tinha número fixo de jogadores (27 por equipe); estipulava o uso de uniformes para distingui-los (um grupo verde, outro branco); possuía desde 1580 uma codificação das regras, realizada por Giovanni di Bardi; criava a figura de árbitros (em número de dez) para controlar o jogo; estabelecia rígida distribuição espacial dos jogadores (três primeiros defensores ou *datori addietro*, quatro outros defensores ou *datori innanzi*, cinco intermediários ou *sconciatori*, quinze atacantes ou *innanzi*). As partidas de *calcio*, jogadas no período do Carnaval, duravam uma hora cada e ocorriam em espaço retangular de cem por 48 metros, com bola mais ou menos nas mesmas dimensões das modernas.

Originalmente praticado por todos os segmentos sociais, na segunda metade do século XVI ele se tornou exclusividade da nobreza. Ainda assim atraía muita gente. Em fins daquele século, um contemporâneo estimou em 40 mil o número de espectadores de cada partida. Leonardo da Vinci, parece, fazia parte desses torcedores, enquanto Nicolau Maquiavel, dos jogadores. Devido a seu caráter nobiliárquico, o *calcio* foi ingrediente importante nas festas de casamento de membros da família Medici, que governou a cidade nos séculos XV-XVIII e incentivou o jogo por ver nele um treinamento paramilitar da elite local. Essa relação com o poder fez com que as mudanças político-sociais levassem ao desaparecimento do *calcio* em 1739. E ao seu ressurgimento em maio de 1930: a comemoração do quarto centenário de uma histórica partida jogada durante o cerco de Florença pelas tropas do imperador austríaco Carlos V serviu às exaltações nacionalistas do Estado fascista.

Devido à inegável origem inglesa do futebol moderno, é comum buscar suas origens no espaço anglo-normando medieval.

Como na *soule*, surgida no Norte francês do século XII e que se generalizou duzentos anos mais tarde. A documentação a respeito é, contudo, contraditória, não se sabe se a palavra indicava uma prática precisa ou um conjunto variado de jogos com bola. A interpretação mais plausível é a de que o termo deriva do latim *solea*, "calçado", indicando jogo realizado com os pés. Nesse caso, a bola era de couro recheada de estopa ou farelo de cereais, e desde o século XVI de ar. Em algumas regiões, *soule* ou *choulle* designava um jogo praticado com as mãos ou mesmo com bastão (e neste caso a bola era de madeira). De qualquer forma, a disputa acontecia uma vez por ano, tinha portanto caráter ritual, sem delimitação de espaço, tempo e número de participantes. Nos séculos XVIII e XIX a *soule* podia reunir muitas dezenas de jogadores e estender-se por seis ou sete horas.

Eis como o historiador Yann Brékilien descreve uma partida na Bretanha do século XIX: ela "começa religiosamente junto de uma capela, onde os jogadores escutaram a missa. Os jogadores são divididos em dois campos. A equipe de uma paróquia comporta facilmente duzentos jogadores. Um notável pega a bola disforme cheia de feno, levanta-a acima da cabeça depois de, em sinal de respeito, ter tirado o chapéu. A seguir joga-a para cima e os jogadores imediatamente se precipitam sobre ela, disputam-na, arrancam-na um do outro. O campo vencedor é aquele que consegue levá-la para o território da outra paróquia. O combate desenrola-se através de campos e pântanos. Ele é disputado com rudeza por jovens que não têm medo de golpes. A honra da paróquia está em jogo, os espectadores excitam seus campeões com gritos e cantos de clãs".

Na Inglaterra propriamente dita, a prática de jogos com bola está atestada desde 1174. Por ocasião da festa popular da Schrovetide (que coincidia com a Terça-Feira Gorda do calendário cristão), comemorativa da expulsão dos dinamarqueses, a bola era considerada representação da cabeça do chefe invasor. Mas não se sabe exatamente como ela era conduzida. Por outro lado, um documento de 1314 faz referência explícita a um jogo de bola com os pés. Sua difusão foi tão grande que em 1365 o rei Eduardo III proibiu-o, alegando que ele afastava as pessoas de práticas mais nobres e úteis, realizadas com as mãos, caso do tiro com arco e flecha. Mesmo assim, desde então se multiplicaram as menções ao jogo com os pés, designado muitas vezes pela palavra *football*. Essas celebrações anuais e invernais com frequência causavam distúrbios, sem que se tenha conseguido antes do século XIX transformá-las de *play* (jogo livre) em *game* (jogo regrado).

As especulações dos parágrafos anteriores são interessantes, porém não devem ser consideradas mais do que isso: especulações. Embora haja nítidos pontos comuns entre aquelas práticas com bola (caráter ritual, campo de sentido cósmico, bola representando cabeça humana), não é possível traçar uma linha de continuidade entre elas. Mais importante, as similitudes não devem ocultar diferenças significativas, sobretudo de espírito, entre as formas antigas e a atual de conceber o jogo de bola com os pés. Hoje o jogo é coletivo, enquanto a *soule* e o *football* opunham grupos mas tinham como vencedor um indivíduo, aquele que levasse a bola até determinada meta. O *epyskiros* grego, como outros jogos com bola, era visto apenas como diversão, sem o estatuto esportivo e cívico da corrida, do salto, do arremesso de disco, do arremesso de dardo, da luta, do boxe, do pancrácio. O individualismo daquela sociedade excluía os jogos coletivos dos grandes concursos atléticos pan-helênicos, inclusive do mais importante deles, a Olimpíada. O *harpastum* romano possivelmente fosse jogado mais com as mãos do que com os pés, como sugere o próprio nome do jogo, cuja bola (*harpasta*) era recheada de areia. O *tlachtli* mesoamericano era jogado com diversas partes do corpo, exceto mãos e pés. Enquanto o jogo atual possui regramento escrito e estrito, o de séculos passados (com exceção do *calcio fiorentino*) baseava-se em tradições orais muito vagas e variadas de região para região. E mesmo o *calcio*, afirma Horst Bredekamp, "mais do que precursor do futebol era uma variante independente que incluía elementos do rúgbi". De fato, apesar do seu nome — palavra do começo do século XIV que significa "chute" —, naquele jogo a bola podia ser conduzida com as mãos e o objetivo era fazê-la passar por cima de uma barra transversal, duas das características do futuro rúgbi.

Enfim, cada uma das práticas precedentemente lembradas respondia a condições culturais específicas, o que torna muito frágil tentar vê-las como antepassadas do futebol. Norbert Elias e Eric Dunning destacaram com razão o fato de que o uso da palavra *football* na documentação inglesa a partir do século XIV pouco significa, pois todos os indícios são de que se tratava de jogo bastante diferente do atual. A limitação metodológica da noção "jogos ancestrais do futebol" poderia ser resumida em uma questão: por que nenhuma daquelas modalidades conhecidas no Oriente, na América ou na Europa pré-industrial desembocou em algo semelhante ao futebol ocidental moderno? A resposta parece não gerar dúvidas: porque jogos com bola são manifestações antropológicas, não específicas de determinado povo e determinada época, enquanto o futebol tal qual o conhecemos hoje resultou de um conjunto de fatores presentes apenas na Inglaterra do século XIX. É nesta, portanto, que devemos buscar o surgimento daquele esporte e a compreensão das suas características.

PARTE 1

FUTEBOL, MICRO-HISTÓRIA DO MUNDO CONTEMPORÂNEO

Surgido paralelamente ao Império britânico, por décadas o futebol teve seu destino ligado ao dele. De 1848, data da primeira uniformização das regras, até 1912, fecho de várias e importantes adaptações, o futebol foi típico representante daquela cultura. Naquela fase, o novo esporte ecoou muito de perto as vicissitudes internas da Grã-Bretanha. Na fase posterior, também as vicissitudes externas do Império, que em 1909 dominava 20% dos territórios e 23% da população mundiais. A propagação do futebol seguiu a lógica da influência cultural inglesa: de início nas próprias ilhas britânicas, a seguir na Europa germânica, depois na Europa latina, pouco mais tarde na América Latina. Não foi casual que nesta região vários clubes tenham adotado nomes ingleses, na Argentina (Banfield, Boca Juniors, Newell's Old Boys, River Plate, Vélez Sársfield), no Brasil (Arsenal do Mato Grosso, Corinthians de São Paulo, River do Piauí, Tranways de Pernambuco), no Chile (Everton, Green Cross, Wanderers), na Bolívia (The Strongest) ou no Peru (Sporting Cristal). Assim como o Império britânico cem anos antes, em meados do século XX a Fédération Internationale de Football Association (FIFA) era, no dizer de seu presidente Jules Rimet, "império onde o Sol nunca se põe".

Mas houve o reverso da medalha: os territórios que formalmente tinham feito parte do Império britânico resistiram à adoção do futebol e continuam ainda hoje secundários no universo futebolístico (África do Sul, Austrália, Canadá, Estados Unidos, Nova Zelândia). Também não foi casual que o futebol tenha se mantido associado à cultura ocidental cristã. A primeira Copa do Mundo em outro território aconteceu apenas recentemente, em 2002, na Coreia e no Japão. Em terras muçulmanas a introdução do futebol foi precoce, ocorrida em 1918 no Egito (protetorado inglês), país que participou já da segunda Copa do Mundo, de 1934, na qual, aliás, terminou na frente do Brasil. Sua popularidade no mundo islâmico dar-se-ia contudo tardiamente, a partir da década de 1970, depois de o símbolo do imperialismo ter deixado de ser a Inglaterra, berço do futebol, e passado a ser os Estados Unidos, país sem tradição nesse esporte. Em suma, como veremos nos capítulos desta parte, a história do futebol não pode ser dissociada da história geral das civilizações.

1. Síntese da Europa industrial e colonialista

A quem examina o surgimento do futebol moderno impõe-se desde o início a constatação de seu quadro geográfico (Inglaterra), mas nem sempre de seu quadro histórico (Revolução Industrial). Ora, ambos não podem ser dissociados. Não é casual que a Inglaterra tenha sido o berço da Revolução Industrial e do futebol. Os dois fenômenos baseiam-se em competição, produtividade, secularização, igualdade de chances, supremacia do mais hábil, especialização de funções, quantificação de resultados, fixação de regras. Este último ponto é essencial, correspondendo àquilo que Sigmund Freud em fins do século XIX e Norbert Elias em meados do século seguinte chamaram de processo civilizador. Também podemos pensar no estabelecimento das regras futebolísticas como manifestação particular na Inglaterra do então intenso desenvolvimento das instituições, que nada mais são do que regras do jogo social. Ou seja, restrições de comportamento que permitem a vida em sociedade, controlam interesses individuais em nome do bem comum.

Por isso instituições formais são criadas pela sociedade inteira, por meio do Estado, para reger a própria sociedade: constituição, leis, decretos, códigos. Instituições informais são criadas por certos segmentos sociais para reger sua atuação específica: regras, convenções, normas, costumes. Se de um lado, é claro, todos esses procedimentos existiam havia muitos séculos, de outro é inegável que o progresso do capitalismo pediu um correspondente progresso nas instituições de todos os tipos. A época era de padronização, codificação e fixação em vários planos da vida inglesa. Em 1852, os mandatos de convocação diante da Justiça foram uniformizados. Ao longo do século XIX surgiram diversos códigos do direito criminal. Em 1858 elaborou-se o projeto do imponente *Oxford English Dictionary*, que recolhe, identifica, registra, legitima todos os vocábulos da língua. Não é de estranhar, portanto, a multiplicação de regras esportivas: para corridas de cavalo por volta de 1750, golfe em 1751, críquete em 1788, rúgbi em 1846, ciclismo em 1868. E futebol em 1863.

1.1 A PEDAGOGIA ELITISTA INGLESA (1848-75)

Quando no histórico 18 de junho de 1815 os ingleses definitivamente derrotaram o imperialismo napoleônico na batalha de Waterloo, começou para eles um século de predomínio político, econômico e cultural. Dentre as condições imprescindíveis para que seu pequeno país (cerca de 10 milhões de habitantes num total mundial de 750 milhões, 130 mil quilômetros quadrados num total de quase 149 milhões) pudesse ser a maior potência mundial, estava a construção do caráter de suas elites. O caminho para tanto foi, entre 1820 e 1900, o chamado "cristianismo atlético". Ou seja, a concepção pedagógica que pretendia desenvolver a fibra moral da elite britânica destinada a governar regiões longínquas e inóspitas, plenas de súditos hostis e pouco civilizados. É significativo o perfil dos principais representantes dessa corrente: Thomas Arnold, diretor da Rugby School, introdutor em 1830 dos esportes no sistema educacional inglês; David Livingstone, explorador e missionário na África; Charles Gordon, combatente na Crimeia e na China, depois governador do Sudão; William Gladstone, primeiro-ministro quatro vezes entre 1868 e 1894. Para todos eles, os esportes eram fundamentais para dar vigor ao corpo, fibra ao espírito, rapidez ao raciocínio.

Tal projeto incorporou o recém-lançado *Origem das espécies* (1859), de Charles Darwin, adaptando à vida social a ideia biológica da sobrevivência dos mais fortes. Com essa intenção foi sendo crescentemente difundido, nas *public schools* (escolas privadas) e também nas universidades de Oxford e Cambridge, um jogo com bola aparentado àquele cultivado na Inglaterra havia séculos. Jogo que, chamado de *football* desde o século XIV, apesar de interdições oficiais nunca desapareceu das cidades inglesas, como nos mostra uma gravura de meados do século XVIII. Estudos recentes sugerem que ele não deixou de ser praticado por segmentos sociais modestos nas primeiras décadas do século XIX, paralelamente ao que se fazia nas escolas das classes dominantes. De toda forma, é inegável que o futebol moderno visava forjar elites aptas a governar. Em 1864, o jornal londrino *The Field* definia-o como preparação para futuros governantes do país. O futebol moderno nasceu como instrumento do darwinismo social.

Essa nova concepção alimentava a ideologia mais antiga do liberalismo, visto como essencial para que não surgissem novos Bonapartes, para que os mercados de todo o mundo estivessem abertos aos produtos da Inglaterra, para que sua monarquia parlamentarista pudesse funcionar com o mínimo de tensões sociais. Mas para que tal liberdade interna e externa não levasse a excessos desorganizadores, era preciso regras claras tanto na vida político-social quanto nos esportes nascentes. Foi com esse espírito que representantes de diversas escolas reuniram-se em 1848, em Cambridge, para tentar uniformizar as regras daquele esporte. Embora já bastante praticado — entre 1830 e 1860 havia mais de setenta equipes inglesas de futebol —, ele possuía regras específicas a cada local. Essa primeira normatização não foi definitiva, não teve aceitação por parte de muitos esportistas e continuou a ser revisada e discutida. Finalmente, a 26 de outubro de 1863 representantes de várias escolas e clubes encontraram-se na Freemason's Tavern, no centro de Londres, para criar a Football Association e um comitê que uniformizasse as regras. A codificação foi aprovada em assembleia no dia 24 de novembro e publicada no jornal esportivo *Bell's Life* de 8 de dezembro. Eram catorze regras simples, que davam identidade própria ao *football*.

Como toda normatização (de leis, regras, estatutos, dogmas, princípios, costumes) oral ou escrita, consentida ou imposta, de procedência individual ou grupal, também a do futebol era resposta a certas demandas coletivas. A maior delas talvez fosse a manutenção da ordem estabelecida, porque tal como era jogado até então o futebol podia provocar violência e desordem. A regulamentação dele fazia parte do processo que desde o século XVIII visava domar e dominar o corpo, submetendo-o ao poder socialmente instalado. Daí a importância dos esportes, com sua ética, suas regras, seus árbitros. À medida que eles se expandiam espacial e demograficamente, criavam instâncias representativas e/ou decisórias: capitão do time, presidente do clube, representante de federação, conselho disciplinar, confederação etc. Constituíam microssociedades à imagem e semelhança da macrossociedade que as criara e acolhera. É com razão, portanto, que o historiador Robert Levine definiu esporte como "metáfora da dinâmica social". O papel que se esperava do futebol, jogo coletivo e de contato físico, somente poderia ser cumprido desde que estivesse claramente disciplinado.

Consciente ou inconscientemente, sendo membros das classes mais abastadas e cultas do país, aqueles que regulamentaram o futebol tiveram na política e na cultura da época o modelo inspirador para o novo esporte. Cada regra e sua posterior mudança, assim como as transformações no modo de jogar, não resultaram de decisões arbitrárias de poucas pessoas, eram expressões condensadas e em outro registro de eventos significativos da Inglaterra contemporânea. É isso que explica a presença por décadas do sentimento dos britânicos de que o futebol era jogo exclusivamente deles e assim deveria se manter. Jamais houve interesse por parte deles em exportar esse hábito *very British*, daí a longa recusa em participar de competições internacionais, daí a prolongada relutância em aceitar plenamente a FIFA. Os ingleses, espalhados pelo mundo devido ao vigor de seu império, procuravam ali jogar futebol apenas entre si, resistindo à participação dos nativos. Estes é que passaram espontaneamente a imitar aquela prática esportiva, demonstrando que ela refletia valores profundos de muitas sociedades, não apenas da Grã-Bretanha.

Do ponto de vista tático, nos primeiros tempos do futebol jogava-se no 1-10, ou seja, um defensor (o *back*, literalmente "aquele que fica atrás", por isso "beque" em português) e dez atacantes. Ainda não existia goleiro, e o jogo estava voltado para a ofensiva total. Situação que correspondia ao "espírito da ação direta" típico da época, nas palavras do historiador militar Basil Henry Liddell Hart. No entanto, assim como a Guerra da Crimeia (1854-6) demonstrou a "ineficiência da ação direta" (Liddell Hart), as duas primeiras partidas internacionais da história do futebol provaram que aquela tática também não era a melhor no terreno de jogo. Em Londres, em 19 de novembro de 1870, a Inglaterra venceu a Escócia por um magro 1 a 0. Em Glasgow, em 1872, o encontro terminou sem gols. Isso apesar de os ingleses atuarem no 1-9, ou seja, um defensor e nove atacantes,[1] bem de acordo com sua

1. Depois que surgiu a figura do goleiro, em 1871, convencionou-se que nas formulações matemáticas das táticas (3-5-2, 4-4-2, 4-3-3 etc.) não é preciso fazer

condição de maior potência imperialista da época. Os escoceses, mesmo jogando em casa, organizaram-se num 2-2-6 que melhor correspondia à sua situação de país historicamente mais fraco, batido e ocupado pelos ingleses em 1298 e de novo em 1692. Além disso, a solidariedade esportiva dos escoceses refletia sua organização religiosa, a democracia presbiteriana na qual os pastores são eleitos pela congregação de fiéis, ao contrário da hierárquica Igreja anglicana, cujo chefe é o próprio rei da Inglaterra.

O recente exemplo militar dos prussianos reforçava a tese coletivista, com a qual tinham superado o heroísmo individual francês na guerra de 1871. A vida sociopolítica inglesa também se pautava cada vez mais por uma visão daquele tipo. No plano sindical, os direitos do operariado avançavam: em 1851 organizou-se a Federação dos Maquinistas, em 1864 reuniu-se a Primeira Internacional, em 1868 ocorreu o Congresso das Trade-Unions, em 1875 uma lei aceitou os piquetes pacíficos. No plano eleitoral, em 1867 duplicou-se o número de eleitores, em 1872 implantou-se o voto secreto. Diante disso tudo, no futebol abandonou-se em 1876 o *dribbling game*, a forma individualista de os burgueses ingleses jogarem, na qual o desempenho pessoal era mais importante que o coletivo. Desde então prevaleceu o *passing game*, o jogo solidário dos operários escoceses, que provava sua incontestável superioridade: nas dezesseis primeiras partidas entre os dois selecionados houve dez vitórias da Escócia, quatro empates e apenas dois sucessos da Inglaterra.

Outro exemplo significativo do futebol enquanto tradução da história contemporânea está na regra do offside,[2] introduzida em

---

referência a ele, jogador de mobilidade limitada a partir de 1912 e por isso de papel tático restrito. Os números indicam portanto, como se sabe, a quantidade de futebolistas em cada setor do terreno — defesa, meio-campo e ataque.

2. Quase sempre a palavra foi traduzida literalmente nos países que adotavam o futebol: *Abseits* na Suíça germânica, Alemanha e Áustria; *hors-jeu* na Suíça francófona, França e Bélgica; *fuorigioco* na Itália; *fuera de juego* na Espanha e

1867: era preciso haver três adversários entre a linha de fundo e o atacante no momento em que este é lançado por um companheiro. Os historiadores italianos Antonio Papa e Guido Panico lembram com razão que um evento central na história inglesa foi a revolução de 1689, que, sem a virulência da revolução francesa de cem anos depois, desembocou num compromisso político (a monarquia parlamentarista), num fair play que desde então entrou na formação do espírito britânico, inclusive esportivo. É esse espírito, prosseguem aqueles autores, que está na base da regra de ouro do futebol, a do offside. Fica "fora de jogo" quem adota comportamento furtivo. Quem se esconde nas costas do adversário para fazer o gol. Por isso em Eton, um dos centros pioneiros do futebol no século XIX, a situação de offside era chamada de *sneaking*, uma espécie de emboscada. Mais do que ilegal, o offside seria imoral.

De qualquer forma, a introdução dessa regra fundamental tornou necessária uma outra, a do árbitro, em 1868. Anteriormente as decisões eram consensuais entre os jogadores ou tomadas pelos capitães dos times, mas com o impedimento — a regra mais inteligente do futebol, por isso mesmo a mais difícil de ser aplicada — foi preciso alguém que de fora do campo, e próximo a ele, tivesse melhor visão da jogada como um todo (englobando o lançador, o receptor da bola, a posição dos defensores) para saber se ela era legal ou não. O árbitro, portanto, nos primeiros tempos do futebol ficava fora do campo e na verdade só atuava sob consulta dos times; exercia efetivamente uma arbitragem. O surgimento desse personagem sem dúvida respondia às necessidades específicas do jogo, mas também adaptava a ele a lei inglesa de 1846 que permi-

---

países de língua castelhana; "fora de jogo" em Portugal. No Brasil, onde as regras foram traduzidas em 1903 pelo jornalista Mário Cardim, de *O Estado de S. Paulo*, optou-se por "impedimento", na acepção jurídica de impossibilidade legal de alguém realizar certo ato. Escolha explicável pela formação advocatícia de grande parte da elite nacional, que monopolizava o futebol no nosso país.

tia às pequenas causas civis serem julgadas em tribunais locais. O terreno esportivo inspirava-se no terreno jurídico.

O tiro de meta, criado em 1869, provavelmente obedecia a uma lógica semelhante. De um lado, a nova regra agilizava a reposição da bola em jogo, chutada para o mais próximo possível da meta adversária. De outro, ela correspondia à expectativa da época de unir de forma rápida um ponto de saída e seu ponto de chegada, fosse a casa dos operários e o local de trabalho, ou a fábrica e os mercados, como faziam as ferrovias (Manchester-Liverpool em 1831, Londres-Brighton em 1841), o metrô de Londres (inaugurado em 1863), a navegação marítima (travessia do Atlântico por barco a vapor em 1838) e o transporte pessoal (invenção da bicicleta em 1865). Ademais, os novos meios de transporte facilitaram a propagação do futebol. Em vez de somente partidas locais, entre alunos de um mesmo colégio (e mais tarde entre trabalhadores de uma mesma fábrica ou habitantes de uma mesma aldeia), tornavam-se possíveis desafios intermunicipais e inter-regionais. A geografia futebolística inglesa mostra como, na década de 1920, o surgimento ou fortalecimento de clubes de futebol seguiu muito de perto o traçado das ferrovias.

Quatro anos depois da lei do impedimento surgiu outra mudança essencial no futebol — o goleiro. A motivação nesse caso parece ter sido a relação com o rúgbi, sempre tensa naqueles tempos. Tratava-se de esportes na essência semelhantes (condução coletiva da bola até a meta adversária), criados e praticados por um mesmo grupo social (estudantes). Mas desde 1863, aqueles que preferiam um jogo menos violento e no qual não se pode carregar a bola com as mãos estabeleceram regras próprias para a modalidade e criaram uma associação que reunia seus praticantes. Quando, em janeiro de 1871, os adeptos do rúgbi fundaram sua própria federação, os do futebol, buscando atrair os indecisos, promoveram alteração na forma de jogar. Autorizou-se um atleta, o goleiro, a usar as mãos.

E em qualquer parte do campo de jogo, como ocorria nas regras de Sheffield, publicadas em 1862. Sempre procurando tornar o jogo mais ágil e atraente, em 1872 os adeptos do futebol criaram o escanteio, como forma de ao mesmo tempo punir um ato defensivo pouco elaborado e premiar o ataque. O espírito padronizador da Revolução Industrial não poderia deixar de se manifestar no futebol. Em 1872 definiu-se medida e peso da bola do jogo, fato permitido pela recente técnica de vulcanização descoberta por Charles Goodyear. Em 1875 impôs-se uma inovação de Sheffield: o travessão de madeira que substituiu a fita usada desde 1865 para unir as traves e melhor delimitar a meta.

A federação inglesa reuniu de início apenas dezoito clubes, mas teve papel essencial na organização do esporte e na consequente conquista de novos simpatizantes. Ela serviu de inspiração para o surgimento da federação escocesa em 1873, da galesa em 1876, da irlandesa em 1882. Ainda assim, pelo menos até 1880 as regras do rúgbi predominaram na Inglaterra, e mesmo alguns clubes de futebol eventualmente jogavam segundo aquelas regras. Os dois esportes com frequência se confundiam, e somente pouco a pouco, a partir da década de 1870, foram se diferenciando. Para o futebol, o fator essencial foi ter abandonado a violência do rúgbi sem perder seu caráter viril. Dessa forma os trabalhadores sentiram-se atraídos pela índole aristocrática do esporte (com a habitual ironia, o escritor Oscar Wilde dizia: "O rúgbi é um jogo para bárbaros jogado por cavalheiros. Futebol é um jogo para cavalheiros jogado por bárbaros") e pela possibilidade que ele oferecia de demonstrar habilidade e força, sem risco de contusões mais graves que os afastariam do emprego. Para marcar as diferenças, o esporte adotou o nome da própria federação, *football association*, distinguindo-se dessa forma do *football rugby*.

E de fato a federação foi decisiva na divulgação do esporte. Seu secretário, Charles Alcock, teve a boa ideia de promover uma partida para demonstrar publicamente de forma clara as regras do futebol. Inspirado numa competição realizada em Sheffield desde 1867, ele criou na temporada de 1871-2 uma disputa muito popular até hoje, a Copa da Inglaterra, jogada por eliminação direta e cuja final é, desde 1914, presenciada pelo rei, que entrega a taça aos vencedores. Essa competição estimulou bastante o interesse pelo jogo. De quinze equipes participantes da primeira edição, passou-se a 43 em 1878-9, a uma centena em 1883-4. O público também cresceu vertiginosamente. A decisão, jogada sempre em Londres, foi vista por dois mil espectadores em 1872, 17 mil em 1888, 43 mil em 1893, 110 mil em 1901, 100 mil em 1914. Na inauguração do estádio de Wembley, em 1923, a final foi vista por bem mais de 125 mil pessoas, que era a capacidade oficial do estádio. Em março de 1888, doze clubes fundaram a Liga Inglesa, para, a partir do ano seguinte, promover competição no sistema de pontuação cumulativa no qual se atribuíam dois pontos por vitória e um por empate, o campeonato inglês. Também nessa competição o público médio foi crescente: 16775 pessoas em 1911-2, 23115 em 1913-4, 25364 em 1927-8, 30659 em 1938-9, antes da interrupção devida à guerra. Seguindo o exemplo, em 1890 surgiu a Liga Irlandesa e em 1891 a Liga Escocesa.

1.2 AS REIVINDICAÇÕES POPULARES (1876-1904)

Praticado inicialmente por indivíduos da classe média alta, fundadores da Football Association, logo o esporte ganhou o interior da Inglaterra e atraiu a classe média baixa e mesmo o operariado. Na década de 1870 surgiram clubes de empresas siderúrgicas (por exemplo, o West Ham), ferroviárias (caso do Manchester United) e armamentistas (como o Arsenal). No começo da década seguinte o futebol passou a ser praticado nas escolas públicas, frequentadas por indivíduos oriundos das classes pobres porque o ensino primário tornara-se obrigatório desde 1871. Em 1883 a equipe proletária do Blackburn Olympic, fundada apenas cinco anos antes, conquistou a Copa da Inglaterra batendo o time de elite de ex-alunos de Eton. Sinal dos novos tempos, uma semana antes da semifinal e da final aquela equipe dedicou-se apenas ao treinamento, financiado por um industrial local. Multidões mostravam-se dispostas a pagar para ver a equipe de sua cidade ou de sua fábrica jogar contra rivais locais. Comerciantes passavam a dedicar parte de seu tempo e de seus recursos a dirigir e financiar clubes. Jogadores mais hábeis eram convidados a deixar seu time por outro, do qual recebiam um emprego mais vantajoso. Só no ano de 1884, 55 escoceses deixaram suas cidades e seus empregos para jogar futebol na Inglaterra.

A elite dirigente, que via o futebol como lazer educativo, combatia esse profissionalismo marrom. Em 1884, o Preston North End foi eliminado da Copa da Inglaterra sob a acusação de trazer jogadores de outras regiões. Quase ocorre uma ruptura futebolística entre o Centro-Norte industrial e o Sul aristocrático. A Football Association compreendeu, contudo, que no contexto da Revolução Industrial era tendência natural o surgimento de novas atividades, e em 1885 aceitou o profissionalismo no futebol inglês. Para financiar as despesas do profissionalismo, os clubes passaram a procurar outras receitas além das de bilheteria, caso de loterias e de mecenato. A solução capitalista foi empregada pelo Arsenal, de Londres, que em 1891 abriu parte de seu capital a 860 acionistas, pessoas físicas e jurídicas. Em outros países também, empresas participaram na fundação ou manutenção de clubes de futebol, vendo nisso excelente veículo para sua imagem. Foi o caso da Pirelli no Milan em 1908, da Philips no PSV Eindhoven em 1913, da Fiat na Juventus em 1923, da Peugeot no Sochaux em 1929.

Do ponto de vista tático, em 1874 representantes da elite inglesa conceberam em Cambridge uma formação que, embora fundada na solidariedade entre os jogadores, não abandonava o espírito hierárquico. Tal sistema ficou conhecido por 2-3-5 ou pirâmide. Mais uma vez, a inspiração vinha da realidade política e militar. Em 1853 tinha sido implantado o Serviço Civil Indiano, pelo qual cerca de mil funcionários ingleses, cada um deles à frente de uma pirâmide de indianos qualificados, anglófonos e anglófilos, conseguia governar 300 milhões de nativos naquela importante região do Império britânico. As guerras dos prussianos contra os austríacos em 1866 e contra os franceses em 1870-1 tinham provado a eficiência tática do ataque pelos flancos, tanto que em 1905 o marechal alemão Von Schlieffen preconizou que em caso de novo conflito contra os franceses o ataque não deveria ser frontal, e sim realizado pela ala, através da Bélgica, o que de fato ocorreu com sucesso no começo da Primeira Grande Guerra, em 1914. Ora, no futebol, ao contrário do 1-9 de ataque maciço e concentrado, porém desorganizado, o 2-3-5 valorizava justamente o ataque pelos lados do campo. Foi esse sistema que predominaria até 1924.

A popularização do jogo e o aceleramento das transformações sociais levaram a uma série de novas mudanças nas regras do futebol. Em 1877 fixou-se a duração de cada partida em noventa minutos (cuja primeira experiência tinha acontecido em 1866, num encontro Londres contra Sheffield), embora fosse aceitável um tempo menor por acordo mútuo, geralmente oitenta minutos, como ocorreria no Brasil até a década de 1930 e na França em 1941-2, durante a ocupação nazista, por questões de segurança pública e de natureza econômica. Em 1880 estabeleceu-se que não haveria impedimento na bola vinda do tiro de meta, e em 1881 na bola lançada diretamente do escanteio. Em 1882 decidiu-se que o tiro lateral seria cobrado com as duas mãos, talvez como resposta ao fato de no ano anterior ter sido criada a Welsh Rugby Union, que completava a organização daquele esporte na Grã-Bretanha. De maneira complementar às regras oficiais, desde os primeiros tempos o futebol conheceu práticas que se incorporaram a ele como se fossem outras regras. É o caso do apito do árbitro, usado pela primeira vez em 1878, quando de um Nottingham Forest versus Sheffield United. Ou das redes que guarnecem as metas desde 1890. Ou ainda do intervalo de quinze minutos, introduzido em 1896.

A aceitação desses costumes sem transformá-los em lei do jogo decorria da tradição cultural inglesa. Ao longo da história daquele país a codificação jurídica à maneira romana sempre foi vista como produto de Estado autoritário, e por isso as leis inglesas são em grande parte originárias do costume, são conhecidas por meio de decisões tomadas por tribunais ao longo dos séculos, as *case laws*. O conjunto legal inglês, a *common law*, foi sendo constituído pelo acúmulo de práticas sociais que se revelaram valiosas. Eram fatos sociais que ganharam força de lei sem terem sido legislados. Apenas em 1875 nasceu a Corte de Apelação, órgão que encabeça e completa o corpo judicial do país. Alguns anos mais tarde o futebol ganharia uma instituição correspondente, a International Football Association Board, reunida pela primeira vez no começo de junho de 1886. Fundada e constituída por britânicos, nela o espírito jurídico era (e em certa medida permanece sendo) o do direito consuetudinário inglês. É isso que explica sua relutância em aceitar certas modernidades (sobretudo recursos eletrônicos) no futebol. De fato, pela *common law* o direito precedente prevalece sobre o novo. A International Board não tem a febre legislativa da cultura jurídica latina.

Em 1886 o árbitro de futebol passou a atuar dentro do campo e em 1891 surgiram os bandeirinhas, hoje chamados de árbitros auxiliares, para acompanhar sobretudo os offsides. Embora desde 1880 o árbitro pudesse expulsar jogadores, somente em 1894 ganhou autoridade para punir faltas e pênaltis. Como um dos ideais da época era a melhor definição de direitos e obrigações, em 1896 o mundo do futebol aceitou que as partidas possam ter algum tempo além dos noventa minutos regulamentares caso as circunstâncias assim justifiquem. Não se trata de acréscimo, como se diz incorretamente hoje em dia, pois noventa minutos de jogo é o tempo máximo permitido pela regra. Tampouco se trata de desconto, como se dizia até algum tempo atrás, pois não se subtrai nada do tempo determinado pelo regulamento. A decisão da International Board assentava-se em dois princípios básicos para a civilização ocidental. De um lado, o critério de justiça, pois ao manter estritamente o tempo de jogo equalizam-se as chances de vitória dos dois times. De outro lado, o critério capitalista, pois o que se faz é uma reposição do tempo perdido. Os torcedores são consumidores que não podem ser prejudicados no tempo do espetáculo por incidentes ocorridos durante sua realização.

Da mesma forma que na política da época a delimitação mais exata das fronteiras era preocupação constante (por exemplo, no Oeste norte-americano ou nas guerras fronteiriças do Cabo, na África do Sul), o futebol estabeleceu em 1890 a demarcação do campo de jogo. O ano seguinte assistiu a duas interessantes tentativas de evitar a concorrência desleal: no campo comercial, foi introduzida nos rótulos a indicação de procedência dos produtos (*Made in England*); no campo de futebol, a cobrança de pênalti. Pode-se perguntar se a penalidade máxima do jogo, executada de qualquer ponto (o que seria depois modificado) a doze jardas (10,968 metros) da meta, não seria expressão metafórica do fuzilamento. A ideia não é descabida se considerarmos que o futebol é uma guerra simbólica (item 6.3). E que desde a adoção de novo modelo de fuzil, em 1866, tal punição a transgressores do código militar ia se tornando mais frequente, como demonstraria pouco depois o fato de os britânicos fuzilarem 306 pessoas durante a Primeira Guerra, contra apenas 25 por parte dos alemães. O hipotético modelo militar do pênalti pode explicar a aparente contradição de ele ter sido sugerido por um goleiro (em princípio o maior prejudicado pela nova regra), o irlandês William McCrum, contudo filho de xerife.

Embora já tivesse algumas décadas de vida, o futebol persistia na construção de sua identidade, na busca de maior precisão nas regras e maior equilíbrio entre suas origens inglesas e aristocráticas e as pressões continentais e populares. Enquanto certos hábitos da prática futebolística continuaram aceitos sem se transformar em regra, outros acabaram sendo incorporados pela norma escrita por se tratar de pontos fundamentais, que não poderiam dar margem a hesitações e variações. Foi assim com uma das regras do Sheffield Football Club, criada em 1863, adotada em vários locais a partir de 1870 e tornada obrigatória pela International Board em 1899: cada equipe conta com onze jogadores.[3] Em 1902, o campo de jogo ganhou fronteiras internas com o aparecimento da pequena área, da grande área, do círculo central, da linha central e da marca de pênalti. A meia-lua da grande área surgiria apenas em 1937.

Essa preocupação em demarcar espaços qualitativamente diferentes pode ser entendida como expressão futebolística da geopolítica do período. Diferentes países demonstravam interesse em efetivamente ocupar e explorar o espaço nacional, como mostram a ferrovia transcontinental norte-americana, concluída em 1868, e a ferrovia transiberiana russa, em 1902. Aproximar suas áreas de influência era pretensão tanto das potências tradicionais quanto das emergentes. Daí a Inglaterra ter comprado em 1875 ações da companhia do canal de Suez, que encurtava pela metade a distância até a Índia. Daí os Estados Unidos terem elaborado em 1898 o projeto do canal do Panamá, inaugurado em 1914, para unir os

3. Embora a razão desse número seja objeto de controvérsia, parece se referir às onze instituições que participaram da reunião de Londres, em 1863: Barnes, Blackheath, Charterhouse, Perceval House, Kensington School, War Office, Crystal Palace, Blackheath School, The Crusaders, Forest e No Names (que mais tarde se denominaria Kilburn).

oceanos Atlântico e Pacífico. A lógica espacial que pedia maior precisão no estabelecimento das fronteiras e na identificação das zonas de poder era a mesma que em 1902 criou local específico para a cobrança de pênalti. Precisão cirúrgica, com cada um daqueles pontos representando menos de 0,0044% da superfície do terreno de jogo.[4]

O imperialismo inglês evidentemente exportava não apenas uma longa série de produtos industriais e de serviços, mas também fenômenos sociais e culturais que os acompanhavam, mesmo sem premeditação, e cuja origem inglesa por si só atraía, conferindo-lhes ares de modernidade. Dentre eles, o futebol. Foi nesse clima cultural que nasceram muitos dos clubes que estariam dentre os grandes da história do futebol: Ajax (1900), Arsenal (1886), Atlético de Madrid (1903), Barcelona (1899), Bayer Leverkusen (1904), Bayern de Munique (1900), Benfica (1904), Celtic (1888), Grêmio Porto Alegrense (1903), Juventus (1897), Liverpool (1892), Manchester United (1878), Milan (1899), Nacional de Montevidéu (1899), Olímpia (1902), Olympique de Marseille (1899), Peñarol (1891), Porto (1893), Racing (1903), Rangers (1872), Real Madrid (1902), River Plate (1901), Vasco da Gama (1898). O avanço era evidentemente maior na própria Inglaterra, onde só Londres tinha, na passagem do século, treze clubes de futebol: Arsenal, Barnet, Brentford, Charlton, Chelsea, Crystal Palace, Fulham, Leyton Orient, Millwall, Queen's Park Rangers, Tottenham, West Ham e Wimbledon.

4. Considerando que as dimensões do campo de jogo definidas em 1863 eram de 180 metros de comprimento por 90 de largura e a bola padronizada pela regra em 1872 deveria ter circunferência em torno de setenta centímetros. Tomando as dimensões máximas atuais (120 por 90 metros) e o fato de a bola a partir de 1996 ter entre 68 e setenta centímetros, a superfície de cada marca de pênalti corresponde a menos de 0,0065% da metragem total. No caso das dimensões mínimas (90 por 45 metros), o índice é de 0,017%.

O futebol era às vezes transplantado por ingleses que trabalhavam ou estudavam no exterior, como ocorreu em diversas cidades belgas na década de 1860, suíças em 1860-80, Buenos Aires em fins dos anos 1860 ou começo dos 1870, cidades alemãs na década de 1870, francesas e russas nos anos 1890. Outras vezes, pessoas que iam estudar na Inglaterra na volta introduziam aquela prática esportiva e social nos seus países, como aconteceu com o holandês Wim Mulier, que fundou pouco depois de 1870 o Haarlemsche FFC, com os irmãos portugueses Frederico e Eduardo Pinto Bastos em 1886, ou com o paulista Charles Miller, descendente de escoceses pelo lado paterno e de ingleses pelo materno, que em 1894 trouxe duas bolas de futebol e um exemplar do livro de regras para o Brasil. As primeiras partidas na Europa continental quase sempre envolveram ingleses ali residentes. Foi o que aconteceu em Lisboa, em janeiro de 1889, com alguns britânicos que instalavam o telégrafo na cidade e outros que trabalhavam em casas comerciais, como a Graham.

Os muitos britânicos que iam estudar nos reputados colégios suíços levavam consigo o hábito do futebol, o que fez daquele país um dos primeiros da Europa continental a aceitar o novo esporte. Em 1879 nasceu o FC Saint-Gall, em 1900 a Suíça contava com vinte clubes de futebol, em 1917 com 114. A posição central do país transformou-o em redifusor do futebol, por exemplo na Itália. Foram suíços que em 1908 fundaram a Internazionale de Milão e predominavam no time. Na mesma cidade, alguns anos antes, o Milan tinha surgido por iniciativa de britânicos e suíços, que aliás constituíam mais de metade da equipe que conquistou seu primeiro título em 1901. Não por acaso o clube tem o nome da cidade com grafia inglesa. Foram também suíços que introduziram o futebol na Catalunha, em 1899, quando Hans Gamper fundou o Club de Fútbol Barcelona. Alemães levaram o jogo para a Europa central. Um Deutscher Fussball Club foi fundado em Praga em 1892, Belgrado conheceu o futebol graças a eles em 1896. Na Argentina, ferroviários britânicos fundaram o Quilmes em 1887 e o Rosario Athletic em 1899; a Asociación del Fútbol Argentino (AFA), fundada em 1893, proibia que nas suas reuniões se falasse espanhol, o inglês era obrigatório. No Uruguai, o Peñarol nasceu em 1891 como Central Uruguay Railway Cricket Club por iniciativa de um grupo de 72 britânicos, um alemão e 45 uruguaios; apenas em 1913 ele mudou de nome, adotando o da zona de Montevidéu em que se localizava. No Paraguai o jogo chegou em 1900, graças a holandeses.

A expansão do futebol foi estimulada pelas partidas anuais entre Inglaterra e Escócia desde 1872, pelo campeonato entre as quatro nações britânicas a partir de 1883, pelas primeiras partidas interseleções fora da Grã-Bretanha no começo do século XX. Em 1901, em Montevidéu, o Uruguai venceu a Argentina por 3 a 2. No ano seguinte, a Áustria ganhou da Hungria, em Viena, por 5 a 0. A necessidade da criação de uma federação internacional impunha-se, mas a Inglaterra era contrária à ideia. Isso não impediu que em 21 de maio de 1904 tenha sido fundada, em Paris, a FIFA, idealizada pelo francês Robert Guérin, eleito seu primeiro presidente, e pelo holandês Carl Anton Wilhelm Hirschman, vice-presidente. Os países fundadores foram Bélgica, Dinamarca, Espanha, França, Holanda, Suécia e Suíça. A Alemanha, que não enviou representante à reunião, aderiu por meio de telegrama. Em meados do ano seguinte, Tchecoslováquia, Itália e Áustria filiaram-se. Embora reticente, a Inglaterra entrou na entidade em 1906, e no ano seguinte foi a vez de Finlândia, Irlanda e Noruega. Em 1910 ocorreu a filiação do primeiro país não europeu, a África do Sul.

1.3 EXPORTAÇÕES CULTURAIS E EQUILÍBRIOS SOCIAIS (1905-37)

Apesar da internacionalização do futebol, os times ingleses, profissionais e amadores, continuavam imbatíveis. Alguns exemplos: em 1890, o Clapton Orient venceu o Antuérpia por 7 a 0; em 1899, uma seleção inglesa esmagou a da Alemanha por 13 a 2 numa primeira partida e 10 a 0 na revanche; no mesmo ano, o Oxford triturou o First Viena por 15 a 0 e na revanche por 13 a 0; em 1900, o Southampton derrotou a seleção de Viena por 6 a 0 e a seleção de Budapeste duas vezes, por 8 a 0 e depois por 13 a 0; em 1905, o Nottingham Forest excursionou pela Argentina, onde venceu as sete partidas disputadas, nas quais tomou apenas um gol; em 1909, o Corinthians inglês, time amador, veio ao Brasil e derrotou o Fluminense por 10 a 1. Com toda lógica, a Grã-Bretanha tornou-se campeã olímpica de futebol (nessa competição os britânicos apresentam-se com time unificado, ao contrário do que acontecerá em Copas do Mundo) em 1900, 1908 e 1912 (não disputou em 1904). Apenas em 1907 aconteceu a primeira derrota de um time britânico na Europa continental, a do Celtic Glasgow diante da seleção de Copenhague (2 a 1). O primeiro fracasso da seleção inglesa fora da Grã-Bretanha ocorreria somente em 1929 (4 a 3 para a Espanha, em Madri). Nos catorze primeiros encontros Inglaterra-França houve treze vitórias inglesas, com um placar acumulado de 86 a 8 (para efeito comparativo, nos catorze seguintes houve sete vitórias inglesas, quatro francesas e três empates, com 35 gols ingleses e 21 franceses).

Como seria de se esperar em sociedades crescentemente mercantilizadas, o futebol de jogo estudantil foi se tornando atividade profissional. Ele passava a ser mais um produto e seus produtores mais um tipo de operário. Ou produtos eles próprios. Já em 1905, o jogador Alf Common foi transferido do Sunderland para o Middlesbrough por mil libras, valor bastante significativo para a época. Apesar de resistências, o profissionalismo tinha se imposto em 1885 na Inglaterra, e também o seria em 1924 na Áustria, 1929 na Tchecoslováquia, Hungria e Itália, 1930 na Espanha, 1932 na França. O projeto alemão estava avançado, mas teve de ser abandonado com a chegada de Hitler ao poder, em 1933. Não só o profissionalismo ganhava terreno, como igualmente o espírito produtivista. Em 1925 o Arsenal aceitou a proposição de seu manager e técnico Herbert Chapman de contratar o jogador Charles Buchan, do Sunderland, por um salário fixo e um valor complementar por gol marcado. Faziam parte da mesma cultura econômica as pioneiras preocupações mercadológicas de Chapman, graças a quem a estação de metrô próxima ao estádio Highbury passou, em 1932, a ser oficialmente chamada estação Arsenal.

O futebol como espetáculo atraía grandes públicos e precisava de palcos adequados. Algumas vezes foram construídos por iniciativa do poder público, como, em 1912, o estádio de Estocolmo, com capacidade para 25 mil espectadores; em 1923, em Londres, o estádio de Wembley, para 125 mil; em 1924, em Paris, o estádio de Colombes, para 45 mil; em 1928, em Amsterdã, o Olympisch Stadion, para 40 mil; em 1930, em Montevidéu, o estádio Centenário, para 90 mil. Outras vezes eles foram levantados por iniciativa de clubes, mesmo amadores, como o Queen's Park, que inaugurou em Glasgow, em 1903, o Hampden Park, para 150 mil pessoas, o maior estádio do mundo até a construção do Maracanã. O Chelsea concluiu em 1877 o Stamford Bridge, para 42 mil espectadores; o Liverpool, em 1884, o Anfield Road, para 62 mil; o Rangers, em 1899, o Ibrox Stadium, para 25 mil; o Manchester United, em 1910, o Old Trafford, para 60 mil; o Benfica, em 1912, o Campo Grande, para 25 mil; o Arsenal, em 1913, o Highbury, para 70 mil; o PSV Eindhoven, em 1913, o Philips Stadium, para 36 mil; o Borussia Mönchengladbach, em 1919, o Bökelbergstadion, para 35 mil; o Barcelona, em 1922, o

Les Corts, para 40 mil; o Real Madrid, em 1923, o Chamartín, para 23 mil; o Milan, em 1926, o San Siro, para 35 mil; o Vasco da Gama, em 1927, o São Januário, para 35 mil; o Bologna FC, em 1927, o Renato dall'Ara, para 40 mil; o Schalke 04, em 1928, o Glückaufkampfbahn, para 40 mil. Refletores foram regularmente instalados em estádios da Inglaterra dos anos 1930, ampliando os horários possíveis de partidas e consequentemente o público.

A popularização do futebol não pôs fim às revisões das regras. Em 1907, decidiu-se que não há impedimento quando se parte do próprio campo de jogo. Em 1912, que não há impedimento em arremesso lateral e que o goleiro não mais poderia usar as mãos fora da área. Em 1913, estabeleceu-se a distância mínima de dez jardas (9,14 metros) entre o adversário e a bola na cobrança de falta, e em 1914 entre o adversário e a cobrança de escanteio. Neste ano começou a Primeira Grande Guerra, mas até mesmo ela colaborou para a difusão do esporte. Inclusive de um lado anteriormente inesperado, o futebol feminino. De fato, apesar de algumas experiências em fins do século XIX, até 1914 o futebol tinha sido exclusividade masculina. Com a guerra, moças de famílias operárias foram trabalhar nas fábricas de munição e, no bojo do processo geral de emancipação das mulheres, apropriaram-se também do futebol. Uma partida em fins de 1917 entre times femininos de duas fábricas de Preston, no centro da Inglaterra, atraiu 10 mil espectadores. Em 1920, o encontro de dois times femininos em Liverpool teve público de 53 mil pessoas e em Paris a seleção feminina da França contra a da Inglaterra teve 12 mil assistentes. No Reino Unido existiam perto de 150 equipes femininas, porém, com o fim da guerra, a Football Association opôs-se ao fenômeno e ele retrocedeu por décadas (item 5.4).

Também do lado masculino a guerra favoreceu o esporte. Durante as tréguas, os oficiais ingleses estimulavam a prática do futebol como maneira bem-aceita pelos soldados de manter a forma física e cimentar a camaradagem. Os soldados jogavam com seus aliados franceses e belgas nas frentes de luta e entre si nos campos de prisioneiros, como no de Ruhleben, em Berlim. Com a desmobilização, aqueles indivíduos de origem modesta difundiram no seu meio social a nova moda do futebol. Sua crescente popularidade fez com que a Copa da França fosse criada em 1917, antes mesmo do fim do conflito. Entretanto, aquela guerra e, mais tarde, a de 1939-45 impediram que a Europa pudesse organizar uma competição futebolística entre nações, que surgiria somente em 1960 (a Eurocopa), enquanto desde 1916 a América do Sul tinha um torneio desse tipo (o Campeonato Sul-Americano, chamado a partir de 1975 de Copa América).

Em 1925 ocorreu uma das mais significativas mudanças da história do futebol — a regra que considera impedido (offside) de continuar a jogada o atleta que não tiver pelo menos dois adversários entre ele e o goleiro. Ela havia sido proposta bem antes pela Escócia, foi testada durante um ano e finalmente aprovada em 13 de junho, na reunião de Paris, pelos 3/4 dos votos necessários na International Board. A FIFA foi a única a votar contra. A reação inicial não foi boa. Por exemplo, o influente jornalista Willy Meisl, irmão do famoso técnico austríaco, afirmou que a novidade seria "fatal para o futebol, uma traição, uma heresia para o jogo puro". No entanto o tempo mostrou que a decisão foi correta. Ela atingiu sua intenção de dar maior fluência ao jogo e permitir maior número de gols (antes era preciso três adversários entre o atacante e a meta), recuperando a atração do público, que vinha caindo depois de uma fase inicial bastante promissora.

Se o futebol parecia fascinar menos, era possivelmente devido às condições materiais do período (desemprego, instabilidade política, destruição causada por guerras e revoluções) e também a certa perda da eficácia simbólica daquela representação da guerra, que não evitara o conflito real de 1914-8. No entanto, a regra do impedimento de 1925 ajudou a inverter a situação: enquanto o campeonato inglês de 1924-5 conhecera 1220 gols, no ano seguinte, sob a nova regra, no mesmo número de partidas foram marcados 1700, isto é, aumento de quase 40%. A nova regra mostrou-se essencial, mas não se impôs imediatamente em todos os países. Na Itália, por exemplo, foi aplicada apenas a partir da temporada de 1928-9. Nesta última data a International Board introduziu outra alteração destinada a favorecer o ataque: o goleiro deve ficar imóvel sobre a linha do gol até a bola ser movimentada na cobrança de pênalti. Mas em 1931 novo detalhe favorecia a defesa (mudança comportamental imposta pela crise econômica de 1929?), ao permitir que na reposição de bola o goleiro dê quatro passos carregando-a, e não mais apenas dois.

A nova regra do impedimento exigiu significativa adaptação na maneira de jogar e provocou verdadeira revolução tática no futebol, com o aparecimento de sistemas mais elaborados e complexos que os anteriores (ver item 6.3). O chamado MW (ou 2-3-3-2) do austríaco Hugo Meisl levou a seleção nacional daquele país a ser conhecida, graças a seus resultados entre 1931 e 1933, por *Wunderteam*, "time maravilhoso". A retranca suíça (ou 1-1-3-2-3) que o também austríaco Karl Rappan implantou no Servette de Genebra teria grande influência devido à criação do líbero. O WM (ou 3-2-2-3) escocês, sistematizado por Herbert Chapman no Arsenal, revelou-se vencedor — a equipe londrina levantou entre 1931 e 1938 (mesmo sem Chapman, falecido em 1934) cinco campeonatos e duas Copas da Inglaterra — e passou a ser adotado pelos outros clubes). Por sua inovação, Chapman foi recentemente escolhido pelo *Sunday Times* (10/1/2004) o maior técnico da história do futebol inglês. Na Grã-Bretanha aquele esquema de jogo predominaria por quase quarenta anos. No restante da Europa generalizou-se de fins da década de 1930 (na Copa de 1934 somente a Alemanha utilizou tal sistema) a meados da de 1950.

Aos poucos a Inglaterra, depois de décadas de supremacia nas coisas do futebol, ia sendo obrigada a reconhecer a crescente participação de outros países. Mesmo não tendo colaborado na fundação da FIFA — pelo contrário —, ingressou nela pouco depois, para contudo se afastar em 1920 (porque não aceitava a participação dos países vencidos na Primeira Guerra), retornar em 1924, retirar-se novamente em 1928 e voltar apenas em 1946. De qualquer forma, em 1914 a FIFA já contava com 23 países-membros, dez anos depois com 32, no seu trigésimo aniversário com cinquenta. Embora o órgão legislador das regras continuasse a ser a International Board, esta deixava de ser exclusividade dos britânicos. Aos representantes de Inglaterra, Escócia, Irlanda do Norte e Gales, dois de cada país, juntaram-se a partir de 1913 dois votos da FIFA. Os britânicos perdiam o predomínio no futebol, assim como ocorria na industrialização e no imperialismo. Nem na vida, nem na imitação dela que é o futebol, podia-se mais afirmar, como fizera o historiador escocês Thomas Carlyle em meados do século XIX, que a Grã-Bretanha era a "nação eleita [por Deus]".

O progresso do futebol e dos meios de comunicação aumentava o interesse por partidas internacionais, cuja organização foi uma das maiores motivações para a fundação da FIFA. No segundo congresso da entidade, em 1905, esboçou-se mesmo uma Copa do Mundo, que teria quinze seleções nacionais e seria jogada no ano seguinte, na Suíça. Mas era projeto precoce. Nem o Comitê Olímpico Internacional, mais antigo e bem estruturado, conseguia organizar bons torneios de futebol. O da Olimpíada de Londres, em 1908, mais bem preparado que os anteriores, foi coordenado pela Federação Inglesa de Futebol e contou com somente cinco seleções, todas europeias. Aos Jogos Olímpicos de Estocolmo, em 1912, compareceram dez seleções, obrigatoriamente filiadas à FIFA. Esta pretendeu então fazer do torneio olímpico seguinte seu primeiro campeonato mundial, entretanto um ponto fundamental impedia o acordo: o Comitê Olímpico tinha concepção estritamente amadora dos esportes, enquanto a FIFA já aceitava a tese de um amadorismo relativo, justificado pela suspensão dos rendimentos normais dos atletas durante o tempo de uma competição.

Diante disso, Áustria, Hungria, Itália, Suíça e Tchecoslováquia decidiram em 1927, por iniciativa de Hugo Meisl, criar a Copa Internacional. Com receio de perder o privilégio estabelecido pelo artigo nono de seu estatuto original, que declara ser a FIFA "a única que tem direito a organizar um campeonato internacional", ela retomou no mesmo ano a ideia de uma Copa do Mundo, marcada para 1930. O Uruguai foi o escolhido para sediá-la, porque no plano material prometeu construir um estádio especialmente para o evento, além de pagar viagem e estada das seleções, e porque no plano esportivo apresentava a condição de bicampeão olímpico de futebol. Mas a tensão entre centro europeu e periferia latino-americana tornava a situação mais complexa do que desejava a FIFA.[5] Muitas seleções europeias recusaram-se a participar. O pioneiro (fundado em 1897) e mais importante jornal esportivo italiano, *La Gazzetta dello Sport*, dedicou apenas uma coluna de 21 linhas à partida decisiva da Copa de 1930. Ainda assim ela é emblemática, por ter apresentado algumas características que estariam presentes nas demais.

A afluência de público foi grande, 434 mil espectadores no total, 90 mil na partida final entre Uruguai e Argentina. Surgiu um turismo futebolístico, sobretudo com 20 mil argentinos que foram a Montevidéu assistir à decisão. Na Copa seguinte, graças a

5. Um aspecto dessa tensão era linguístico, pois o pedido para que o espanhol fosse reconhecido como língua oficial da FIFA, ao lado do francês, do inglês e do alemão, foi recusado em 1921 e em 1925, e aceito apenas parcialmente em 1931 (o espanhol poderia ser utilizado na publicação de comunicações oficiais e nos congressos da entidade). O estatuto de língua oficial viria somente em 1946, com o recuo político da Europa, arrasada pela Segunda Guerra Mundial.

distâncias menores, melhores meios de transporte e poder aquisitivo maior, dirigiram-se à Itália cerca de 10 mil suíços, 10 mil alemães, 10 mil austríacos, 7 mil holandeses, 3 mil franceses, 2 mil tchecos. A Copa do Uruguai inaugurou também as manifestações nacionalistas expressas por meio do futebol. Inconformado com uma decisão do árbitro brasileiro, que lhe pareceu beneficiar a Argentina na partida contra a França, o público uruguaio invadiu o campo e houve muita violência. Depois da vitória final do Uruguai o consulado deste país em Buenos Aires foi depredado.

Assim como a década de 1920 tinha sido futebolisticamente do Uruguai (ouro olímpico em 1924 e 1928, Mundial de 1930), a década seguinte foi da Itália, que conquistou as Copas de 1934 e 1938 e a medalha olímpica em Berlim, em 1936. O pano de fundo disso foram os dividendos políticos almejados pelo regime fascista com a popularidade do futebol. O primeiro campeonato verdadeiramente italiano, e não mais simples disputa entre os campeões dos torneios do Sul e do Norte, ocorreu em 1929 sob estímulo governamental. A Copa de 1934 foi especialmente preparada para alimentar o orgulho nacional e a fidelidade ao regime, e deveria por isso terminar com a vitória da seleção nacional. O projeto para tanto foi cuidadosamente preparado. A Federação Italiana de Futebol foi colocada nas mãos de um general. Além da reforma de vários estádios, dois novos foram construídos: o de Florença (com capacidade para 45 mil pessoas), batizado com o nome de um "mártir da revolução fascista", Giovanni Berta; e o de Turim (70 mil lugares), homenageando diretamente o *Duce* e chamado Stadio Mussolini. Houve arbitragens mais que duvidosas a favor dos donos da casa. Houve violência italiana em campo. Houve, dirigida a Mussolini, saudação fascista do trio de arbitragem da decisão contra a Tchecoslováquia. Jules Rimet afirmou que "durante esta Copa do Mundo tive a impressão de que o verdadeiro presidente da FIFA era Mussolini".

Desde as primeiras Copas, reconhece o livro comemorativo dos cem anos da FIFA, "conforme o regime do país organizador, a competição se desenvolverá em atmosfera sobretudo esportiva ou sobretudo política".

1.4 CONFLITOS NACIONAIS E ESPORTIVOS (1938-53)

A rápida expansão do mundo ocidental no meio século anterior provocara tensões e conflitos que pediam redefinição das regras de funcionamento do jogo político internacional, e o mesmo acontecera com o futebol. Aliás, estavam cada vez mais interdependentes os campos do concreto e do imaginário. Este conseguiu mais agilmente se adequar no plano jurídico às novas exigências sociais, com a International Board realizando em 1938 uma recodificação das regras do futebol, que de catorze passaram a dezessete. Mas no plano prático o futebol não ficou, é claro, isento dos problemas gerais da época. É verdade que o estabelecimento da sede da FIFA em Zurique, na neutra Suíça, em 1932, era tentativa de colocar o organismo acima dos divergentes interesses nacionais e continentais. No entanto, o contexto mundial não ajudava. A tensão futebolística entre Europa e América Latina prosseguia. Preterida em favor da França na sua intenção de sediar a Copa de 1938, conforme o princípio de rodízio entre os continentes, a Argentina liderou a desistência de oito outros países americanos. Apenas Brasil e Cuba representaram o continente. As leis racistas que seriam promulgadas em novembro por Mussolini tiveram uma amostra em junho, após a vitória sobre o Brasil na semifinal, saudada pela imprensa fascista como "triunfo da inteligência itálica contra a força bruta dos negros". A conquista da Itália foi definida pelo editorial de *La Gazzetta dello Sport* (20/6/1938) como "algo mais que vitória esportiva conquistada à custa de músculos e de inteligência em um torneio muito cansativo e insidioso. Para além da vitória atlética, resplandece a vitória da raça".

Se havia tensões futebolísticas entre Europa e América, as internas à Europa eram muito mais agudas. A Espanha, envolvida na guerra civil, não teve condições de competir na Copa de 1938. Algumas semanas antes da abertura da competição, a Áustria foi anexada pela Alemanha nazista e, deixando de ser país independente, não pôde mais participar da Copa, embora oito jogadores austríacos tenham sido convocados pela Alemanha. Convidada para substituir a Áustria, a Inglaterra continuou na sua postura de esplêndido isolamento. Sem adversário na primeira fase da competição, a Suécia foi diretamente para as quartas de final. Disfarçados de torcedores belgas, dois agentes nazistas conseguiram filmar a famosa linha Maginot, complexo defensivo entre França e Alemanha por onde meses depois ocorreria a invasão alemã. Na partida final a Itália enfrentou a Hungria, cujo primeiro-ministro, nomeado no mês anterior, apesar de homem de direita, buscava naquele momento aproximar-se da Inglaterra e da França, o que instigou o famoso telegrama que Mussolini mandou a seus jogadores na véspera da decisão: "Vencer ou morrer". Na guerra simbólica os italianos venceram (4 a 2), mas logo começaria a verdadeira guerra (1939-45), que deixou a Europa exaurida e impediu que houvesse Copa em 1942 e 1946. Naquele contexto de tensão internacional não foi casual a criação do ferrolho suíço que exprimia, no plano tático futebolístico, a realidade geopolítica daquele país pequeno e sem ambições imperialistas, voltado antes de tudo para a própria defesa.

Futebol e política seguiram estreitamente ligados ao longo do período. Para comemorar o *Anchluss* ocorrido um mês antes, as autoridades nazistas promoveram em abril de 1938 uma partida entre as seleções da Alemanha e da Áustria. O público de 60 mil austríacos transformou a ocasião em protesto contra o ato de força germânico, e a vitória de sua seleção por 2 a 0 teve sabor de revanche nacional. Pouco depois o futebol serviu a outro ato de repúdio ao Terceiro Reich. O melhor jogador austríaco, Matthias Sindelar, recusou-se a defender a seleção alemã na Copa da França e meses depois morreu em circunstâncias mal explicadas. Seu enterro, acompanhado por 20 mil pessoas, transformou-se em demonstração de repulsa ao nazismo. O futebol proporcionou ainda outra satisfação moral aos austríacos quando, em 1941, na final do campeonato da chamada Grande Alemanha, o Rapid Viena, depois de estar perdendo de 3 a 0, virou o placar para 4 a 3, contra o Schalke 04. Vitória emblemática sobre o clube mais popular da Alemanha de então (e da atualidade, ao lado do Bayern de Munique), que apoiava o regime e era apoiado por ele, o que o ajudou a vencer seis campeonatos nacionais entre 1934 e 1942 (e depois disso só ganharia mais um, até hoje). É significativo que durante a guerra o campeonato nacional tenha sido interrompido na Inglaterra e prosseguido na Itália até 1943 e na Alemanha até 1944, distraindo a população dos problemas gerados pelo conflito.

No entanto, o mais famoso episódio, devido à sua dramaticidade, talvez seja aquele ocorrido em Kiev em agosto de 1942, agora bem conhecido graças ao livro de Andy Dougan. Esperando que os ucranianos aceitassem melhor a ocupação da cidade, os nazistas permitiram a retomada de atividades esportivas. Alguns ex-futebolistas profissionais dos dois principais clubes locais, então desativados, o Dínamo e o Lokomotiv, organizaram a equipe do FC Start. O time logo se tornou símbolo da união nacional e passou a incomodar os alemães. Estes não poderiam, contudo, simplesmente ordenar o fechamento dele, o que seria sinal de fraqueza e criaria mártires para a resistência local. Resolveu-se, então, que um time de oficiais da Força Aérea alemã desafiaria o Start para uma partida. A fácil vitória dos ucranianos por 5 a 1 levou à revanche três dias depois. Antes de ela começar, o árbitro, um oficial da SS (Schutz-Staffel, a polícia militar hitlerista), pediu aos jogadores ucranianos que fizessem em campo a tradicional saudação nazista. O pedido não foi atendido, pois para eles a partida era metáfora da resistência à ocupação estrangeira. A vitória parcial por 3 a 1 levou outro oficial da SS a visitar o vestiário no intervalo para recomendar que não vencessem. Entretanto, assim como os alemães tinham sido até então esmagadores na guerra, os ucranianos foram no futebol e golearam por 5 a 3. Como o futebol deveria ser instrumento para demonstrar a superioridade da "raça ariana" sobre eslavos e judeus do Start, a contrapropaganda daqueles resultados foi punida com a prisão de todos os seus jogadores. Quatro deles foram executados.

Terminado o conflito, o mundo encontrou-se dividido pela Cortina de Ferro, na célebre expressão de Winston Churchill, o que inaugurou longo período de tensões entre o bloco de países capitalistas e o de socialistas, a chamada Guerra Fria (1945-89). É fora de dúvida que aquele quadro histórico influiu diretamente na evolução do futebol. Fosse na regra, fosse na tática. No primeiro caso, podemos incluir uma mudança aparentemente pequena inaugurada na Copa de 1950: a numeração das camisas dos jogadores. Tratava-se, é verdade, de aplicação e generalização da prática inaugurada em 1933, na final da Copa da Inglaterra — quando os jogadores do Everton receberam camisas numeradas de 1 a 11 e os do Manchester City de 12 a 22 —, e tornada obrigatória em 1939. Esse fato expressava um dado novo, de enorme alcance: a crescente importância dos meios de comunicação, que precisavam mais rapidamente identificar cada jogador. Multiplicaram-se as partidas de futebol pelo rádio desde que, pela primeira vez, em 22 de janeiro de 1927, a BBC transmitiu Arsenal versus Sheffield United pelo campeonato inglês. A Copa do Mundo de 1934 teria transmissão direta para os doze países europeus participantes.

Ao contrário do que muitos pensaram, o rádio não tirou público dos estádios. A capacidade deles precisou crescer desde os anos 1920 até atingir seu auge em 1950, com o Maracanã e seus oficiosos 200 mil lugares. Depois disso a tendência se inverteu. Outros grandes estádios foram levantados, mas com capacidades menores. Em 1936, o Olympiastadion de Berlim, para 76 mil pessoas; em 1938, o Monumental (River Plate), para 66 mil torcedores; em 1940, o La Bombonera (Boca Juniors), para 57 mil; em 1940, o Pacaembu, para 60 mil; em 1947, o Santiago Bernabéu (Real Madrid), para 75 mil; em 1948, o NSK Olimpiyskiy de Kiev, para 83 mil; em 1952, o estádio das Antas (FC Porto), para 50 mil.[6] Graças ao fascínio da imagem, foi contudo a televisão que alargou continuamente o público das partidas desde que em 16 de setembro de 1937 houve a transmissão televisiva do filme de Arsenal contra Everton.

É no plano tático que mais se percebe a influência da Guerra Fria sobre o futebol. O começo da década de 1950 assistiu ao despontar do revolucionário 4-2-4, concebido pouco antes pelo húngaro Marton Bukovi, técnico do Magyar Testgyakorlok Köre (mais conhecido por MTK), de Budapeste, esquema aperfeiçoado na seleção nacional daquele país por Gustav Sebes. Este era importante dirigente do Partido Comunista, ministro adjunto dos Esportes, dado fundamental naquele sistema político monopartidário e pró-soviético. Isso lhe permitiu, por exemplo, em 1949,

6. Boa parte da capacidade dos estádios devia-se a muitos lugares em pé (que constituíam, por exemplo, 75% do total do Santiago Bernabéu) e com frequência recebiam públicos bem acima do teórico. Em 1931, o estádio do Schalke 04, na partida contra o Fortuna Düsseldorf, teve perto de 70 mil pessoas, o dobro da sua capacidade normal. Em 1935, o Stamford Bridge, projetado para 42 mil pessoas, acolheu 82 905 num Chelsea contra Arsenal. Todos os números aqui citados são históricos, pois as recentes determinações da FIFA quanto a lugares apenas sentados diminuiu a carga possível de público nos estádios em todo o mundo. O Hampden Park, por exemplo, que acolheu 149 415 pessoas num Escócia contra Inglaterra em abril de 1937, hoje comporta somente 52 mil.

quando começava a formar o time visando os Jogos Olímpicos de 1952, obter a liberação do jovem zagueiro central Gyula Lorant, que estava preso por razões políticas. Para Sebes, a luta do socialismo contra o capitalismo ocorria também no campo do futebol. As vitórias de uma equipe socialista evidenciariam a superioridade desta formação social sobre a capitalista. O futebol deveria ser poderoso instrumento de propaganda. Embora muitos jogadores húngaros não tivessem envolvimento pessoal com política, outros acompanhavam a crença de Sebes. O cérebro do time, o meia-direita Jozsef Bozsik, era deputado.

Objetivando melhor servir a causa socialista, na Hungria de 1948-9 todos os clubes foram nacionalizados e passaram a ser financiados por ministérios, sindicatos, fábricas e outras instituições públicas. Esse modelo altamente centralizado permitiu a Sebes juntar os titulares da seleção em um só clube, atribuído ao Exército (o pequeno Kispest, sintomaticamente rebatizado de Honved, "defensores da pátria"), e os reservas em outro (o MTK, patrocinado pela polícia secreta), ambos jogando com o mesmo sistema tático. Os demais clubes, por sua vez, deviam jogar de acordo com a tática dos próximos adversários da seleção nacional. O campeonato húngaro tornou-se um longo treinamento da seleção para competições internacionais. Como oficialmente não existia futebol profissional no país e alguns jogadores poderiam querer abandonar a Hungria para trabalhar como futebolistas na Europa capitalista, Sebes conseguiu que os jogadores, considerados trabalhadores comuns, tivessem o salário (de oficiais do Exército, no caso do Honved) complementado pelo chamado "dinheiro das calorias", teoricamente destinado a uma alimentação especial. As autoridades faziam mesmo vista grossa para o contrabando de algumas mercadorias que os jogadores traziam quando de viagens para amistosos internacionais da seleção, e que eles revendiam no mercado negro húngaro.

Como, do ponto de vista oficial, o mundo deveria tomar conhecimento da maior produtividade do operariado socialista por intermédio de suas conquistas futebolísticas, os jogadores foram estimulados a se empenhar totalmente nas metas esportivas do primeiro Plano Quinquenal Húngaro (1950-4), concebido à imagem do soviético. Pretendia-se fazer da *Aranycsapat* (Seleção de Ouro) peça importante no tabuleiro político da época. O líder do Partido Comunista frequentemente se referia à seleção nacional como produto direto do socialismo. Assim, a medalha de ouro de futebol conseguida na Olimpíada de Helsinque, em 1952, pareceu a coroação daquela política. No entanto, curiosamente, o auge ocorreu em momento de mudanças políticas internas, em 1953, com dez partidas e dez vitórias, 45 gols a favor, seis contra. Naquele ano, com a morte do ditador soviético Stálin, em março, a Hungria conheceu greves e manifestações pedindo a flexibilização do regime. Foi dada anistia a presos políticos, desapareceram os campos de detenção, diversas reformas foram implementadas. O clima social melhorou e a seleção de futebol tornou-se depositária de esperanças não só do Partido Comunista, como de toda a população. O ministro da Defesa ofereceu um jantar para comemorar a quinquagésima convocação de Puskas para a seleção, jogador que havia ganhado duas vezes o prêmio Kossuth, entregue a trabalhadores que se destacavam por sua produtividade.

Um pouco antes disso, jogando na inauguração do estádio Olímpico de Roma, em maio, a Hungria fez 3 a 0 na Itália. Na mesma época a seleção de jovens levantou o Campeonato Europeu de Juniores sem sofrer um gol sequer. Seis meses depois, no mesmo ano, em 25 de novembro, aconteceu em Wembley uma das mais famosas partidas da história do futebol. Nela as inovações táticas húngaras (item 6.3) desnortearam o rígido esquema inglês. Diante de 100 mil espectadores, bastaram cinco toques e cinquenta segundos de jogo para os húngaros abrirem o placar;

com meia hora venciam por 4 a 1, no final golearam por 6 a 3 os anfitriões, que não perdiam em casa havia noventa anos. Tentando explicar a seus leitores a desproporção de forças naquele confronto, dias depois a revista *France Football* (1/12/1953) dizia em título que nele "a Hungria possuía armas automáticas, a Inglaterra lutava com forcados". Na imagem de um jogador inglês, tratou-se de disputa entre cavalos de puxar carroça e cavalos de corrida. Na apreciação do presidente da Associação de Futebol da Hungria, "o futebol que os ingleses jogaram era pura aplicação; o nosso, pura arte".

Do ponto de vista defensivo, à marcação individual do WM "capitalista", o 4-2-4 "socialista" opunha a marcação por zona, portanto a solidariedade de jogadores trabalhando mais pelo bem comum do que pelo destaque pessoal, "burguês". Conceito de zona caro, aliás, aos estrategistas da geopolítica soviética, que ante os países capitalistas procuravam constituir um bloco coeso de regimes socialistas. À coletivização destes correspondia a do sistema futebolístico, no qual o goleiro deixava de ter função limitada à sua área e várias vezes saía dela trabalhando como líbero. Do ponto de vista ofensivo, a novidade fundamental para o sucesso do 4-2-4 foi a mobilidade dos jogadores — "jogávamos muito sem a bola", lembraria Puskas mais tarde — à imagem e semelhança dos agentes soviéticos que, infiltrados nos países ocidentais, tentavam insuflar greves e revoltas que enfraquecessem o capitalismo. O esquema tático criado pelos húngaros correspondia perfeitamente à atmosfera política da época, "era um protótipo do 'futebol total': quando atacávamos, todos atacavam, na defesa acontecia a mesma coisa", definiu Puskas.

Passada a guerra, o público voltou sequioso por futebol. O campeonato inglês, por exemplo, interrompido entre 1940 e 1946, teve na temporada 1948-9 média superior a 50 mil torcedores por partida, o que resultou na impressionante soma de 41,3 milhões de pessoas presentes nos estádios, para uma população total do país de 43 milhões. A Inglaterra futebolística igualava a Inglaterra real. A rigor, a primeira superava largamente a segunda, pois os meios de comunicação de massa superavam as distâncias geográficas e anulavam as barreiras econômicas. O futebol passava a ser seguido por um número muito maior de pessoas nas suas próprias casas do que nos estádios. Embora menos intenso em outros países, o fenômeno não era apenas inglês. A nova tendência foi nitidamente percebida na Copa de 1954, jogada em estádios modestos, se comparados aos das precedentes versões da competição. A partida final no Wankdorf, de Berna, contou com menos de um terço do público da decisão anterior. Mas toda a Europa futebolística seguiu ao vivo a partida por intermédio do rádio e da televisão. Caminhava-se para novos tempos.

2. Síntese do Brasil agrícola e mestiço

O pontapé inicial no esporte que se tornaria a paixão nacional faz parte de uma história oficial pontilhada de características quase míticas. Da mesma forma que na Inglaterra, onde a elite se apresentou como criadora e organizadora do futebol, no Brasil sua introdução foi atribuída ao jovem paulistano Charles William Miller, filho de um engenheiro escocês aqui radicado. Enviado à Inglaterra com nove anos para completar seus estudos, Miller retornou em 1894 trazendo em sua bagagem um verdadeiro arsenal litúrgico: dois uniformes, um par de chuteiras, duas bolas, uma bomba de ar, um livro de regras e o desejo quase apostólico de desenvolver o esporte entre seus pares.

Ele arrebanhou os primeiros praticantes graças a treinos realizados na várzea do Carmo. Sendo sócio do São Paulo Athletic Club, fundado em 1888, e funcionário da São Paulo Railway Company, Miller pôde organizar entre as duas instituições a primeira partida oficial de *football* no país, jogada em 14 de abril de 1895. Os dois times eram compostos por ingleses e brasileiros, mas o da Railway, liderado por Charles Miller, venceu por 4 a 2. As outras iniciativas pioneiras também continuavam limitadas à elite paulistana. Em 1898 foi fundada a Associação Atlética Mackenzie College, primeiro time constituído exclusivamente por brasileiros; em 1899, o Sport Club Internacional, reunindo ingleses e brasileiros, e o Sport Club Germânia, que abrigava alemães e descendentes; no ano seguinte, o Club Athlético Paulistano, com representantes de tradicionais famílias da cidade de São Paulo; em 1902, a Associação Athlética das Palmeiras, criada por jogadores do segundo time do Paulistano, que se desligaram de seu clube original.

Esporte de bacharéis num país caracterizado por gigantesca desigualdade social, esporte de brancos em uma sociedade com marcas ainda expostas do escravismo, esporte associado a ícones do progresso e da industrialização numa economia ainda essencialmente agrária, o futebol tornou-se desde o início um dos ingredientes mais importantes dos debates acerca da modernização do Brasil e da construção da identidade nacional.

2.1 FUTEBOL E REGIME OLIGÁRQUICO (1895-1920)

Uma certa visão oficial — felizmente já combalida — privilegiou as elites como protagonistas da história brasileira e apegou-se à ficção da concessão de direitos promovida pelos setores dominantes. A emancipação política teria sido obra da coragem rebelde do jovem d. Pedro I, a abolição da escravidão expressão da bondade da princesa Isabel, a proclamação da República manifestação do espírito enérgico e patriótico do marechal Deodoro.

A história do futebol não fugiu a tal preceito. Entre 1880 e 1890, bem antes portanto de Charles Miller retornar da Inglaterra, jesuítas haviam introduzido jogos com o *ballon anglais*. No Colégio São Luís, de Itu, jovens da elite disputavam um jogo aparentado ao *football association*, denominado "bate bolão", que a partir de

1894 já incorporava alguns elementos do futebol moderno: onze jogadores para cada lado, traves de madeira e times uniformizados. Outros colégios confessionais e laicos de São Paulo, Rio de Janeiro e Rio Grande do Sul praticavam futebol desde a década de 1880. Há ainda notícias de marinheiros ingleses que jogaram em praias brasileiras em seus dias de folga e até mesmo o registro de uma partida realizada em 1878, no Rio de Janeiro, em frente à residência da princesa Isabel.

Assim, estabelecer paternidades quase heroicas e datas oficiais não esclarece as relações entre o futebol e a sociedade brasileira. Pelo contrário, suas significações mais profundas residem no processo de apropriação pelos diversos setores sociais que o transformaram num fenômeno de massas. A proliferação de clubes e times de futebol pelo país — sobretudo nas populosas cidades de São Paulo e Rio de Janeiro — obedeceu basicamente a duas grandes tendências.

A primeira, a formação de equipes no interior dos grupos dominantes, orientada pelos valores do cavalheirismo, do fairplay e do amadorismo. Fosse mediante clubes fundados especificamente para a prática do novo esporte (Fluminense, 1902; América-RJ, 1904), por iniciativa de jovens estudantes que participavam de associações atléticas vinculadas a seus estabelecimentos de ensino ou que criavam clubes independentes (Ponte Preta, 1900; Botafogo, 1904), fosse pela introdução do futebol em clubes dedicados a outras modalidades esportivas (Naútico, 1909; Flamengo, 1911). Colégios e clubes constituíam-se em espaços restritivos de formação, lazer e sociabilidade, nos quais se representava a pretensa superioridade da elite, que procurava se fortalecer, num movimento endógeno, por meio da difusão de vínculos de solidariedade e do consequente afastamento dos demais setores sociais (item 5.4). Tais agentes detinham tanto os instrumentos necessários (e dispendiosos) para a prática do futebol — bolas, chuteiras, uniformes, campos gramados — quanto os saberes, regras, técnicas e terminologia inglesa.

O futebol tornara-se um novo item da modernidade europeia que não podia faltar aos anseios de atualização da elite brasileira e que devia por isso ser praticado por pessoas de igual condição social e racial. Numa verdadeira profissão de fé, o primeiro número de um novo periódico lançado no Rio de Janeiro declarava solenemente que "o futebol é um esporte que só pode ser praticado por pessoas da mesma educação e cultivo. [Se formos] obrigados a jogar com um operário [...] a prática do esporte torna-se um suplício, um sacrifício, mas nunca uma diversão" (*Sports*, 6/8/1915). Era inadmissível submeter-se às mesmas regras que jogadores oriundos das camadas subalternas quando a própria sociedade ainda carecia da universalização da igualdade jurídica e da cidadania.

A criação de ligas de futebol que agregavam os clubes de elite (Liga Paulista de Football, 1902; Liga Metropolitana de Football, no Rio de Janeiro, em 1905) obedecia tanto à lógica daqueles que se identificavam como legítimos herdeiros do futebol inglês quanto à lógica da excludente estrutura política nacional. Até 1926, devido às medidas restritivas estabelecidas pela Constituição, o eleitorado nunca ultrapassou 4% do total da população, em eleições que eram marcadas por fraudes, violências, arbitrariedades e conflitos entre grupos oligárquicos rivais em seus respectivos estados. Os poderes da República eram verdadeiros clubes da elite que procuravam bloquear a participação popular.

Isso não impediu, contudo, o desenvolvimento de uma segunda tendência: que o pretenso Éden do amadorismo fosse conspurcado pelo interesse das camadas médias e subalternas. As fronteiras sociais do futebol começaram a ser transpostas desde cedo com a formação de times improvisados pelos setores populares, que passavam da curiosidade ao mimetismo. Sem equipamentos adequados e jogando com bolas desgastadas e mesmo improvisadas, em terrenos ainda não ocupados pelo processo de urbanização, o futebol dos grupos subalternos tornava-se um modo de representação da existência negada em outros campos sociais. E alastrava-se pelos subúrbios proletários. Em pouco tempo, uma série de equipes e clubes foi constituída por iniciativa de pequenos comerciantes, operários e artesãos das grandes cidades (Internacional, 1909; Corinthians, 1910).

Por outro lado, a criação de clubes vinculados a empresas que recrutavam operários para seus times também afrontava as barreiras sociais erguidas no futebol (Bangu, 1904; Juventus, 1924). Nesse caso, o amadorismo era dissimulado por meio de gratificações oferecidas aos jogadores de origem operária. Com frequência bons atletas gozavam de privilégios, dedicando-se cada vez menos às atividades para as quais haviam sido contratados e cada vez mais ao clube de sua empresa. Os clubes da elite promoviam amistosos e campeonatos, cobrando elevados valores pelos ingressos e pelas mensalidades de seus sócios. As altas taxas que as ligas desportivas exigiam dos clubes filiados constituíam-se igualmente em rígidas barreiras aos indesejáveis. Os clubes populares também organizavam confrontos e torneios, patrocinavam atividades de lazer, adotando nisso tudo condições mais acessíveis para seus associados.

Havia, então, dupla concepção do futebol. De uma parte, estava a perspectiva pedagógica europeia, presente no Brasil pelo menos desde o parecer de Rui Barbosa sobre a Reforma do Ensino Primário em 1882. Harmonia dos músculos, higienização dos corpos, etiqueta, coordenação dos movimentos e controle da violência seriam elementos a contribuir para o fortalecimento moral e solidário dos futuros dirigentes do país. Em 1905, Monteiro Lobato louvava as "qualidades educativas" do futebol, que contribuíra "imensamente para a superioridade das nações anglo-saxônicas". Em 1915, o escritor Afrânio Peixoto celebrava o futebol porque nele "vencer significa disciplina, cooperação, solidariedade eficaz". Na mesma linha, alguns anos depois o jornal carioca *Correio da Manhã* creditava importante lição ao futebol, por ele ser "na maior parte das vezes a antítese da lógica" (1/12/1919). De outra parte, estava a realidade nacional de corpos adestrados no trabalho braçal e habituados aos folguedos das danças populares e a toda sorte de improvisações da arte da malandragem, vinculadas a precárias condições de vida. Íntimos dos gestos acrobáticos da temida capoeira ou das ações coletivas do ruidoso movimento operário, os corpos de negros, de imigrantes e da arraia-miúda branca possuíam outros saberes, expressões e habilidades que viriam a ser determinantes na sua maneira de jogar futebol.

Diante do crescente prestígio do futebol popular, órgãos da imprensa brasileira passaram a denegrir aquilo que classificavam como práticas selvagens dos "canelas negras", em nada comparáveis aos aristocráticos gestos dos *sportmen*. Considerações, aliás, muito semelhantes àquelas veiculadas pelos jornais ao noticiarem a "loucura mística" de Antônio Conselheiro entre 1896 e 1897, a ignorância e imundície dos moradores dos cortiços cariocas (o que justificou a reforma urbana do Rio de Janeiro que culminaria na Revolta da Vacina, em 1904) e a subversão e desordem das organizações proletárias de acordo com uma visão policialesca. Selvagens, bárbaros, inferiores eram denominações proferidas por integrantes das elites brasileiras desde o século XIX em referência aos escravos, libertos, operários, imigrantes e sertanejos. A desqualificação era o campo privilegiado no qual a população brasileira era definida por sua elite. Os jogadores do futebol popular não escapavam a esse tipo de avaliação.

Durante a República Velha (1889-1930), no momento de intensificação das relações capitalistas, as cidades — verdadeiros centros amplificadores de tensões — promoviam um indesejável compartilhamento de espaços públicos. Elas se transformavam em palcos de manifestações políticas e culturais inconvenientes das camadas médias, do proletariado e dos demais setores subalternos. Nos grandes centros, o controle sobre o reduzido eleitorado não era tão eficiente quanto aquele obtido no meio rural, sob a égide do coronelismo. As demandas sociais, abafadas pela estrutura política da República, encontravam nas cidades ambiente para sua expressão e proliferação. A entrada de clubes e jogadores de origem popular nas ligas amadoras insere-se no rol dessas demandas. Na verdade, ela significou a participação de setores subalternos num espaço reservado às elites brasileiras. De certo modo, pode-se pensar que o futebol tornou-se um dos primeiros e mais significativos exemplos de incorporação desses setores numa sociedade caracterizada pela cidadania restritiva e por marcantes diferenças sociais.

Em São Paulo, o campeonato promovido pela liga amadora manteve-se como uma disputa da elite até o tão propalado cavalheirismo sofrer seus primeiros arranhões. Em 1906, o São Paulo Athletic Club retirou-se do torneio devido a sua péssima campanha e a AA das Palmeiras foi eliminada por cobrança de ingressos em suas partidas. Em 1909, o Germânia contava em seu time com o filho de um comerciante alemão e de uma negra, o jovem Arthur Friedenreich, de dezessete anos, mulato de olhos verdes que alisava os cabelos com gomalina e toalhas quentes na tentativa de disfarçar sua negritude. Em 1911, o clube campeão do ano anterior, a AA das Palmeiras, retirou-se da disputa alegando que o Germânia escalara um jogador de forma irregular e recusou-se a entregar o troféu ao São Paulo Athletic Club, o novo campeão. A taça só reapareceria em 1932, derretida durante a campanha de arrecadação de ouro para financiar as tropas paulistas contra o governo federal. Ainda em 1911, o Ypiranga, clube que contava com operários em suas fileiras, disputava seu primeiro campeonato. Sob protestos, o pioneiro São Paulo Athletic Club dissolvia seu departamento de futebol e o Paulistano abandonava a liga, formando, com o Mackenzie e a AA das Palmeiras, a Associação Paulista de Sports Athléticos (APSA).

Em 1912, a situação agravou-se com a entrada na liga do mais popular clube da várzea, o Corinthians, e pela contratação de jogadores profissionais uruguaios, os irmãos Antonio e Julio Bertone, por parte do Americano. Desde então seriam disputados dois torneios paralelos. Gradativamente, clubes tradicionais abandonavam a Liga Paulista de Football (LPF) e incorporavam-se à APSA, que se fortalecia. Germânia e Internacional, porém, permaneceram na liga até 1915. Por outro lado, o Ypiranga disputaria os certames da associação a partir de 1913 e o Corinthians, campeão da liga em 1914, vincular-se-ia à APSA em 1915, retornando à LPF no ano seguinte. Em 1916, com a LPF já esvaziada, o campeonato foi interrompido antes do término. No ano seguinte, as duas entidades eram unificadas sob o comando da fortalecida APSA. Da antiga liga, apenas o Internacional e o Corinthians foram admitidos na primeira divisão. Os demais formaram a segunda divisão. A aparente vitória da APSA não significou a consolidação do amadorismo. Pelo contrário, a própria associação deu passo decisivo — ainda que involuntário — na direção do profissionalismo quando, em 1913, decidiu cobrar ingressos para seus jogos. Com os recursos extras, muitos clubes passaram a oferecer gratificações a seus atletas e vários jogadores não originários da elite já figuravam em suas escalações. A competitividade entre os clubes tradicionais abria brechas no seu exclusivismo e permitia certo afrouxamento das barreiras sociais.

No Rio de Janeiro, os conflitos manifestaram-se já em 1907, um ano depois do início do campeonato local. A diretoria do Bangu recusou-se a aceitar o regulamento que proibia a inscrição de jogadores "de cor". Contando com associados de origem operária e com o jogador negro Francisco Carregal, o clube retirou-se da liga sob protesto, só retornando cinco anos depois. Para completar o quadro, o campeonato terminou sem um campeão, uma vez que o

Fluminense recusou-se a disputar uma partida de desempate com o Botafogo, sustentando ser o vencedor pelo critério de saldo de gols (em 1996 a Federação carioca proclamaria ambos campeões daquele longínquo 1907).

Como em São Paulo, o problema do convívio com jogadores e clubes tidos como inferiores agravou-se a partir de 1912. Nesse ano, o Bangu voltou à liga sem alterar a composição de seus atletas e associados. No ano seguinte, o Botafogo, que havia se retirado da liga em 1911, em protesto pela suspensão de dois de seus jogadores, retornaria acompanhado por clubes menores como o Catete e o Americano, com os quais havia formado a Associação de Football do Rio de Janeiro, alargando as bases sociais da liga. Ainda que não disputassem a primeira divisão, os clubes menos refinados obrigavam a um convívio tão indesejável nas reuniões da liga quanto nos campos de futebol onde se disputavam as partidas da segunda divisão. Mesmo nesse segmento, havia clubes da elite que se recusavam a jogar com times como o São Cristóvão e o Andaraí.

A situação complicou-se em 1914, quando o Paysandu, um dos fundadores da liga, foi rebaixado para a segunda divisão. Uma virada de mesa não apenas manteve o clube, como também alterou o regulamento do campeonato. A partir de então, o último colocado da primeira divisão enfrentaria o campeão da divisão inferior e o resultado da partida selaria a sorte das agremiações. Ainda nesse ano, o jogador Carlos Alberto, do Fluminense, entraria para a história do futebol, devido a um episódio pleno de significados. No dia 13 de maio (por ironia histórica data comemorativa do fim da escravidão), num jogo contra o América, procurando branquear sua pele negra Carlos Alberto cobriu o rosto com pó de arroz. A torcida contrária não perdoou e apupava-o com os gritos "É pó de arroz!". A expressão foi incorporada pela torcida tricolor carioca, mas os negros continuaram a ser presença incômoda nos campos de futebol.

Em 1915, o tradicional Rio Cricket ficou em último lugar e, pelo regulamento, foi forçado a disputar sua permanência na primeira divisão com o Andaraí, composto por vários jogadores negros. Derrotado, retirou-se do certame, mas a decisão foi mantida. Os pequenos clubes ganhavam terreno na liga, mesmo quando, em 1917, foram aprovados novos estatutos que proibiam o registro de jogadores analfabetos e soldados rasos (como nas eleições do país), além de guardas-civis e trabalhadores braçais. A fiscalização, como de praxe, ficaria por conta da Comissão de Sindicância, encarregada de excluir atletas em situação irregular. Mas a aplicação das normas dependia da nova correlação de forças. Tal comissão assemelhava-se à Comissão de Verificação de Poderes, responsável pelo registro dos deputados federais eleitos, que tentava impedir a diplomação de elementos que não merecessem a confiança do governo federal.

2.2 A CRISE DO REGIME OLIGÁRQUICO E O FIM DO AMADORISMO (1920-33)

O sucesso do futebol ampliava a lista de seus detratores. Em 1916, Rui Barbosa referiu-se aos jogadores da seleção que disputaria o Campeonato Sul-Americano na Argentina, com Friedenreich no time titular, como corja de malandros e vagabundos. Naquele mesmo ano, Graciliano Ramos definiu o futebol como efêmero modismo estrangeiro. Em 1919, nova associação era anunciada no Rio de Janeiro: a Liga Contra o Football. Não se tratava de mais uma ruptura provocada por divergências entre os clubes cariocas, e sim de campanha capitaneada pelo escritor Lima Barreto, que imputava ao futebol novas humilhações impostas aos negros, bem como forças desagregadoras da federação política brasileira, perversas dominações de classe, arruaças cometidas por maltas de desordeiros, incorporação de elementos estranhos à cultura nacional. Em 1923, um artigo do *Correio da Manhã* (22/1/1923) garantia que "o futebol não pode ser inserido em nosso meio por não tolerar a nossa sensibilidade, o nosso temperamento, a nossa educação". Ao longo da década de 1920, e de outra perspectiva, críticas frequentes foram desferidas por muitas das lideranças do movimento operário. Classificado como esporte burguês a serviço da dominação de classe e da desarticulação do proletariado, o futebol seria mais um produto da sociedade capitalista a ser combatido. Apesar dessa dura avaliação, sindicatos ligados a anarquistas, socialistas e comunistas chegaram a promover partidas e a organizar times exclusivamente de operários, como forma de inserção cotidiana capaz de aglutinar e mobilizar os trabalhadores.

As críticas revelam que o futebol já se tornara o esporte mais difundido no Brasil em todos os segmentos sociais. Ademais, elas sintetizavam as mais importantes questões e contradições brasileiras, presentes no futebol por este ser verdadeiro microcosmo da sociedade, ao mesmo tempo espelho e ingrediente dinâmico das transformações em curso nos tumultuados anos 1920. O problema da nacionalidade, potencializada pelas comemorações do centenário da Independência, em 1922, dividia a elite do país. As divergências entre as oligarquias regionais tornaram-se mais intensas e as disputas eleitorais mais acirradas. As grandes cidades eram assoladas por manifestações operárias e viraram palco de campanhas e revoltas pela instauração do voto secreto e pelo fim da política oligárquica.

As medidas para o branqueamento da sociedade brasileira, iniciadas na segunda metade do século XIX, haviam transformado o Centro-Sul em um mosaico de colônias de imigrantes europeus. Formados por alemães, italianos, portugueses e espanhóis, surgiram, respectivamente, alguns dos mais famosos clubes do futebol brasileiro: Grêmio (1903) e Coritiba (1909); Guarani

(1911), Juventude (1913), Palestra Itália (de São Paulo em 1914, de Belo Horizonte em 1921) e Palestra Itália FC (1921, que após longa história de fusões de clubes tornar-se-ia o Paraná); Vasco da Gama (1898, departamento de futebol em 1915) e Portuguesa de Desportos (1920); Jabaquara (1914). Em São Paulo, o Palestra Itália ingressaria na APSA em 1916. Com o apoio de poderosas famílias italianas, entre as quais a Matarazzo, o clube adquiriu por quinhentos contos de réis, em 1917, o campo do Parque Antártica, uma das maiores transações imobiliárias realizadas na cidade, sagrando-se campeão em 1920. No Rio de Janeiro, o Vasco da Gama, de dirigentes portugueses enriquecidos, clube que já havia elegido um presidente negro em 1904, Cândido de Araújo, seria campeão na sua estreia na primeira divisão, em 1923, com jogadores negros e trabalhadores brancos, o que o tornou o clube mais popular na cidade durante as décadas de 1920 e 1930. Com treinos diários sob o comando do técnico uruguaio Ramón Platero, os atletas apresentavam melhor preparo físico que os adversários, daí obter as vitórias no segundo tempo das partidas disputadas.

O triunfo do Vasco provocou nova crise no Rio de Janeiro. Fluminense, Botafogo, Flamengo, América, Bangu e São Cristóvão criaram em 1924 a Associação Metropolitana de Esportes Amadores (AMEA). Impedido de participar da associação, o Vasco iniciou intensa campanha de arrecadação. Com a aquisição de um terreno por mais de 665 contos de réis em 1926, o Vasco foi admitido na AMEA, ano em que o São Cristóvão seria campeão com um time repleto de negros. O empenho do Vasco culminou na inauguração (com derrota diante do Santos FC por 5 a 3), em 1927, do estádio de São Januário, o maior da América do Sul na época, com capacidade para cerca de 35 mil espectadores. Mas como grande parte dos recursos do clube eram destinados à construção do estádio, o Vasco só voltaria a conquistar o campeonato carioca em 1929.

A despeito dos fortes preconceitos contra os alemães, impulsionados pela Primeira Guerra Mundial, contra os portugueses, ampliados em 1922 com o centenário da Independência, e contra os italianos, denominados pejorativamente de "carcamanos", os clubes de imigrantes obtinham sucesso. Isso revela, de um lado, a existência e a força de outros vínculos de solidariedade na formação dessas comunidades artificiais, agregando dirigentes, sócios, jogadores e torcedores a partir de uma mesma nacionalidade de origem, num país onde a identidade nacional era ainda uma construção precária. De outro lado, o fenômeno demonstra que o futebol brasileiro, apesar do amadorismo, já apresentava enorme potencial econômico. O profissionalismo dissimulado (ou amadorismo marrom) praticado desde a década de 1910 alimentava-se das bilheterias e dos ricos patronos dos clubes. Cada vez era mais frequente os jogadores receberem uma premiação, desde 1923 chamada de "bicho" — como o futebol era oficialmente amador, os comerciantes portugueses torcedores do Vasco recompensavam com uma vaca inteira as vitórias sobre o América, campeão do ano anterior, enquanto derrotar o Flamengo, campeão de 1920 e 1921, valia uma vaca de três pernas, o Fluminense duas ovelhas e um porco, e assim por diante.

Em São Paulo, a hegemonia do Paulistano seria quebrada pelo Corinthians em 1922, 1923 e 1924. Em 1926, o clube da elite da cidade fundava nova associação, a Liga de Amadores de Futebol (LAF), dissolvida em 1929. Nesse mesmo ano, Paulistano e AA das Palmeiras encerravam seus departamentos de futebol. Em 1930, era fundado o São Paulo Futebol Clube, composto por jogadores e sócios — e pelas cores — daqueles dois clubes, daí a aura elitista que o acompanharia por muito tempo. Extinto em maio de 1935, seria refundado em dezembro do mesmo ano. Enquanto o discurso amador desmanchava-se no ar, nos campeonatos da APSA eram clubes de origem popular, Corinthians e Palestra Itália, que alternavam triunfos.

A incorporação de operários, negros e demais segmentos subalternos aos grandes clubes de futebol obedecia à "ideologia do favor", que estabelecia certa proximidade entre um poderoso e seu plantel de clientes, oferecendo falsa impressão de identidade de interesses. Dirigentes e patronos assumiam posição paternalista, favorecendo seus jogadores ao mesmo tempo que denunciavam, quando convinha, irregularidades das equipes adversárias. Exemplo claro disso era a prática da contratação de professores, consagrada pelo Vasco, para que os futebolistas aprendessem a assinar as súmulas diante dos fiscais das ligas desportivas, enquanto se questionava a presença de analfabetos entre os rivais.

Naquele meio social bastante heterogêneo e fragmentado por interesses regionais, a construção da nacionalidade brasileira teve no futebol um dos seus principais alicerces. Os embates com times estrangeiros e as primeiras partidas da seleção brasileira alimentaram, em todos os setores sociais, certa dose de patriotismo e de sentimento de unidade, ainda que transitória e circunscrita à realização das partidas. Em 1914, um combinado Rio-São Paulo derrotou a equipe inglesa do Exeter City por 2 a 0, no estádio lotado das Laranjeiras, naquele que é considerado o primeiro jogo da seleção brasileira. Ainda no mesmo ano, a seleção conquistou a primeira Copa Roca, na Argentina, vencendo os anfitriões por 1 a 0.

O início das rivalidades futebolísticas entre brasileiros e argentinos expunha também as desavenças regionais entre Rio de Janeiro e São Paulo. Além da exclusão de atletas de outros estados, a convocação do time brasileiro ocorreu em meio a críticas da imprensa paulistana, inconformada com a ausência de determinados jogadores. A essa altura, surgiam as primeiras entidades que pretendiam representar o futebol brasileiro: a Federação Brasileira de Sports, no Rio (1914), e a Federação Brasileira de Football, em São Paulo (1915), unificadas, em 1916, na Confederação Brasileira de Desportos (CBD). Imbuída da missão de exibir uma boa imagem no exterior, a CBD escalou a seleção que disputaria o Sul-Americano de 1917, no Uruguai, com jogadores que representavam o refinado espírito do amadorismo nacional, amargando o penúltimo lugar da competição. No entanto, no Sul-Americano de 1919, disputado no Rio de Janeiro, a seleção se sagraria campeã, para comoção do elegante público das Laranjeiras — 30 mil pessoas — e dos populares que se apinhavam nos morros vizinhos. Como afirmara lapidarmente Lima Barreto a respeito da política do país, o Brasil não tinha povo, tinha público. Na verdade, começava a ter torcida.

A divisão das oligarquias brasileiras consumada em 1921 — Rio Grande do Sul, Bahia, Pernambuco e Rio de Janeiro articularam-se em torno da candidatura presidencial de Nilo Peçanha, enquanto São Paulo e Minas Gerais sustentaram Artur Bernardes — também se refletia no futebol. Constituída majoritariamente por jogadores da elite, a seleção de 1919 quase deixou de contar com paulistas. No ano anterior, a CBD desligara a APSA por permitir a utilização de três atletas profissionais, Amílcar, Neco (ambos do Corinthians) e Friedenreich (Paulistano). Apaziguados os ânimos com o fim da punição, os três foram titulares do escrete campeão e Friedenreich, alcunhado El Tigre pelos uruguaios, escolhido o melhor jogador do torneio. Críticas à política café com leite (alternância de paulistas e mineiros no poder) e à situação econômica do pós-guerra alimentavam as rivalidades entre paulistas e cariocas. Em 1920 e 1921, a APSA recusou-se a ceder jogadores para a seleção que disputaria os Sul-Americanos do Chile e da Argentina. Às diferenças bairristas, somavam-se as discriminações étnicas. Em 1921, o presidente Epitácio Pessoa proibiu a convocação de jogadores negros, o que excluía o goleador Friedenreich — e vários outros craques —, que só voltaria a vestir a camisa branca da seleção em 1922, na vitoriosa campanha do Sul-Americano disputado no Rio de Janeiro.

O clima de desavenças entre paulistas e cariocas, a crise econômica já pronunciada e as turbulências políticas manifestadas desde 1924 com a deflagração da Coluna Prestes impossibilitaram a realização de jogos da seleção brasileira em 1924, 1926 e 1927. Nos dois anos seguintes, a seleção disputou apenas quatro amistosos. Em 1928, os paulistas não participaram do Campeonato Brasileiro de Seleções, torneio entre escretes regionais criado em 1922. Tais rivalidades impediriam que El Tigre disputasse a Copa do Mundo de 1930, quando, aliás, a seleção, sem atletas de São Paulo, foi eliminada logo na primeira fase. No entanto, o meio-campista do Vasco, Fausto, "a maravilha negra", seria reconhecido como um dos principais jogadores da Copa. A derrota brasileira foi comemorada por torcedores paulistas, que realizaram um enterro simbólico da CBD no viaduto do Chá.

De seu lado, os cariocas responsabilizaram os paulistas que, mais uma vez, teriam demonstrado maior fidelidade aos interesses de seu estado que ao país. O clima de desavenças futebolísticas interligava-se com a grave crise política brasileira que culminaria logo depois na derrubada do regime. A quebra da Bolsa de Nova York em 1929 enfraquecera a poderosa oligarquia de São Paulo. Após as eleições — vencidas pelo paulista Júlio Prestes —, o assassinato do candidato a vice na chapa de Getúlio Vargas, João Pessoa, quatro dias antes do final da Copa, levou à eclosão de protestos nas principais cidades do país, sobretudo no Rio de Janeiro. Em 31 de outubro, uma multidão saudava os revolucionários que chegavam à capital, como se comemorassem um título nacional.

A transição política coincidia com o definhamento do amadorismo. Um grande número de jogadores, atraídos pelo profissionalismo implantado no exterior (item 1.3), deixava o país, como Fausto (1931, Barcelona), Leônidas (1931, Peñarol), Tupi, Vani, Ramon, Teixeira e Petronilho (1931, San Lorenzo de Almagro), Del Debbio e De Maria (1931, Lazio), Ministrinho (1931, Juventus), Rato e Filó (1932, Lazio) — este último se tornaria campeão mundial jogando pela Itália na Copa de 1934 — e Domingos da

Guia (1933, Nacional do Uruguai). Em 1931, o governo Vargas incluía o jogador de futebol entre as profissões que deveriam ser regulamentadas pela legislação trabalhista. A exemplo da Argentina (1931) e do Uruguai (1932), em janeiro de 1933 a recém-criada Liga Carioca de Futebol (LCF) — Fluminense, América, Vasco, Bangu e Bonsucesso — decidiu oficialmente pelo profissionalismo de seus jogadores. Em março, a APSA seguiu o mesmo caminho e as duas ligas romperam com a CBD, fundando a Federação Brasileira de Futebol (FBF).

Entretanto, as desavenças entre Rio de Janeiro e São Paulo acentuaram-se com a Revolução Constitucionalista de 1932. A mobilização chegou ao futebol, com Friedenreich tornando-se tenente das tropas paulistas. A situação política imobilizou ainda mais a seleção brasileira, que depois do final do conflito disputou apenas a Copa Rio Branco contra o Uruguai e mais três amistosos. Tentando atenuar as rivalidades, Vargas instituiu no ano seguinte a Taça Rio-São Paulo, na qual seria disputada a primeira partida oficial do profissionalismo no país, a 12 de março: Santos 1 × São Paulo 5. Significativamente, o primeiro gol foi anotado por El Tigre, o maior craque da época do amadorismo marrom. Mas as hesitações quanto ao profissionalismo continuaram por algum tempo, misturando questões ideológicas e questões esportivas. O presidente do Flamengo acreditava que "o profissionalismo avilta o homem" (*Diário Carioca*, 26/11/1932). O Fluminense, embora fosse o clube mais elitizado do Rio, depois de quinze anos sem título não titubeou em contratar dez jogadores da seleção paulista para realizar a conquista de 1936.

A situação do jogador de futebol era a mesma do país, em busca de superação das dificuldades materiais (Amílcar justificou sua ida para a Itália dizendo que "os clubes enriqueceram e eu não tenho nada") e das hesitações identitárias (de acordo com Vani, o futebol deixara de ser "jogado pelos almofadinhas, filhos dos 'pais da pátria' [...] hoje é privilégio de rapazes humildes que para aprendê-lo gastaram muito sapato, rasgaram muita roupa"). Daí por que se começou a propalar a existência de uma maneira de jogar própria ao Brasil. Em parte isso era reação ao fato de Argentina e Uruguai considerarem-se donos de um estilo particular, o *fútbol criollo*, instintivo e inventivo, repleto de gestos improvisados e espontâneos, jogo que seguia o ritmo do tango e seus dramáticos movimentos lentos e rápidos (item 9.2). Da malandragem brasileira — essa disposição em obter vantagens e em recorrer à flexibilização e improvisação social ("jogo de cintura") num país concentrador de poderes, riquezas e saberes —, procederia, segundo Roberto DaMatta, o uso desinibido do corpo, diversão/dança/luta ilusionista de pernas e quadris, tão característica da capoeira. No futebol o país encontrava um espelho para se entender, como na mesma época tentavam fazer por outros caminhos pensadores como Paulo Prado e Gilberto Freyre.

2.3 ESTADO POPULISTA E FUTEBOL DAS MASSAS (1934-45)

A remoção da oligarquia paulista do centro do poder caracterizou-se, a partir de 1930, pela emergência do Estado como principal agente da sociedade brasileira. Modernização tornou-se a palavra de ordem, embutida nas perspectivas de industrialização do país e de consolidação da unidade nacional. De forma semelhante ao que ocorria no campo social, onde nenhum segmento mostrava-se capaz de exercer hegemonia, no futebol também se viviam tempos de transição. Defensores do amadorismo e do profissionalismo disputavam a prerrogativa de organizar o futebol brasileiro, mas sem que ambos conseguissem superar as rivalidades regionais. Por outro lado, percebia-se a necessidade de acompanhar as modificações das regras que se processavam na Europa (item 1.4), bem como as correspondentes mudanças táticas (item 6.3). Paralelamente, o futebol era reconhecido pelos novos governantes como eficiente meio de mobilização das massas, e a seleção, como ingrediente fundamental da representação da nacionalidade.

Para disputar a Copa de 1934, a amadora CBD, enfraquecida pelas divergências regionais e pelo avanço do profissionalismo, rendeu-se à convocação de um time titular com cinco jogadores cariocas, quatro paulistas e dois gaúchos. A seleção disputou uma única partida, sendo derrotada pela Espanha por 3 a 1 e eliminada do torneio já na oitava de final. Enquanto o escrete brasileiro acumulava mais esse fracasso internacional e provocava nova decepção, os clubes ganhavam crescente adesão das massas, sobretudo nas grandes cidades do país. As preferências das torcidas eram, já nas duas primeiras décadas do século XX, muitas vezes manifestadas de forma hostil e até violenta em relação aos seguidores rivais. A imprensa carioca noticiava que "amiudadamente vêm acontecendo esses atritos em campo, essas agressões a juízes, jogadores, etc. que afugentam as famílias das praças de esporte" (*Correio da Manhã*, 30/11/1920).

Mas foi a partir do início dos anos 1930, com as coberturas jornalísticas de Mário Filho na imprensa escrita e as locuções pelo rádio, que as massas passaram a se vincular mais fortemente a determinados clubes, dentro e fora dos estádios. Mário Filho, em meio à crise entre amadores e profissionais no Rio de Janeiro, contribuiu para a transformação do futebol brasileiro no grande espetáculo das multidões ao promover concursos entre os torcedores e estimular sua carnavalização, que desembocaria na elaboração de bandeiras, hinos, símbolos, mascotes e grupos uniformizados. Grande defensor do profissionalismo, o jornalista foi o responsável pela nacionalização da nomenclatura de vários clubes de futebol.

As transmissões de rádio, que tiveram forte impulso com as apaixonadas narrações de Ary Barroso a partir de 1936, angariaram muitas dezenas de milhares de torcedores para o Flamengo nas mais diversas regiões brasileiras alcançadas por aquele veículo de comunicação. Pouco antes da Copa do Mundo de 1938 surgiu no Rio de Janeiro a primeira revista brasileira dedicada ao futebol, a *Sport Ilustrado*. Durante a Copa, as cinco partidas da seleção foram transmitidas diretamente da França pelo locutor Gagliano Neto, o que pela primeira vez permitiu que a população acompanhasse ao vivo o desempenho do time brasileiro. Em 1942, Jaime de Carvalho organizava, no Rio de Janeiro, a Charanga Rubro-Negra, considerada a primeira torcida uniformizada do país. Ainda na década de 1940, o jornal *A Gazeta Esportiva* e a rádio Gazeta organizaram o primeiro torneio entre torcidas uniformizadas de São Paulo.

O processo que incorporava os torcedores ao universo do futebol brasileiro, estabelecendo um alargamento de sua base social, era o mesmo que incluía as camadas subalternas urbanas no jogo político nacional. E também nesse aspecto o rádio desempenhou papel decisivo. A emergência das classes populares sob a tutela do Estado foi consagrada pela regulamentação do salário mínimo e de uma série de outros direitos trabalhistas, bem como do voto secreto e sua extensão às mulheres por intermédio da Constituição de 1934. Com pulso firme e graças ao apoio obtido junto à população das grandes cidades, o novo arranjo político liderado por Getúlio Vargas enquadrava as oligarquias e reduzia a autonomia regional em nome da unidade nacional. A até então mais avançada carta constitucional vigorou por apenas três anos. O Estado Novo de 1937 eliminou a representação parlamentar e transformou o Poder Executivo em árbitro dos conflitos sociais, submetendo também a classe operária através do controle de suas organizações sindicais e da repressão às lideranças de esquerda.

A consolidação do regime autoritário realizou-se por meio de intensa propaganda, que procurava garantir o apoio das massas ao presidente e a difusão da ideologia trabalhista de conciliação das classes e de valorização da ordem, da disciplina e do nacionalismo. Desde 1934, a feição paternalista do presidente era propagada pelas ondas do rádio graças ao estabelecimento do programa *A Hora do Brasil*. A partir de 1939, com a criação do Departamento de Imprensa e Propaganda (DIP), o controle dos meios de comunicação tornou-se ainda mais eficaz graças à censura, à promoção de concursos musicais e à organização de manifestações cívicas nas quais abundavam retratos de Vargas, ritualizando os compromissos entre as massas e o presidente.

Não por acaso, os estádios de São Januário e do Pacaembu foram os palcos escolhidos para os desfiles e as comemorações do Primeiro de Maio, Dia do Trabalho, deixando definitivamente de ser enormes salões para encontros de uma elite portando chapéu e paletó, como em anos passados. O mesmo rádio que agrupava os ouvintes num corpo único de torcedores de determinado time ou no corpo maior da seleção brasileira também procurava criar o corpo cívico da nação em comunhão com seu líder máximo. Paixão política e paixão futebolística eram estimuladas de forma semelhante. Enquanto as bandeiras com as cores dos clubes eram desfraldadas nos estádios, as bandeiras regionais eram queimadas, e no lugar delas era içada a bandeira nacional.

Ainda em 1937, a CBD curvava-se ao profissionalismo para garantir o posto de entidade máxima do futebol do país. Graças a isso, a preparação brasileira para a Copa da França, em 1938, demonstrou organização bem superior à posta em prática nas duas Copas anteriores. Mas houve nítido descompasso com o plano da preparação tática. O treinador brasileiro Ademar Pimenta manteve o time no velho sistema diagonal, pois não tinha informações sobre o WM, criado em 1925 pelo inglês Herbert Chapman (item 6.3) e introduzido no Flamengo em 1937 pelo húngaro Dori Kreuschner. Ademais, no Brasil do final dos anos 1930 o "jogo de corpo" ou "tranco legal" era condenado e punido por ser inaceitável a um estilo de jogo caracterizado pela retenção da bola e pela sucessão de dribles.

Apesar da maioria esmagadora de jogadores do Rio de Janeiro, a seleção foi celebrada pelos governantes como expressão da unidade nacional. O negro Leônidas foi a grande estrela brasileira, jogador aclamado como o destaque individual da Copa e artilheiro da competição, com oito gols. E o resultado — terceiro lugar (6 a 5 contra a Polônia; 1 a 1 Tchecoslováquia; 2 a 1 Tchecoslováquia; 1 a 2 Itália; 4 a 2 Suécia) — foi considerado uma vitória particular de Getúlio Vargas e de seu regime autoritário. A partir de então, ao mesmo tempo que se consolidava a figura do presidente, outros heróis nacionais despontavam com a difusão do futebol através dos meios de comunicação. Além de Friedenreich e Domingos da Guia, nomes como os de Romeu Pelliciari, Luizinho, Fausto, Servílio, Zizinho, Heleno de Freitas, Brandão, Jair da Rosa Pinto, Tim, Perácio, Patesko e Ademir de Menezes eram objeto de culto pela comunhão de fiéis de seus respectivos clubes. E representavam uma possibilidade concreta de ascensão de membros dos grupos subalternos da sociedade brasileira.

Na mesma lógica que orientava as medidas corporativistas do Estado Novo, em 1941 foi criado o Conselho Nacional dos Desportos (CND), vinculado ao Ministério da Educação e Cultura, que subordinava a CBD e as federações regionais e tinha poder de fiscalização, normatização e organização de todas as modalidades esportivas do país. Seus objetivos eram a modernização desportiva e sua utilização para a legitimidade do regime. Ou melhor, a modernização esportiva para aquilo que parecia a modernização do Estado e da sociedade. Da mesma maneira que o processo de industrialização do país, o desenvolvimento das atividades esportivas era realizado com investimentos público-estatais (ilustrado pela construção do estádio do Pacaembu) e pela vinculação dos dirigentes às engrenagens do poder, o que deixaria marcas profundas no futebol brasileiro. O profissionalismo avançava, com atletas importantes trocando de clube graças à atração de rendimentos melhores. Em 1935, Romeu Pelliciari trocou o Palestra Itália pelo Fluminense, retornando ao clube paulista em 1947. Em 1942 Perácio deixava o Botafogo e transferia-se para o Flamengo, que perderia Domingos da Guia para o Corinthians um ano depois. Jogadores que despontavam no interior do Brasil eram contratados pelos grandes clubes do eixo Rio-São Paulo, à semelhança do que ocorria com a mão de obra de migrantes que se deslocava das áreas rurais e das regiões Norte e Nordeste para o Sul-Sudeste em vias de industrialização.

No entanto os limites do profissionalismo apareciam no tratamento destinado aos jogadores. Eles eram, apesar de aquele ser um momento de regulamentação de direitos trabalhistas, obrigados a excursionar durante as férias e a jogar mesmo lesionados. Leônidas da Silva, embora fosse o mais popular jogador da época, não deixou de ser multado várias vezes por desobedecer a tais determinações. Comportamento que ele justificava com uma frase lapidar: "jogador não é escravo". Mas com isso ele foi considerado rebelde e mercenário tanto por dirigentes quanto por jornalistas. Para piorar, um processo por falsificação de dispensa do serviço militar levou-o à prisão do Exército por oito meses, entre julho de 1941 e março de 1942. Apesar disso, comprovando que o profissionalismo estava bem instalado no país, em abril o São Paulo comprou o passe dele ao Flamengo pela enorme quantia (a maior transferência no futebol brasileiro até então) de duzentos contos de réis. Investimento que se mostraria altamente rentável: o Tricolor recuperou 40% do valor já na partida de estreia do jogador, que em oito anos de clube conquistou cinco títulos paulistas, em 1943, 1945, 1946, 1948 e 1949.

Sem dúvida, os campeonatos regionais atraíam enorme interesse. No Rio de Janeiro, a partir da reunificação das ligas, em 1937, Flamengo e Fluminense — o clássico Fla-Flu, como foi batizado por Mário Filho — praticamente dominaram os certames (com quatro conquistas cada) até 1945, quando o Vasco conseguiu novamente se sagrar campeão. No mesmo período , os títulos paulistas foram conquistados por Corinthians (quatro), Palestra Itália (três) e São Paulo (dois). Em Minas Gerais, Atlético e Palestra dividiram o maior número de conquistas (quatro cada um), enquanto no Rio Grande do Sul o Internacional venceu seis campeonatos consecutivos (e o Grêmio nenhum). Em Pernambuco, Sport (quatro) e Náutico (dois) consolidavam-se como os clubes mais importantes. No estado vizinho, Bahia e Galícia alternavam-se na conquista do campeonato local, com quatro vitórias cada um.

Apesar de todo o empenho de Vargas, a consagração de sua política desportiva não pôde se consumar devido à eclosão da Segunda Guerra Mundial, que impediu a realização dos certames mundiais. Nos chamados anos sem Copa, as comprovações do espírito nacional foram direcionadas para as disputas sul-americanas, nas quais os confrontos contra argentinos e uruguaios foram desfavoráveis à seleção brasileira, em jogos que muitas vezes descambaram para verdadeiras batalhas campais. Derrotada nas copas Roca de 1939 e 1940 e no Sul-Americano de 1942, a seleção só voltaria a vencer esse último torneio em 1945, batendo os argentinos por 3 a 1 na partida final. Apesar das medidas centralizadoras do governo, o Campeonato Brasileiro de Seleções continuou a ser disputado e a manter vivas as rivalidades entre Rio e São Paulo. As seleções desses dois estados monopolizaram as conquistas desde a criação da competição: no período 1934-45 foram quatro conquistas paulistas e seis cariocas. Por razões políticas não houve disputa em 1937 e 1945.

O futebol era espaço de contestação à política interna, no estado de São Paulo, cuja Revolução Constitucionalista de 1932 tinha sido sufocada por Getúlio Vargas. Daí por que, quando das festividades de inauguração do Pacaembu, em 27 de abril de 1940, a delegação do São Paulo Futebol Clube foi ovacionada por todo o estádio, que voltado para a tribuna onde se encontrava o ditador provocativamente gritava o nome do clube, identificado ao estado. No mesmo local, com o mesmo espírito, em 1943, durante uma partida entre as seleções de São Paulo e do Rio Grande do Sul (terra natal de Vargas), o público paulista formou uma enorme bandeira do estado com pedaços de papelão empunhados individualmente pelos torcedores.

A contestação à política internacional deu-se com a entrada do Brasil na guerra, em 1942. Os clubes mais vinculados à colônia italiana, como o Palestra Itália de São Paulo e o Palestra Itália de Belo Horizonte, foram hostilizados, tanto pelas torcidas adversárias quanto pela "torcida brasileira", que identificavam nessas agremiações a presença de inimigos infiltrados no país. A propaganda nacionalista promovia fortes reações nos campos de futebol. A alternativa para esses clubes foi alterar suas denominações sociais para Palmeiras e Cruzeiro, respectivamente. O Goiás Esporte Clube, fundado em 1943, que também iria se chamar Palestra Itália, alterou o nome às pressas para escapar a possíveis represálias. Significativo é o episódio da primeira partida da Sociedade Esportiva Palmeiras, diante de um público de mais de 45 mil espectadores. Após uma semana de rumores que apontavam até mesmo para o confisco do estádio do Parque Antártica e de notícias inflamadas veiculadas pelo rádio acerca dos confrontos na Europa, os jogadores do Palmeiras entraram em campo com novo uniforme e uma enorme bandeira do Brasil, tendo à frente, fardado, um capitão do Exército de origem nordestina, Adalberto Mendes. A demonstração nacionalista não impediu que os torcedores do São Paulo vaiassem e apupassem os "inimigos da pátria". A partida, que acabou decidindo o campeonato, foi marcada pela violência de ambos os times e encerrada com o abandono da equipe tricolor antes da metade do segundo tempo.

As hostilidades nos campos de jogo brasileiros e nos campos de guerra europeus revelavam um dado novo da sociedade brasileira. Sem dúvida os anos do governo de Vargas haviam difundido um sentimento nacionalista potencializado pelo futebol e pela guerra, dois combates repletos de semelhanças (item 6.3). Alçado à condição de principal esporte e, junto com o Carnaval, principal espetáculo popular do país, o futebol expressava nitidamente o sentimento de identidade nacional forjada sob a batuta autoritária.

2.4 FUTEBOL E DEMOCRACIA POPULISTA (1946-54)

A participação na guerra expôs as contradições do Brasil. Apesar da forte influência fascista, o regime brasileiro lutava contra Estados totalitários ao lado de países democráticos e da União Soviética comunista. Com o avanço dos Aliados, a partir de 1943, Vargas teve que se comprometer a convocar eleições gerais ao final do conflito. O enfraquecimento do prestígio pessoal do presidente e a iminente reabertura do Poder Legislativo indicavam nova correlação das forças políticas. O Estado populista teria que se adaptar à democracia representativa, e as massas, enquadradas pela política do Estado Novo, teriam de ser controladas sob novas condições. Manifestações de apoio à participação do Brasil na guerra foram, pouco a pouco, tomando a feição de contestações à ditadura getulista. Representantes da oligarquia mineira, integrantes da União Nacional dos Estudantes (UNE), intelectuais, artistas, jornalistas e até mesmo integrantes do Exército pronunciavam-se a favor das eleições. Com o poder adquirido ao longo do Estado Novo e com o prestígio da guerra, alguns militares não aceitariam mais a posição de coadjuvantes do processo político nacional.

No início de 1945, dois comandantes lançavam suas candidaturas à presidência da República: o major-brigadeiro Eduardo Gomes e o general Eurico Gaspar Dutra. Com a anistia aos presos políticos, o líder comunista Luís Carlos Prestes deixava a prisão e participaria de dois imensos comícios: no estádio de São Januário em maio de 1945 e no Pacaembu em julho do mesmo ano. Deposto em fins de outubro, Vargas perdeu a direção do processo de democratização do país. As velhas oligarquias, articuladas aos militares, retomavam o controle político. O ex-presidente aprofundava suas relações com as entidades sindicais e as massas urbanas. Em 2 de dezembro, os eleitores brasileiros escolheram o general Dutra para a presidência. A nova Constituição, aprovada em setembro de 1946, garantia a independência dos poderes, restringia o direito de voto aos alfabetizados maiores de dezoito anos, reconhecia o direito de greve e estipulava o mandato do presidente em cinco anos sem direito a reeleição. Em linhas gerais, era bastante semelhante à Constituição de 1934, também orientada por princípios liberais e democráticos. Isso não impediu que, em setembro de 1947, o registro do Partido Comunista Brasileiro fosse cancelado e o partido voltasse à clandestinidade.

No novo jogo político que se formava, o futebol passava a ser componente de peso. Com os negros integrados e reconhecidos como legítimos representantes da nação — apesar da forte cultura racista ainda existente — os campos e as arquibancadas tornavam-se espaços destinados aos grupos subalternos. Os dirigentes dos clubes, muitos deles ex-interventores de Vargas ou ligados diretamente à máquina burocrática do Estado, em geral brancos e pertencentes à elite, tinham terreno aberto para suas ambições políticas. A direção dos clubes, a contratação de jogadores famosos e as conquistas de títulos possibilitariam a eles ascendência sobre as massas. E os jogadores, apesar de alguns bem remunerados e até mesmo com certo poder de intervenção em seus times, continuariam a ser matéria-prima para as articulações políticas que se processariam a partir de então.

No início de 1945, depois de perder mais um Campeonato Sul-Americano para os argentinos, a seleção, recolhida em Caxambu para os jogos das copas Roca e Rio Branco, pôde votar graças ao envio de urnas improvisadas para a concentração. Especulou-se que a imensa maioria dos jogadores teria votado em Dutra. Leônidas revelou-se, mais uma vez, polêmico: declarou seu voto no candidato do PCB, Yedo Fiúza, para revolta do disciplinador técnico Flávio Costa. Sua justificativa era novamente lapidar: "Voto Fiúza porque sou um homem do povo". Os novos tempos pouco alteraram o desempenho da seleção. Após 23 anos, o Brasil voltava a conquistar uma Copa Roca, em dezembro de 1945, vencendo os argentinos. Mas perdeu a Copa Rio Branco para o Uruguai em janeiro de 1946 e o Sul-Americano para a Argentina em fevereiro do mesmo ano.

Certo complexo de inferioridade diante das poderosas seleções platinas não foi dissipado nem mesmo com as conquistas da Copa Rio Branco de 1947 e do Sul-Americano (sediado no Brasil) de 1949. As esperanças eram depositadas na organização da Copa do Mundo de 1950, a primeira do pós-guerra. Desde 1942, a CBD tentava sediar o torneio. Com a guerra, os planos de organização de uma nova copa mundial foram suspensos. Em 1948, a FIFA atendeu às solicitações dos dirigentes brasileiros para o Mundial previsto, inicialmente, para 1949. Coube a Mário Filho comandar a campanha pela construção de um estádio monumental na capital do país. O local foi motivo de acirrada disputa entre partidários da utilização da área do antigo Derby Club, pertencente ao Ministério da Guerra, e aqueles — entre os quais o então vereador Carlos Lacerda — que defendiam a construção na região de Jacarepaguá.

As discussões sobre o local, sobre as características do projeto arquitetônico, sobre a jurisdição municipal ou federal e sobre a capacidade de público correspondiam ao clima acalorado da democracia populista, que debatia de forma maniqueísta: Marlene ou Emilinha Borba, Francisco Alves ou Orlando Silva, *Última Hora* ou Diários Associados, Carlos Lacerda ou Adhemar de Barros, Ademir de Meneses ou Zizinho, Flamengo ou Fluminense, Corinthians ou Palmeiras, UDN ou PSD, nacionalistas ou entreguistas, Estados Unidos ou União Soviética. Em breve, Pelé ou Garrincha. Tempos de Guerra Fria e de oposições inconciliáveis. Fãs, eleitores e torcedores nutriam verdadeira veneração por seus astros, fossem eles cantores, jogadores de futebol ou líderes políticos. As rivalidades, muitas vezes alimentadas pela imprensa para despertar maior atenção, dividiam a opinião pública. Uma jogada de categoria, um trejeito maroto, um novo projeto, uma frase de efeito rendiam discussões intermináveis. Eram tempos das massas. Público voraz e inquieto, questionador e instável, que percorria as grandes cidades brasileiras.

Passadas as discussões que se desenrolaram por quase três anos, no início de 1948 foi lançada a pedra fundamental do estádio do Maracanã, posteriormente denominado Mário Filho, em 1966, em homenagem ao contundente jornalista falecido naquele ano. Em nome dos interesses do povo carioca e brasileiro, as obras iniciaram-se em agosto do mesmo ano. A essa altura, Vargas já arquitetava seu retorno à presidência, "nos braços do povo", rompendo com o governo Dutra e organizando sua candidatura pelo Partido Trabalhista Brasileiro (PTB). O Maracanã foi inaugurado em junho de 1950, ainda com as obras inacabadas, num jogo entre as seleções carioca e paulista, vencido pelos visitantes por 3 a 1.

A Copa de 1950 contou com a participação de treze seleções. A Argentina recusou-se a jogar no Brasil em virtude da sua frustrada pretensão em sediar a Copa e dos inúmeros incidentes nas partidas contra a seleção brasileira disputadas na década de 1940. A Copa Roca, por exemplo, só seria reeditada em 1957. Também ficaram de fora os países comunistas (com exceção da Iugoslávia), a Alemanha e a Escócia. Além do Distrito Federal, os jogos foram disputados em São Paulo, Porto Alegre, Recife, Curitiba e Belo Horizonte. Em 24 de junho, mais de 80 mil torcedores acompanharam no Maracanã a vitória do Brasil por 4 a 0 sobre a seleção do México. Na plateia, o presidente da FIFA, Jules Rimet, o presidente do Brasil, Eurico Gaspar Dutra, e inúmeros políticos de vários estados brasileiros. Afinal, 1950 também era ano de eleições presidenciais e estaduais, que ocorreriam em 3 de outubro. Diante da certeza da vitória brasileira na Copa, os candidatos buscavam ampliar seu prestígio com o futebol. Procuravam mostrar-se ao lado das massas.

Havia, de certo modo, analogia entre o esquema tático usado e a correlação de forças partidárias no Brasil de então. Jogava-se havia muitos anos no sistema diagonal, que estabelecia a chamada linha média, três jogadores alinhados de maneira a constituir um pêndulo, que conforme as circunstâncias mais defensivas ou mais ofensivas do jogo oscilava ora para a esquerda, ora para a direita. No campo político, a incorporação das massas realizava-se por meio do voto, pela intermediação de líderes populistas cuja posição oscilava de acordo com as pressões sociais dos grupos dominantes e das camadas subalternas. Com postura mais agressiva, estavam à direita a União Democrática Nacional (UDN) — constituída majoritariamente por conservadores — e à esquerda o PTB, formado em sua maior parte por sindicalistas e políticos identificados com as causas populares. Mais defensivos eram o Partido Social Democrático (PSD) e o Partido Social Progressista (PSP), que conforme o desenrolar do jogo político articulavam-se mais à direita ou mais à esquerda.

A seleção começou a campanha do Mundial jogando daquela forma, sem convencer. Além da enganosa goleada sobre o fraco

México, empatou com a Suíça no Pacaembu. De certa maneira buscando a modernidade reclamada pelo país em todos os setores, o técnico Flávio Costa adotou nas partidas seguintes o WM usado na Europa havia um quarto de século. Assim como ocorrera com as medidas políticas modernizantes, os primeiros resultados empolgaram. Dois a zero sobre a forte Iugoslávia, 7 a 1 na Suécia, 6 a 1 na Espanha ("a maior partida que se viu no Maracanã até hoje", diria Flávio Costa em 1994). Mas, como o futebol antecipava e a política comprovaria, modernização não resulta apenas de voluntarismo. É preciso preparo adequado e tempo suficiente. Preparo que os dirigentes não tinham, tempo de treinamento na nova tática que os jogadores não tiveram. Bastou o primeiro empecilho — o Uruguai, jogando com sistema e empenho diferentes dos europeus — e o projeto ruiu (item 9.3).

Na véspera da decisão, os dirigentes brasileiros resolveram mudar o local da concentração do selecionado da pacata Joá para o estádio de São Januário, que, nas palavras de Zizinho, tornou-se a sede da política nacional, com a visita de dirigentes em busca de promoção pessoal. Afinal, a imprensa e os torcedores já davam como certa a vitória do Brasil, que precisava apenas de um empate contra o Uruguai. A alegação do técnico Flávio Costa era que os jogadores tinham que entrar no clima da final. Na verdade, nas 24 horas que antecederam o jogo ocorreram ali inúmeras romarias de políticos, que faziam discursos e tiravam fotos com os "campeões do mundo", caso de Adhemar de Barros (PSP), governador paulista candidato ao Senado, e Cristiano Machado (PSD), candidato à presidência. Naquele célebre 16 de julho, diante de cerca de 200 mil espectadores no estádio e de milhões de ouvintes em todo o país, a seleção brasileira perdeu por 2 a 1, no que ficou conhecido como a Tragédia do Maracanã.

Bandeiras enroladas, lágrimas nos olhos, comércio fechado, ruas desertas, mortes provocadas pela tristeza. Unidos em torno da dor, os brasileiros procuravam respostas para a "derrota de todas as derrotas". No entanto o nacionalismo, em gestação havia décadas, sobrevivia, embora cabisbaixo. Nacionalismo entristecido, silencioso, doloroso, mas nem por isso menos expressivo. A derrota da seleção do Brasil assemelhava-se à morte de um presidente da República. Morria a Mãe-Pátria e com ela emergiam a desonra e o desrespeito coletivos, analisa Voegel. Sentimento que antecipava a morte de Vargas, o "pai dos pobres", quatro anos depois. O abatimento da multidão logo se transformou em campanha para identificar os culpados pela frustração nacional. Flávio Costa foi responsabilizado. A camisa branca de gola azul também. A covardia dos atletas foi contrastada à garra dos rivais. Mas sobre três jogadores negros é que foram lançadas as críticas mais pesadas: o goleiro Barbosa, o zagueiro Juvenal e o lateral esquerdo Bigode. O problema da raça brasileira reaparecia de forma aguda, reforçando o complexo de inferioridade existente. Para muitos discursos racistas, a composição étnica havia definido a sorte de nossa seleção assim como definia a sorte da própria sociedade. Mesmo sabendo-se que Obdúlio Varela, o grande capitão uruguaio e destaque do jogo final, era mulato.

A lição do futebol não foi, porém, incorporada na vida política. A derrota da nacionalidade no terreno de jogo favoreceu a vitória do nacionalismo no terreno político. Em outubro Vargas foi eleito com mais de 48% dos votos válidos. Na primeira fase de governo, com um ministério conservador e a adoção do receituário liberal, o presidente procurou estabilizar a economia, controlar a inflação e equilibrar as finanças públicas. Na segunda fase, com a adoção de uma política nacionalista, Vargas limitou a remessa de lucros das empresas estrangeiras em 10%, passou à defesa das riquezas nacionais e destinou investimentos aos setores estratégicos para alavancar o processo de industrialização, sobretudo energia e siderurgia, concretizada na fundação da Petrobras e no aumento da produção da usina de Volta Redonda. Os gastos públicos provocaram o retorno das altas inflacionárias e de intensa escalada de greves por todo o país. Pressionado à direita pelos conservadores e à esquerda pelo movimento operário, o governo ingressou na grave crise política que desembocou no suicídio do presidente em 24 de agosto de 1954.

Nesse quadro, não foi casual que os sucessos iniciais da presidência Vargas tenham sido acompanhados por eventos futebolísticos destinados a cicatrizar as feridas da derrota de 1950. O idealizador do Maracanã, Mário Filho, concebeu um torneio internacional entre clubes — a Copa Rio — que pudesse resgatar o orgulho nacional. Quanto antes isso acontecesse, melhor, daí a primeira edição da disputa ter sido logo no ano seguinte ao *Maracanazo* uruguaio. A ideia era reunir os clubes campeões dos principais países, porém não veio nenhum clube da Suécia (terceiro lugar em 1950) ou da Espanha (quarto lugar). Da Itália veio o terceiro colocado no campeonato nacional. Participaram os campeões de países que nem sequer haviam se classificado para a Copa de 1950, caso de Áustria, França e Portugal. O Brasil tinha dois representantes, os campeões de Rio de Janeiro e São Paulo (Vasco e Palmeiras). Em 1952, novamente dois brasileiros (Fluminense e Corinthians) e clubes estrangeiros de países de segunda linha no mundo do futebol (Áustria, Suíça, Paraguai, Portugal), com exceção da Alemanha (que enviou o vice-campeão) e do Uruguai. Assim, se as conquistas de Palmeiras e Fluminense foram comemoradas como grandes feitos, era por compensação psicológica necessária à vida do país naquele momento.

Dois meses antes da morte de Vargas, teve início o quinto Mundial de futebol, sediado na Suíça. A instabilidade do Brasil refletiu-se na desorganização e falta de preparo da seleção. O técnico, Zezé Moreira, afirmava que não era necessário conhecer os times adversários, e o chefe da delegação, João Lyra Filho, sustentava que o importante era fazer os jogadores beijarem a bandeira nacional no vestiário. Na terceira partida, o time assemelhava-se ao governo brasileiro, perdido em campo, fustigado à direita e à esquerda pela favorita seleção da Hungria, organizada num 4-2-4 inovador (item 6.3). Além da derrota por 4 a 2, os brasileiros envolveram-se na maior briga registrada em uma Copa do Mundo, denominada a Batalha de Berna, que envolveu jogadores, dirigentes, jornalistas e policiais, no campo e nos vestiários. A violência era uma espécie de resposta às acusações de que faltara coragem na final de 1950, e mais uma vez procuraram-se os responsáveis pela derrota brasileira. Um artigo de *O Estado de S. Paulo* mencionava "causas talvez raciais, talvez morais, talvez sentimentais, que possam ter influído para tal estado de coisas" (6/7/1954). O complexo de inferioridade mantinha-se ainda forte na autoimagem dos brasileiros e de sua seleção.

3. Síntese da Europa dividida e integrada

Desde seus princípios o futebol mostrou ilustrar — e acentuar — as grandes linhas de força da história europeia. Embates nacionalistas em fins do século XIX e primeiras décadas do XX (item 1.4), tensões ideológicas da Guerra Fria (item 3.1), globalização atual que em nome da superação de velhas discórdias estabelece integração tão forte que redesperta antigos problemas e gera novos tipos de divisão.

Em um polo estão as manifestações nacionalistas. Nas eliminatórias para a Copa de 2006, na partida entre Suíça e Turquia realizada em Berna o hino turco foi vaiado, reabrindo feridas de orgulho nacional. O fato lembrou aos turcos que a entrada de seu país na Comunidade Europeia é de forma geral malvista no continente e que a proposta de a Turquia sediar a Eurocopa de 2008 não foi aceita. Sentimento de dupla rejeição, portanto, política e esportiva. O clima revanchista era forte para o encontro de Istambul, uma semana depois. A delegação suíça teve problemas desde a chegada, e, terminada a partida e consumada a eliminação da Turquia, os jogadores suíços foram agredidos ainda no campo e a caminho do vestiário. Um deles precisou ser hospitalizado, com problema sério.

Em outro polo estão as pretensões supranacionais, defendidas pelo grupo dos mais poderosos clubes europeus, o chamado G14. Este pressiona a UEFA por um campeonato europeu de clubes, que lhe seria mais rentável do que os tradicionais campeonatos nacionais. E pressiona a FIFA para não ser obrigado a ceder seus jogadores de variadas procedências às respectivas seleções. Sendo multinacionais que recrutam trabalhadores em vários países, têm partidas televisionadas para todo o mundo e vendem produtos com sua marca em todos os continentes, tais clubes propõem um futebol sem fronteiras.

E a FIFA se vê assim diante da estranha situação de considerar a possibilidade de supressão dos hinos nas suas competições para não alimentar sentimentos nacionalistas, porém com receio de fortalecer dessa forma as ambições internacionalistas. No fundo, trata-se do paradoxo do mundo atual: como harmonizar globalização e interesses locais?

3.1 OS MODELOS CONCORRENTES DO CAPITALISMO E DO SOCIALISMO (1954-8)

No áspero debate travado desde a Segunda Guerra Mundial entre os dois grandes modelos ideológicos de então, os dirigentes socialistas consideravam os sucessos esportivos peça importante no jogo de propaganda da Guerra Fria. Tais sucessos eram alardeados como provas da supremacia do regime político dos atletas vencedores. Daí o cuidado que países do bloco soviético dedicavam à preparação de seus representantes nas diversas modalidades olímpicas. Em especial o futebol, devido à popularidade de que era objeto. Foi pensando em transferir para os campos de jogo as disputas políticas que a União Soviética aderiu à FIFA já em 1946. O caso húngaro é bem ilustrativo daquele estado de coisas. Um grande palco foi construído para as demonstrações do poderio esportivo nacional, o Nepstadion, inaugurado em Budapeste em 1953, com capacidade para 90 mil espectadores. A seleção húngara de futebol dedicou-se intensamente à concepção e treinamento do 4-2-4, novo sistema tático (item 6.3) destinado a demonstrar aquela suposta superioridade social (item 1.4). Por essa razão um importante jornal político do país dedicou seu editorial à vitória da seleção nacional sobre a inglesa (6 a 3), pela primeira vez batida por europeus continentais em Wembley (*Magyar Nemzet*, 26/11/1953).

No contexto da Guerra Fria, a Copa que a neutra Suíça sediou em 1954 tornou-se uma espécie de competição paralela entre os dois mundos. No primeiro dia a socialista Iugoslávia venceu a capitalista França (1 a 0), mas a igualdade foi restabelecida com o sucesso do Uruguai diante da Tchecoslováquia (2 a 0). No segundo dia de competição entrou em campo a grande estrela do bloco soviético, a Hungria, cuja Seleção de Ouro encantava o mundo. Com efeito, entre 1950 e 1954, até a decisão da Copa, ela jogou 36 vezes, das quais venceu 32 e empatou quatro. Na Suíça ela conseguiu a média de 5,4 gols por partida, a maior já alcançada por uma seleção na história dos Mundiais. Na sua estreia, enfrentou a Coreia do Sul, surgida como resultado da Guerra da Coreia (1950-3), que dividira o país entre o Norte socialista e o Sul capitalista. Não por acaso, a equipe coreana tinha sido transportada para a Europa em avião militar norte-americano. A partida terminou com os socialistas europeus esmagando os capitalistas asiáticos por 9 a 0. Os húngaros, que eram medalha de ouro olímpico no futebol, ainda iriam vencer pelo mesmo placar de 4 a 2 tanto o vice-campeão mundial (Brasil) na quarta de final quanto o campeão (Uruguai) na semifinal. Mesmo o Brasil, peça secundária no jogo político internacional, não escapou ao clima psicológico de então.

Inconformado pela derrota para o superior time húngaro, o chefe da delegação brasileira mandou um protesto à FIFA, reclamando da arbitragem, que segundo ele teria "atuado a serviço do comunismo internacional, contra a civilização ocidental e cristã".

O ponto mais emblemático daquele momento histórico foi a partida decisiva, que opôs pela segunda vez na competição Hungria e Alemanha Ocidental. Na oitava de final os húngaros tinham vencido facilmente, por 8 a 3. Todavia, naquela partida os alemães, sabendo que poderiam se classificar para a etapa seguinte mesmo perdendo da Hungria (desde que vencessem depois a fraca Turquia, o que fizeram por 7 a 2), colocaram em campo um time reserva. Assim os alemães conheceram de perto a maneira de jogar dos húngaros, enquanto estes não puderam avaliar corretamente a equipe alemã. Opção discutível do ponto de vista ético — *La Gazzetta dello Sport* (21/6/1954) recriminou-a, dizendo que "pode ser alta estratégia, porém não é mais esporte" — e que se revelaria eficiente do ponto de vista prático. Ademais, a violenta entrada do zagueiro Werner Liebrich tirou das partidas seguintes o principal jogador húngaro, Ferenc Puskas, que jogaria em más condições físicas a final. Nesta, apesar da vantagem de dois gols nos oito primeiros minutos, os húngaros permitiram a virada (2 a 3).

Diante do grande empenho dos alemães, do fato de terem sido encontradas seringas no seu vestiário (oficialmente de vitamina C) e de semanas depois eles terem sido internados para recuperação, surgiu suspeita de doping. Que é certeza para vários historiadores do futebol, dentre os quais os italianos Antonio Papa e Guido Panico. Justificou-se ainda a derrota húngara por outros detalhes: o gol de empate alemão decorreu de falta não assinalada sobre o goleiro; um terceiro gol húngaro a três minutos do fim, indevidamente anulado pela arbitragem britânica, portanto capitalista; o terreno encharcado, que sempre prejudica o time mais técnico (o primeiro gol alemão saiu de uma bola recuada que ficou presa numa poça de água; no terceiro, o goleiro húngaro escorregou devido à condição do gramado); a torcida desfavorável (30 mil alemães presentes, poucos húngaros, que não tinham permissão para viajar ao exterior); os jogos anteriores mais duros para húngaros (Brasil e Uruguai) que para alemães (Iugoslávia e Áustria). Alegou-se como contraprova a nova sequência de dezoito partidas invictas do lado húngaro no pós-Copa, enquanto os alemães jogaram seis amistosos e perderam quatro. Mais realista foi o diagnóstico do próprio Puskas: depois de fazer 2 a 0 "tivemos pelo menos meia dúzia de outras boas chances para marcar, mas as perdemos. Então relaxamos e tentamos manter a bola no meio de campo. Achamos que tínhamos ganhado o jogo. Perdemos porque esquecemos que o jogo dura noventa minutos". O goleiro Grosics concordou: "Aquele jogo foi perdido por nós, não foi ganho pelos alemães".

Ao lado das circunstâncias esportivas não se pode esquecer a situação histórica: a Copa oferecia aos alemães a oportunidade de passar da condição de vilões, de responsáveis pela Segunda Guerra, que arrasara a Europa, à de heróis que superaram seu destino, que venceram adversários superiores. A vitória no futebol propagava a recuperação alemã de forma ainda mais retumbante que, no mesmo ano, o fim da ocupação militar dos Aliados, a admissão na Organização do Tratado do Atlântico Norte (OTAN) e o sucesso da *Wirtschaftswunder*, a política econômica que levava ao rápido crescimento do Produto Nacional Bruto (triplicado entre 1950 e 1964). É expressivo como o feito ficou na memória coletiva alemã. Em 2004 foram muitas as comemorações que ocorreram no país pelo cinquentenário daquela conquista. A reconstituição da partida foi transmitida pela televisão pública e conseguiu recordes de audiência. O primeiro-ministro Gerhard Schröder chorou ao vê-la. O historiador e consultor do filme, Manfred Oldenburg, afirmou em entrevista (*L'Express*, 17/5/2004) que, "muito mais que um simples confronto esportivo, a partida disputada em Berna e acompanhada pelo rádio por toda a nação permitiu à Alemanha levantar a cabeça. Evento considerável, aqueles noventa minutos mudaram a face do país. Naquele dia, pela primeira vez desde o fim da guerra, os alemães reencontraram a honra perdida".

A Guerra Fria não fez esquecer completamente que o fair play é parte do futebol. É o que mostra um duplo episódio envolvendo jogadores de dois países que não mantinham relações diplomáticas. Enfrentaram-se na véspera do Natal de 1955, pela quarta de final da primeira Copa dos Campeões Europeus, o Real Madrid e o Partizan de Belgrado. Jogando em casa e contando com um inspirado Di Stéfano, os espanhóis venceram por 4 a 0. Na capital iugoslava para a partida de volta, em fins de janeiro do ano seguinte, os madridistas manifestaram desejo de assistir à missa, e como o regime do marechal Tito havia fechado todas as igrejas, os dirigentes locais providenciaram a liberação e limpeza de uma para que a cerimônia religiosa pudesse ocorrer. No encontro, realizado sob duras condições climáticas, o Partizan ganhou por 3 a 0 e foi eliminado pelo placar combinado dos dois encontros. Ainda no gramado, os espanhóis comemoravam sua classificação para a etapa seguinte, quando passaram a ser alvejados por bolas de neve pelo público de 100 mil pessoas, descontentes com o resultado. Os jogadores iugoslavos, que já se retiravam, voltaram a campo para cercar e proteger seus adversários dos projéteis gelados, levando-os em segurança ao vestiário.

Com muita frequência, no centro do debate ideológico da época esteve tanto o futebolista quanto o próprio futebol. O capitalismo insistia no fato de permitir a ascensão social e material de qualquer indivíduo talentoso e esforçado, e buscava no esporte mais popular exemplos comprobatórios desse modelo ideal. Assim, foi positivo para ele ter conseguido atrair Puskas. Pouco antes da intervenção soviética na Hungria, os dois principais times do país estavam em excursão pela Europa. O MTK logo retornou, enquanto o Honved resolveu prolongar a viagem até o Brasil, aceitando convite do Flamengo e do Botafogo para alguns amistosos, em fevereiro de 1957, que foram acompanhados de manifestações anticomunistas na presença do presidente Juscelino Kubitschek. Diante da confusa situação política húngara, vários jogadores providenciaram a saída de suas famílias do país, preparando a dispersão futebolística que se seguiu.

No total, 240 jogadores da primeira e da segunda divisão deixaram a Hungria. Toda a seleção sub-21 que participava de uma competição na Bélgica desertou. Três grandes nomes da Seleção de Ouro ficaram no exterior: Kocsis e Czibor assinaram com o Barcelona e Puskas com o Real Madrid, onde atuaria por quase dez anos em um dos maiores times da história do futebol. Por ter sido sem dúvida um craque — marcou 83 gols em 84 partidas com a seleção da Hungria, 36 gols em 41 partidas de copas europeias com o Real Madrid, 1176 gols em 1300 partidas no conjunto da carreira — Puskas atraiu interesses políticos dos quais parece não ter querido participar. Primeiro foram os interesses do socialismo húngaro (item 1.4), depois os do fascismo espanhol (item 3.2). Nem poderia ter sido diferente, porque todo jogador, por maior que seja, é menor que o jogo, e todo jogo, por mais popular que seja, é menor que a sociedade na qual se desenvolve.

Sendo visto pelos indivíduos de origem modesta como possibilidade de promoção social, o futebol não gozava de bom prestígio entre os de condição mais alta. Mesmo na Inglaterra. Lá, depois da fase inicial de supremacia das escolas e universidades do Sul, ele se tornou domínio das cidades industriais do Centro-Norte do país. Passou a ser esporte operário, o que definiu a própria maneira de jogar, baseada na força física e no sentido de equipe. Por isso as grandes individualidades nunca foram muito valorizadas na seleção nacional. As camadas sociais elevadas apreciavam o jogo, vendo nele, contudo, apenas um entretenimento. A final da Copa da Inglaterra de 1953, entre duas equipes médias, Blackpool e Bolton, foi vista por 10 milhões de telespectadores, isto é, um em cada quatro ingleses. Como profissão, o futebol continuou reduto das camadas modestas. Sofria de certo preconceito e nunca foi o esporte nacional dos ingleses antes da década de 1960, segundo o historiador Richard Holt. O críquete ocupava tal posição. Somente então — causa ou consequência da conquista da Copa de 1966? — o futebol desbancou-o.

A geografia futebolística era semelhante em toda a Europa ocidental. As cidades industriais (Manchester, Liverpool, Turim, Milão) tornaram-se potências no esporte mais do que as cidades administrativas e de serviços (Londres, Roma). Em países mais polarizados, a rivalidade entre centro político (Madri, Lisboa, Paris) e centro econômico (Barcelona, Porto, Marselha) expressou-se também na formação dos clubes e na aguda concorrência futebolística entre eles. Nos países socialistas, os clubes pertenciam a instituições públicas e tendiam a se manter restritos a competições internas, com receio de que viagens internacionais provocassem deserções como a dos húngaros. Daí porque o Dínamo de Moscou não aceitou o convite para participar da primeira Copa dos Campeões, na qual os soviéticos ingressariam apenas em 1967. Do torneio europeu entre nações, contudo, os socialistas participaram desde o início. A União Soviética ganhou a primeira edição em 1960, depois foi vice-campeã em 1964, 1972 e 1988; a Tchecoslováquia venceu em 1976; a Iugoslávia foi vice em 1960 e 1968. O mundo político, como o do futebol, não estava, todavia, dividido apenas naqueles dois grandes blocos. Havia ainda uma larga porção de países que serviam de massa de manobra para as superpotências, o chamado Terceiro Mundo. Não se tratava, porém, de conjunto homogêneo em nenhum aspecto, tampouco no futebol. Nesse domínio, diferentemente do econômico e cultural, a relação era de equilíbrio entre Europa e América do Sul. Os latino-americanos ganharam as Copas do Mundo realizadas em seu território, os europeus as jogadas no seu continente, com exceção da de 1958, vencida pelo Brasil na Suécia.

No plano institucional, fato importante ocorreu em junho de 1954, pouco antes da Copa do Mundo da Suíça, quando nasceu em Berna a Union Européenne de Football Association (UEFA), congregando inicialmente 25 países. Poucos meses depois o jornalista Gabriel Hanot propôs no *L'Équipe* (15/12/1954) um campeonato europeu de clubes. Tratava-se de verdadeira transposição para o mundo do futebol do ideal de Comunidade Europeia que dera seu primeiro passo três anos antes com a Comunidade Europeia do Carvão e do Aço. Assim como este organismo econômico internacional tinha intenções mais amplas, de "lançar as bases de instituições capazes de orientar um destino doravante comum", no dizer do tratado, aquele jornal esportivo observava que, devido ao "envolvimento cada vez mais considerável que suscita, [...] o futebol está em vias de romper os limites nos quais até agora permaneceu", porque, "como todas as grandes atividades humanas, o futebol deve caminhar com seu tempo".

A partir de sugestões vindas de várias partes, poucas semanas depois o jornalista Jacques Ferran publicava um esboço de regulamento (*L'Équipe*, 3/2/1955) com as características básicas que a competição mantém até hoje. Após hesitações quanto à sua organização, ela foi assumida em maio pela UEFA e começou em setembro. De maneira expressiva naquele momento de Guerra Fria, a primeira partida da nova competição, realizada em 4 de setembro de 1955, opôs clubes de lados bem diferentes da Cortina de Ferro, o Sporting de Lisboa e o Partizan de Belgrado. Nascia a Copa dos Clubes Campeões Europeus. No mesmo ano a UEFA criou a Copa das Cidades de Feira, inicialmente disputada entre clubes convidados, e a partir de 1972 rebatizada de Copa da UEFA, entre clubes que, sem serem os campeões de seus respectivos países, atingem certo índice técnico.

Outra novidade importante no campo das instituições foi, em 1958, a alteração que tornou mais equilibrado o sistema decisório da International Board. O total de votos passou a oito, quatro das federações britânicas e quatro da FIFA, da qual a International Board passara a fazer parte desde 1946. Sendo necessários seis votos para uma tomada de decisão, a concordância da FIFA tornou-se obrigatória. Essa mudança refletia, além da nova relação de forças no mundo do futebol, uma tendência geral dos países ocidentais, o aperfeiçoamento dos mecanismos democráticos. Foi em parte esse espírito que levou no mesmo ano a se aceitar a substituição do goleiro. A inexistência de tal regra criara por décadas muitas injustiças esportivas. E algumas situações curiosas. Um confronto Bélgica-França em 1905 começara com uma hora de atraso, o que aos vinte minutos do segundo tempo forçou o goleiro francês, um militar, a voltar ao quartel, e sua equipe foi derrotada por 7 a 0. Em 1968 tornou-se possível a substituição de dois jogadores, fato admitido em toda parte em encontros amistosos desde 1932 e na Inglaterra, em partidas oficiais, desde 1965. Na Copa de 1970 foi introduzida a advertência aos jogadores por meio de cartões amarelo e vermelho, prática ligada ao início do televisionamento em cores (na Europa) e também ao desejo de transparência decisória no futebol.

3.2 A TERCEIRA VIA DOS PROLONGAMENTOS FASCISTAS (1959-74)

Terminada a longa e sangrenta guerra civil espanhola (1936-9, quase 1 milhão de mortos), o ditador Francisco Franco tentou impor a todos os setores da vida nacional uniformidade que superasse a profunda divisão dos anos anteriores. Proibiu-se, por exemplo, o ensino e mesmo o uso público das línguas regionais para defender o castelhano, idioma oficial e tornado sinônimo de "espanhol" (enquanto a rigor existem vários falares espanhóis, como catalão, basco, galego, asturiano). Alguns clubes tiveram que castelhanizar seu nome, por exemplo passando de Athletic (de Bilbao e de Madrid) a Atlético. Ora, o separatismo anticastelhano e antifranquista vinha sobretudo de bascos e catalães, exatamente aqueles que dominavam o futebol espanhol. Nos trinta primeiros anos de campeonato nacional (1929-59, com interrupção em 1937-9), o Barcelona ganhou sete, o Athletic de Bilbao seis, o Real Madrid seis. A Copa de Espanha (chamada na época franquista de Copa do Generalíssimo e depois de Copa do Rei) entre 1939 e 1953 foi conquistada cinco vezes pelo Athletic de Bilbao, quatro pelo Barcelona, apenas duas pelo Real Madrid, o mesmo número que Sevilla e Valencia.

O Barcelona, sobretudo, tornou-se o maior símbolo antifranquista. O escudo do clube traz as cores da bandeira da Catalunha e de certa forma é outra bandeira da comunidade. Daí por que, mesmo com a redemocratização do país, o clube, na contramão do futebol crescentemente negócio a partir da segunda metade do século XX, jamais teve patrocinador na camisa. Em 2004 o conselho diretor aprovou a aceitação de publicidade paga, porém até 2007 ela ainda não tinha sido efetivada. O Athletic de Bilbao, outro clube símbolo de cultura regional anticastelhana, também não aceita patrocinador na camisa. No contexto fascista e monarquista do poder central, a opção socialista e republicana da maioria dos catalães deu aos encontros entre Real Madrid e Barcelona significado que extrapolava muito a esfera esportiva. Na verdade, as raízes históricas dos desacordos entre Castela e Catalunha remontam à Idade Média, o futebol apenas lhes ofereceu uma via moderna e ampla de expressão. No começo da década de 1920 o ditador Primo de Rivera proibira o uso da língua catalã e mais tarde fechara mesmo o clube porque os torcedores do Barcelona haviam vaiado o hino da Espanha em uma partida, em 1925. No começo da guerra civil, o presidente esquerdista do Barcelona foi assassinado por franquistas e a sede social do clube bombardeada pela aviação fascista. Compreensível, portanto, a tensão dentro e fora do campo que cercou em junho de 1943, em Madri, a segunda partida das finais da Copa do Generalíssimo. Os catalães haviam vencido a primeira por 3 a 0, porém o confronto na capital estava tão nervoso que os jogadores do Barcelona decidiram abandonar o campo. A polícia forçou-os a ficar e jogar. O protesto foi uma postura de renúncia, de greve, de passividade crítica, deixando o adversário fazer um placar (11 a 1) que pelas circunstâncias deveria mais envergonhá-lo do que honrá-lo.

Não é de estranhar que, em maio de 1953, 60 mil pessoas tenham presenciado um Barcelona contra Athletic de Bilbao, público superior ao de 45 mil que em março havia assistido, também na capital catalã, à partida entre Espanha e Bélgica. A história dos estádios do Barcelona e do Real Madrid no período também revela a concorrência entre eles. Quando Santiago Bernabéu assumiu a presidência madridista em 1943, Les Corts, o estádio do rival, tinha capacidade para 40 mil espectadores e o Chamartín do Real Madrid para apenas 22 mil. Então o clube da capital, em 1947, ergueu novas instalações, com capacidade para 75 mil e depois para 120 mil com a ampliação de 1953. Isso levou o clube catalão a fazer reformas no seu estádio e em 1957 a construir um novo, do mesmo tamanho que o do oponente. É bastante significativo que o estádio madridista tenha adotado em 1955 o nome de seu idealizador e presidente do clube em exercício, Santiago Bernabéu, enquanto o estádio catalão é denominado simplesmente Camp Nou, "novo campo": ao personalismo de reflexo franquista opôs-se o coletivismo nacional catalão. O Camp Nou não é apenas local para praticar futebol, é monumento de toda uma coletividade orgulhosa de suas peculiaridades histórico-culturais. Ali se instalou o museu do clube, o mais visitado da cidade junto com o Museu Picasso, pois ambos exprimem a essência da Catalunha. Para um catalão, assistir a uma partida de futebol no Camp Nou é praticar ação política. Esse espírito visceralmente catalão do clube recebeu de seu presidente Narcís de Carreras, em 1968, uma definição que ficaria famosa por bem expressar a relação futebol-identidade nacional: "O Barça é mais do que um clube".

Não apenas os inimigos do regime franquista utilizaram o imenso poder simbólico e de mobilização do futebol. Quando se pretendeu em 1939 transformar a equipe de futebol da Aeronáutica em instrumento de propaganda do novo regime, em entidade permanente que participasse das competições nacionais, tentou-se a fusão dos clubes da capital no Aviación Nacional. O Real Madrid, em condições financeiras menos precárias, não aceitou. A situação do outro grande clube da cidade era bem diferente. Fundado em 1903, depois de alguns sucessos nos primeiros anos o Athletic Club de Madrid foi, na temporada anterior à guerra, rebaixado, e seu estádio sofreu danos consideráveis durante o conflito. Assim, ele aceitou a fusão proposta, que lhe dava vários privilégios, desde receber subvenções ministeriais até exercer o direito preferencial de contratar qualquer jogador que servisse na Aeronáutica. O inevitável comprometimento político do Athletic Aviación Club fica claro pela sua saudação fascista antes de começar a última partida do campeonato de 1941. Realizada a fusão, o novo clube disputou uma vaga aberta na primeira divisão e logo a seguir conquistou os dois primeiros campeonatos do pós-guerra civil, em 1940 e 1941.

Buscando contudo não se identificar explicitamente com nenhum clube, o governo de Franco pediu a retirada da palavra Aviación e a entidade tornou-se a partir de 1947 Club Atlético de Madrid. Entretanto, era o Real Madrid que apresentava duas características importantes do ponto de vista do Estado — seu nome (Franco lutara contra a instauração da república) e sua origem castelhana (enquanto o Atlético de Madrid fora fundado como sucursal do Athletic de Bilbao). A isso se juntou, a partir de meados dos anos 1950, a orientação esportiva do clube, privilegiando os recém-nascidos torneios internacionais. Isolado do restante do mundo, democrático ou soviético, para o regime franquista o Real Madrid era, como disse o embaixador espanhol na Itália, "um dos melhores instrumentos, talvez o melhor, que temos à disposição nos últimos tempos para afirmar nossa popularidade além-fronteiras". Essa identificação entre o país e o clube revela o sucesso do planejamento de Bernabéu, antigo centroavante amador do Real entre 1911 e 1928, diretor a partir de 1931.

Apesar de se declarar apolítico e de repetir que "a política não me interessa, nunca pertenci a um partido político", ele tinha fugido da cidade de Madri dominada pelos republicanos em 1936, alistou-se no exército nacionalista e nunca escondeu sua simpatia pela monarquia. Da comissão de obras do novo estádio fez parte o arquiteto a quem Franco encomendou o projeto do Valle de los Caídos, imenso monumento à memória dos mortos na guerra civil e que serviria posteriormente de sepulcro ao caudilho. Bernabéu era franquista sem ter se envolvido pessoalmente com o ditador. Como definiu o historiador espanhol Angel Bahamonde, "a ação de Bernabéu deu-se no seguinte paradoxo: blindou o clube com relações políticas [...] para evitar que a política entrasse no clube, com os benefícios e prejuízos que derivavam dessa situação". De toda forma, é inquestionável que foi ele o construtor da grandeza do clube que presidiu por 35 anos. Depois dos títulos nacionais anteriores à guerra (1932 e 1933), o Real Madrid só voltou a vencer em 1954, sob sua presidência. Com ele o clube conquistou dezesseis títulos nacionais, seis Copas da Espanha, seis Copas dos Campeões da Europa. Entende-se por que quando

Santiago Bernabéu morreu, em 1978, mais de 100 mil pessoas passaram diante de seu féretro.

Bom exemplo das ambíguas relações entre futebol e política na Espanha franquista ocorreu em 1953. Um dos maiores jogadores de então, o argentino Alfredo di Stéfano, tinha seu passe envolvido em confusa negociação entre River Plate, Millonarios de Bogotá, Real Madrid e Barcelona. Ele chegou a ir até o clube catalão acertar detalhes finais de contrato e participou mesmo de alguns amistosos, porém o clube madrilenho não desistiu de contar com ele, e as autoridades esportivas tomaram a insólita decisão de fazer o jogador atuar uma temporada em cada clube, alternadamente, até se encerrar o contrato de quatro anos. O Barcelona não aceitou tal solução e ele assinou com o clube da capital. O fato é com frequência interpretado como resultado de suposta interferência direta de Franco, embora os madridistas neguem, inclusive Di Stéfano. De acordo com o jogador, o caudilho jamais se imiscuiu no mundo do futebol, apenas se aproveitou da popularidade do clube. E esta era, de fato, inegável: nas 463 partidas jogadas em seu estádio entre dezembro de 1947 e dezembro de 1963, a média de público foi de 64 mil espectadores, cifra que se eleva a 90 mil se forem computadas apenas as partidas oficiais, não as amistosas.

Os madridistas sempre argumentaram que seu estádio foi construído sem nenhum apoio oficial, que o clube sempre deixou em segundo plano a competição realizada anualmente em homenagem ao ditador (a Copa do Generalíssimo), que pelo menos até 1963 foram muitas as desavenças com as autoridades pelo pagamento de transmissão das partidas (a televisão era monopólio estatal), que em 1973 o projeto de construção de novo estádio foi vetado pelo próprio Franco. Tudo isso não impediu que nos meios futebolísticos espanhóis o Real Madrid continuasse sendo visto como clube do regime. Contava-se que no estádio havia uma tribuna envidraçada da qual, com frequência, o ditador assistiria às partidas sem ser visto.

Algumas vezes, isso é incontestável, ele aparecia na tribuna oficial, como na final da Copa dos Campeões de 1957. Noticiou-se que nessa partida contra a Fiorentina o primeiro gol madridista não provocou maior reação no ditador, talvez decepcionado pela atuação do time, que abriu o placar apenas aos 25 minutos do segundo tempo, de pênalti. Sete minutos depois, contudo, em bela jogada individual, o rapidíssimo ponta-esquerda Gento selou a sorte da partida. E desta feita Franco aplaudiu.

No caso português, parece que a interferência direta do ditador Antônio de Oliveira Salazar foi menor. Mas não deixou de existir. Como o Sporting, um dos grandes clubes lisboetas, é de origem aristocrática, fundado em 1906 pelo visconde de Alvalade, e manteve certo caráter familiar (ainda em fins do século XX seu presidente era neto do fundador), é compreensível que o regime salazarista, republicano e populista, tenha querido se associar ao rival. Fundado em 1904, o Sport Lisboa e Benfica tinha penetração popular muito forte, da qual o salazarismo tentou se apropriar, e para tanto não deixou de beneficiar o clube. De forma direta, quando, por exemplo, proibiu a venda ao exterior de Eusébio, o melhor jogador europeu (Ballon d'Or) de 1965. De forma indireta, porque os melhores jogadores do grande time montado na década de 1960 — quando foi campeão português oito vezes, vencedor da Copa de Portugal duas, cinco vezes finalista e duas vencedor da Copa dos Campeões da Europa — vinham das colônias africanas ainda mantidas por Salazar apesar de forte oposição interna e externa.

Em 1960 a UEFA, por iniciativa de seu secretário, Henri Delaunay, lançou a primeira edição da Taça da Europa de Nações (batizada de Campeonato Europeu de Nações ou Eurocopa a partir de 1968), realizada a cada quatro anos, intercaladamente com a Copa do Mundo. Essa competição não ficou, é natural, isenta do contexto político da Guerra Fria. Já na primeira edição, realizada na França, apareceu um problema quando a Espanha se classificou para a semifinal contra os soviéticos e, por ordem de Franco, não pôde jogar. Estratégia incorreta, pois a Espanha tinha um bom time e a União Soviética acabou vitoriosa, o que a beneficiou na guerra de propaganda da época. Ironicamente, quando a competição aconteceu na própria Espanha, em 1964, a final opôs a seleção espanhola, símbolo da extrema direita, à soviética, símbolo da extrema esquerda. Desta vez, sendo a partida em solo espanhol, o Generalíssimo não impediu sua ocorrência, assistiu mesmo a ela. A Espanha ganhou seu primeiro título internacional de seleção e só conquistaria o segundo em 2008. Mas essa limitação foi suprida no plano dos clubes pela participação do Real Madrid na Copa dos Campeões.

Com efeito, essa competição entusiasmava cada vez mais, e em 1960 teve a final que é considerada por muitos analistas uma das maiores partidas interclubes da história: em Glasgow, diante de 127 mil pessoas, Real Madrid 7 × 3 Eintracht Frankfurt. O clube espanhol conseguia seu quinto título europeu consecutivo com três gols de Di Stéfano e quatro de Puskas, ambos com mais de 33 anos de idade. O *Scottish Daily Express* (19/5/1960) manifestou sua admiração afirmando em manchete: "Podemos voltar para a escola primária, nosso jogo não vale mais que dois xelins". Alguns meses depois o Real conquistava a primeira Copa Intercontinental, contra o Peñarol, com 0 a 0 em Montevidéu e 5 a 1 em Madri. Esta última partida foi transmitida pela televisão e teve 150 milhões de telespectadores, o que correspondia naquele momento a cerca de um quarto da população europeia.

No balanço da primeira década da Copa dos Campeões, percebe-se claramente o predomínio do estilo ibérico. Nas dez finais entre 1956 e 1965, apareceu somente uma equipe anglo-germânica, aliás impiedosamente goleada no já referido 7 a 3 do Real Madrid sobre o Eintracht Frankfurt. Depois dos cinco triunfos consecutivos do Real Madrid, seguidos por dois do Benfica, a fisionomia tática e estilística mudou. Os agressivos 3-2-5 madridista e 4-2-4 benfiquista deram lugar ao jogo fechado, pesado, com rápidas saídas em contra-ataque que os italianos praticaram com sucesso em 1963 (Milan contra Benfica), 1964 (Internazionale contra Real Madrid), 1965 (Internazionale contra Benfica). O futebol latino manteve o título em 1966 com o Real Madrid (contra o Partizan), mas nos dezoito anos seguintes prevaleceu o 4-4-2 jogado com muita força física por britânicos e por alemães, ou o estilo holandês, que aliava velocidade e constante troca de posições. De qualquer forma, revelando as forças subterrâneas da história, a decadência do futebol ibérico antecipava a queda do salazarismo (1974) e do franquismo (1975). Vinte anos depois da proibição de contratar jogadores estrangeiros (decorrência do affaire Di Stéfano), a abertura em 1973 do mercado espanhol assinalava no futebol a liberação que a sociedade viria a conhecer pouco depois.

Na Espanha do período franquista, as questões ideológicas e regionais foram, de forma emblemática, inauguradas e fechadas com duas partidas realizadas na capital entre Real Madrid e Barcelona, tornado desde então o maior clássico do futebol mundial. O sucesso centralista e castelhano teve como marco inicial, em outubro de 1953, em uma das primeiras partidas de Di Stéfano, uma goleada por 5 a 0. A vitória do pluralismo democrático deu-se, do ponto de vista dos catalães, não em novembro de 1975, com a morte de Franco, e sim meses antes, em fevereiro de 1974 com um revanchista 5 a 0 sobre o rival no campo deste. Se o personalista Di Stéfano marcara três gols e comandara a vitória do Real Madrid naquela primeira partida, o democrata Cruyff marcou um gol, deu assistência para outros três e encabeçou a vitória do Barcelona na segunda. Mesmo nas coincidências históricas, o futebol demonstra imenso poder simbólico.

3.3 O SUCESSO LIBERAL (1974-95)

Se as onze primeiras edições da Copa dos Campeões Europeus (1956-66) ficaram nas mãos de clubes latinos, à medida que o capitalismo industrial ia sendo superado pelo capitalismo financeiro e de serviços, a situação mudava. A força de cada mercado consumidor local ou nacional pesava sempre mais no produto futebol. Não apenas nas receitas de bilheteria, mas principalmente nas de publicidade, com o avanço do rádio e da televisão. A condição sociocultural do público também influía, talvez porque se aplique com mais força ao futebol a constatação feita pelo sociólogo Alain Ehrenberg em relação aos esportes em geral. O espetáculo esportivo, diz ele, "é um comentário de alcance universal sobre a vida social moderna". É espetáculo que fala de vencedor e vencido mutáveis e resolve assim um dilema central da democracia, "a contradição entre a igualdade de princípio dos homens e sua desigualdade de fato". Logo, foi natural a ascensão futebolística dos países mais avançados. Comprova tal ascensão o fato de entre 1967 e 1984 a Copa dos Campeões ter sido vencida oito vezes por clubes ingleses, quatro por holandeses, quatro por alemães, uma por escocês. A exceção latina do período, o Milan e sua conquista de 1969, começara a trajetória de sucesso em 1954 com a presidência de Andrea Rizzoli, importante empresário do setor editorial. O futebol italiano como um todo procurou seguir o exemplo e adequar-se à nova realidade. No ano seguinte a rival Internazionale passou ao comando de Angelo Moratti, magnata do petróleo, em 1959 o profissionalismo foi enfim formalmente reconhecido no país, a partir de 1966 os clubes italianos tornaram-se sociedades por ações. Todavia, nem a Itália nem a Espanha ofereciam ainda ao futebol a solidez institucional e econômica dos países do Norte europeu.

Desde sua origem, aristocrática, ocidental e masculina, o futebol democratizava-se e alargava seu público de praticantes e espectadores em todo o mundo. Processo acelerado a partir de 1974, quando o primeiro não europeu, o brasileiro João Havelange, foi eleito presidente da FIFA graças aos votos latino-americanos e africanos. Havia no entanto importante exceção na mundialização do futebol, e justamente a do mais rico e populoso país do Ocidente do pós-guerra. A razão disso já foi muito discutida, pois em fins do século XVII colonos ingleses tinham ali introduzido uma espécie medieval de futebol, o *hurling at goal*, e mesmo o futebol propriamente dito tinha sido praticado em algumas universidades norte-americanas em meados do século XIX. No entanto ele não conseguiu desbancar a popularidade do beisebol (criado em 1839), do futebol americano (adaptação local do rúgbi surgida em 1869) e do basquete (inventado em 1891). Ainda assim, o futebol inglês — chamado desde 1889 de *soccer*, abreviação coloquial de [*football*] *association* — reapareceu no começo do século XX e uma federação local filiou-se em 1913 à FIFA. O país participou da primeira Copa do Mundo, em 1930. No entanto, a crise econômica mundial do começo dessa década levou os Estados Unidos a se fecharem sobre si mesmos. O recuo do futebol, segundo Andrei Markovits, expressava três coisas: a recusa às tradições europeias; o precoce e difundido aburguesamento do país que rotulava o futebol inglês de jogo de imigrantes; a afirmação da diversidade norte-americana, que passou a ver no *soccer* esporte sem o caráter nacional do beisebol e do basquete.

Entretanto, sendo o futebol na segunda metade do século XX produto de forte apelo popular em muitos outros países, o capitalismo norte-americano não poderia deixar de tentar explorá-lo. Em 1968 foi organizada nos Estados Unidos uma nova liga de *soccer*, cujo grande passo, bem de acordo com os princípios do *show business*, deu-se em 1975, com a contratação da maior *star* do mundo, aposentado no ano anterior mas ainda com forte poder de mobilização e de desempenho esportivo: Pelé. O mesmo clube, o Cosmos de Nova

York, atraiu a seguir outros jogadores importantes, sobretudo os capitães das duas mais recentes seleções campeãs mundiais, Carlos Alberto Torres (capitão do Brasil em 1970) e Franz Beckenbauer (capitão da Alemanha em 1974). Essa política foi seguida por outras equipes, como o Los Angeles Aztecs, que em 1978 contratou Johan Cruyff. O entusiasmo despertado pelos grandes craques não se sustentou. Tentando reverter o declínio do interesse popular e a dissolução da liga em 1984, decidiu-se promover ali a Copa de 1994, que teve o maior público total (3 587 538 pessoas) e a maior média (68 991 por partida) da história dos Mundiais. Dois anos mais tarde foi organizada nova liga e iniciada uma reestruturação do esporte em novas bases, ainda hoje em construção.

A mesma lógica que impulsionou o futebol nos Estados Unidos foi depois aplicada à segunda potência capitalista do mundo, o Japão. Ele já sediava desde 1980, com boa organização e público entusiasta, a disputa do título intercontinental entre o vencedor europeu da Liga dos Campeões e o sul-americano da Copa Libertadores. Assim, foi natural em 1992 o início da Liga Japonesa, que contou com forte participação financeira de grandes empresas e intensa contratação de jogadores e técnicos europeus e latino-americanos. Quando anos depois o sucesso inicial do futebol conheceu ali certo recuo, novo impulso foi dado com a organização, junto com outra potência econômica asiática, a Coreia do Sul, da Copa do Mundo de 2002. Modernos estádios foram construídos ou reformados, como os de Yokohama (de 1997, com capacidade para 72 mil espectadores) e Saitama (de 2001, para público de 64 mil), no Japão, e os de Seul e Daegu, na Coreia, ambos erguidos em 2001 e abrigando, respectivamente, 65 mil e 68 mil pessoas. A Copa foi um sucesso, com média de público (42 269 pessoas por partida) praticamente igual à da Copa anterior, na França (43 517), e superior à de países com forte tradição futebolística, como a da Espanha em 1982 (39 699) e a da Argentina em 1978 (40 566).

Embora o futebol sempre tenha tido caráter predominantemente masculino, a presença de mulheres cresceu nesse período dentro e fora do campo. Mesmo em locais de fortes traços masculinos, como a Itália, nasceu em 1971 uma torcida organizada (fenômeno recente no país, de fins da década precedente) só de mulheres, a Milan Club Femminile Stella. Na Grã-Bretanha, uma pesquisa de 1979 revelou que 35% das mulheres se interessavam pelo futebol, e segundo uma outra, quatro anos depois, metade delas assistia a partidas pela televisão. Na França, em 1997 o jornal esportivo *L'Équipe* tinha nas mulheres 15% de seu 1,8 milhão de leitores diários. Pesquisa europeia de 1998 mostrou que os estádios recebiam em média 70% de homens com menos de 35 anos, e o público feminino oscilava, conforme os locais, entre 7% e 14%. Na Alemanha, em 2001, uma enquete apontou o futebol como o esporte favorito na televisão para 41% das mulheres.

A finalidade mercadológica dessa última pesquisa confirma, se preciso fosse, a crescente participação da televisão no financiamento e difusão do futebol. Não por acaso, as instâncias diretivas do esporte aceitaram que, opcionalmente, as camisas dos jogadores levem além da numeração o nome deles. Este é evidentemente ilegível nas grandes distâncias dos estádios, porém muito nítido para as lentes das câmeras, facilitando a tarefa de locutores, comentaristas, repórteres e, sobretudo, o acompanhamento de telespectadores. O recurso foi utilizado pela primeira vez em 1979, quando de um amistoso entre Escócia e Peru, jogado em Glasgow. Segundo a mesma lógica, a partir de 1994 o uniforme dos árbitros não precisa ser inteiramente preto, e mais tarde foi autorizado a exibir publicidade nas mangas. Hoje, quase todo equipamento de jogadores e árbitros está disponível para o marketing, bem como os espaços dos estádios, salvo as traves e as redes, pelo caráter religioso inerente a tais locais (ver item 7.2). Mesmo antes da época da televisão, certos clubes deveram a própria existência a necessidades mercadológicas. A AS Mônaco é boa ilustração disso. Fundada em 1924, ganhou impulso somente a partir de 1949, quando assumiu o trono Rainier III com sua estratégia de transformar o pequeno principado mediterrâneo em uma espécie de ilha da fantasia. Um time de futebol respeitável deveria fazer parte do cartão de visitas do país tanto quanto o famoso cassino local, a prova de Fórmula 1 ali realizada anualmente desde 1929 e a isenção fiscal para os habitantes.

A mentalidade liberal e mercantil transformou o futebol em negócio mundial (item 5.2), sujeito a flutuações como qualquer outro. Na Inglaterra, sua retomada depois da guerra levou o campeonato a ter mais de 41 milhões de espectadores nos estádios na temporada 1948-9, cifra que caiu para 27 milhões em 1964-5 devido às dificuldades econômicas e para 20 milhões em 1979-80 em função do hooliganismo. Esse complexo fenômeno de violência das torcidas decorria, aliás, ao menos em parte, de características da sociedade liberal (item 5.3). E ele provocou outra forte oscilação no futebol inglês, cujas equipes ficaram suspensas das competições europeias entre 1986 e 1990. Mesmo depois do fim da interdição, elas demorariam nove anos para vencer novamente uma Liga dos Campeões (Manchester, 1999). Os clubes latinos recuperaram o domínio no futebol europeu. Das 23 edições da Copa dos Campeões entre 1985 e 2007, eles venceram quinze. Tendência semelhante manifestou-se na Copa da UEFA: no período 1968-84 os anglo-germânicos conheceram quinze vitórias, em 1985-2007, somente sete.

Essa nova situação não estava desconectada dos avanços do liberalismo na Europa latina. No plano material, suas economias cresciam e tornavam-se mais dinâmicas. No plano ideológico, a proibição de os clubes contratarem jogadores estrangeiros caiu em 1973 na Espanha (onde tinha sido imposta em 1953) e em 1980 na Itália (revogando a decisão de 1965). O Milan AC foi bicampeão europeu em 1989-90 juntando a italianos de categoria como Franco Baresi, Paolo Maldini e Roberto Donadoni os holandeses Frank Rijkaard, Ruud Gullit e Marco van Basten. O Barcelona de 1992, ao lado de espanhóis como Andoni Zubizarreta, Julio Salinas e Pep Guardiola, contou com o holandês Ronald Koeman, o dinamarquês Michael Laudrup, o búlgaro Hristos Stoïchkov e o técnico holandês Johan Cruyff. O Olympique de Marseille de 1993, aos franceses Fabien Barthez, Marcel Desailly e Didier Deschamps, reuniu o croata Alen Boksic, o alemão Rudi Völler, o ganense Abedi Pelé e o técnico belga Raymond Goethals.

A Copa do Mundo revelava-se negócio extraordinário, com audiência que dava saltos constantes: 5 bilhões acumulados de telespectadores em 1982, 8 bilhões em 1986, 32 bilhões em 1990. Por isso o fraco desempenho esportivo desta última edição, que apresentou a mais baixa média de gols da história da competição, era preocupante. A reação foi imediata. No mês seguinte ao término do torneio fez-se uma alteração na lei do impedimento. A partir de então, o atacante que estiver na mesma linha do defensor adversário tem condições legais de jogo. Com o mesmo espírito, determinou-se em 1993 que o goleiro não pode segurar com as mãos a bola voluntariamente recuada com os pés por um companheiro. A decisão resultou da observação sistemática que a FIFA realizara do campeonato italiano ao longo dos dez anos anteriores e que tinha mostrado que um goleiro podia ficar com a bola cerca de dez minutos por partida, o que quebrava o ritmo de jogo e o prejudicava enquanto espetáculo. Outra mudança, agora não de regra, mas de regulamento de competição, foi a adoção de três pontos por vitória (anteriormente eram dois). O objetivo evidente era premiar as equipes que buscam o resultado e não se contentam com muitos empates (remunerado com um ponto). A medida, que estava implantada na Inglaterra desde a temporada 1981-2, começou em Copa do Mundo em 1994. Nesta, graças às novas medidas, a média de gols subiu para 2,71, superior à das edições de 1986 (2,54) e 1990 (2,21).

A mercantilização do futebol foi acompanhada pela intensificação e propagação de um hábito antigo, inerente a qualquer jogo, a aposta. Na Inglaterra, apostar na previsão de algo era anterior à época dos esportes, que se mostraram propícios a tanto, sobretudo o futebol, com sua imprevisibilidade. Isso serviu às vezes para encobrir corrupção. Em 1960, resultados foram fabricados no campeonato inglês. Na Itália, a revista *Il Calcio* lançou em 1923 um concurso de prognósticos, precursor da loteria futebolística nascida em 1946 e tornada oficial (*Totocalcio*) dois anos depois. Loteria objeto de enorme escândalo quando se descobriu, em março de 1980, que por causa dela certas partidas eram manipuladas por dirigentes e jogadores. O Milan e a Lazio foram administrativamente rebaixados para a segunda divisão, treze jogadores de diferentes equipes foram presos, vários deles (inclusive Paolo Rossi, que em 1982 seria o herói da Itália na Copa do Mundo) foram suspensos por muitos meses. Transformar o futebol em jogo de azar é sempre problemático, como mostrou em 2005 a corrupção de árbitros na Alemanha e no Brasil para fabricar resultados de interesse de apostadores. E no entanto, em fins de 2005, os sites de apostas tinham na Europa faturamento estimado em 3 bilhões de euros...

No plano tático, a maior novidade depois do 4-2-4 húngaro foi a revolução holandesa de fins dos anos 1960 e princípios dos anos 1970. O *totaal voetbal* concebido por Rinus Michels (item 9.3) mostrou pela primeira vez toda sua potencialidade em dezembro de 1967, quando o Ajax venceu o Liverpool por 5 a 1 em Amsterdã e empatou por 2 a 2 em Anfield. Tal sistema de jogo foi sendo aperfeiçoado nos anos seguintes e com ele o clube holandês conquistou a Copa dos Campeões de 1971. Michels transferiu-se para o Barcelona, mas a cultura tática do time foi mantida e mesmo burilada — os recuos de Cruyff para a intermediária e a entrada de um meio-campista no seu espaço tornaram-se mais organizados — pelo romeno Stefan Kovacs, que levou o Ajax ao título europeu em 1972 e 1973 e à Copa Intercontinental em 1972. Na Copa do Mundo de 1974 a seleção comandada por Michels encantou o mundo com seu sistema de movimentação constante, conhecido por "carrossel holandês". Sistema que se tornou possível por contar com excepcional geração de jogadores (Cruyff, Neeskens, Van Hanegem, Rensenbrink, Haan), e sobretudo por ser expressão futebolística da sociedade holandesa de então. Cruyff ao admitir que aquele era "o jogo para o qual fui feito, jogo de movimento no qual os jogadores não eram exclusivamente atacantes ou defensores" (*France Football*, 22/11/2005), definiu tanto o "futebol total" quanto a "sociedade total" da Holanda. Ou, dito de outra forma, o futebol que correspondia a um país em vias de forte liberação social. Kovacs, aliás, reconheceu ter ali aprendido "o espírito de tolerância e o respeito ao outro".

Em 1966 uma nova formação política, o Democratas 66, propôs mudar a Constituição da Holanda, acabar com os partidos de fundamentação religiosa e estabelecer nova liberdade social. Já na primeira eleição de que participou, no ano seguinte, obteve quase 4,5% dos votos, que passaram a 7% na eleição de 1968. Em 1969, estudantes ocuparam suas universidades e, apoiados por professores e partidos políticos, passaram a ter na administração universitária uma influência legal mais forte do que ocorria na maioria dos países ocidentais. Em 1972 o relatório da Comissão Baan distinguia drogas duras (como cocaína e heroína) de drogas leves (caso da maconha), liberando a venda destas em pequenas quantidades em determinados *coffee-shops*. A economia holandesa também era bastante liberal, com suas multinacionais (caso da Shell e da Philips) e intenso comércio externo (Roterdã é o maior porto do mundo). A convivência étnica (holandeses europeus, holandeses antilhanos, imigrantes muçulmanos) e o respeito às diferenças (hoje, 39% de agnósticos, 31% de católicos, 22% de protestantes de diversas correntes, 4% de muçulmanos) não punham problemas. O próprio Cruyff, filho da faxineira do clube, era bom exemplo daquela dinâmica social acelerada.

3.4 A GLOBALIZAÇÃO ECONÔMICA E ESPORTIVA (DESDE 1996)

É inegável que em termos de prestígio o futebol está internacionalizado há décadas. A Copa do Mundo da França teve 37 bilhões de telespectadores, a do Japão-Coreia, 29 bilhões, a da Alemanha, 32 bilhões. Mas no plano jurídico a internacionalização nasceu em fins de 1995, com o veredicto do affaire Jean-Marc Bosman. Este jogador belga não tinha aceitado renovar seu contrato com o RFC Liège por um valor quatro vezes menor que o compromisso anterior, e tentou deixar o clube, que se negou a negociá-lo com outra agremiação. Ele recorreu e a Corte de Justiça da Comunidade Europeia decidiu que, em nome da livre circulação dos trabalhadores, é ilegal tanto a indenização de transferência de jogadores (passe) quanto a limitação do número de estrangeiros que podem jogar por um clube. Tal sentença invalidou a estrutura praticada até então e estimulou a exportação do "pé de obra" (na expressão do jornalista Matinas Suzuki) sul-americano e africano para o mercado futebolístico europeu.

As pressões jurídico-econômicas da globalização ampliaram-se ainda mais quando, em 1998, o jogador húngaro Tibor Balog reivindicou que a nova regra nascida do veredicto Bosman fosse aplicada mesmo aos países que não integram a Comunidade Europeia. Depois de muitos debates, em maio de 2001 a FIFA aceitou e a circulação dessa mão de obra especializada que é o futebolista acelerou-se em todo o mundo. As reivindicações da década de 1960, de Kopa, na França, ou Afonsinho, no Brasil, tornavam-se realidade: o jogador profissional passa a estar ligado ao clube apenas por um contrato de trabalho de duração limitada. As implicações do fato são, contudo, complexas. Se é verdade que jogadores mais talentosos, procurados por vários clubes, passaram a ter melhores condições de negociar sua força de trabalho, o mesmo não acontece com a imensa maioria que, se antes tinha mobilidade reduzida, por outro lado contava com relativa estabilidade de emprego, pois os clubes não queriam desperdiçar o "patrimônio", como se dizia, que o passe representava.

As novas regras tiraram de clubes pequenos sua principal fonte de receita, a venda de jogadores que eles revelam. Em 2005, o faturamento dos vinte maiores clubes europeus representou metade do faturamento total de todos os clubes dos cinco grandes países futebolísticos do continente (Alemanha, Espanha, França, Inglaterra e Itália). Como em outros domínios, também no futebol o liberalismo favorece a elite (de clubes e jogadores) e abandona os demais à própria sorte (item 5.2). A internacionalização dos times europeus aumentou muito. Da decisão da Liga dos Campeões de 2005, entre Liverpool e Milan, participaram 28 jogadores, dos quais eram estrangeiros nove no time inglês (além do treinador) e dez no italiano; no total, onze dos atletas da partida não eram originários da Comunidade Europeia. Os clubes da final de 2006, Barcelona e Arsenal, tinham nos seus elencos 26 jogadores de doze países classificados para a Copa do Mundo daquele ano. Foi também o espírito de globalização que levou o prêmio Ballon d'Or, criado em 1956 para ser anualmente concedido ao melhor jogador europeu, a ser aberto desde 1995 a todo futebolista, sem distinção de nacionalidade, que atue em algum campeonato da Europa.

No mundo crescentemente globalizado, os técnicos tiveram seu mercado de trabalho ampliado. Não havia estrangeiros à testa das equipes nacionais em 1930; em 2002 eles comandavam um quarto das seleções, em 2006 mais da metade. Enquanto na Copa do Mundo de 1994 os jogadores que trabalhavam fora de seus países de origem representavam 33% do total de inscritos, essa cifra passou a 43% na Copa de 1998, 49% na de 2002 e 53% na de 2006. Em 2002, os futebolistas das 32 seleções jogavam em clubes de 47 países diferentes. Em 2006, de 51. Essa distribuição geográfica é contudo bastante desigual. No Mundial de 2002, perto de metade dos jogadores inscritos atuava em clubes de apenas cinco países: Inglaterra (cem jogadores ou 13,5% do total), Itália (75 ou mais de 10%), Alemanha (59 ou 8%), Espanha (58 ou quase 8%), França (57 ou 7,7%). No Mundial de 2006, 103 trabalhavam na Inglaterra (14% do total de inscritos), 71 na Alemanha (9,6%), 60 na Itália (pouco mais de 8%), 58 na França (quase 8%), 49 na Espanha (quase 7%). O caso da França acusa diferenças significativas no interior do grupo de elite: dos 57 participantes do campeonato francês presentes na Copa do Japão-Coreia, eram apenas cinco os franceses que atuavam na França; dos 58 atletas na Copa da Alemanha ligados a clubes daquele país, somente dez franceses jogavam na França. Esta é ao mesmo tempo importadora de talentos, sobretudo africanos, e exportadora de seus próprios jogadores.

A situação do Brasil, país do Terceiro Mundo, é evidentemente mais radical. No Mundial de 2002 apenas quinze jogadores (2% do total de inscritos na competição) atuavam no país: treze brasileiros, além do argentino Sorín e do paraguaio Arce. No Mundial de 2006 a tendência acentuou-se: somente sete inscritos (menos de 1% do total) jogavam em clubes nacionais: três brasileiros, dois argentinos (Mascherano e Tevez) e dois paraguaios (Gamarra e Manzur). O campeonato da Holanda, país que nem sequer se classificou para a Copa de 2002, esteve ali representado por dezoito jogadores, originários de países variados. O campeonato da Escócia, país que ficou de fora da Copa de 2006, tinha ali onze jogadores em cinco diferentes seleções. A única nação que em 2002 não tinha jogadores vinculados a clubes estrangeiros, a Arábia Saudita, foi significativamente a primeira eliminada. João Havelange definiu bem a situação: também no futebol "quem não se globaliza fica fora do jogo". Mas, é claro, há o outro lado da globalização. Em 2006, a Itália campeã não tinha atletas jogando no exterior; ela era somente importadora de futebolistas.

Forte exemplo da globalização é o clube eleito pela FIFA como o mais importante do século XX — o Real Madrid. Entre 2000 e 2005 ele contratou vários futebolistas renomados (Figo, Zidane, Ronaldo, Beckham) e algumas promessas (Robinho, Júlio Baptista, Sergio Ramos), que totalizaram 250 milhões de dólares de direitos de transferência, sem computar luvas e salários. Florentino Pérez, então presidente do clube, justificou: "Temos 93 milhões de torcedores espalhados pelo mundo, a grande maioria com condições financeiras para comprar nossos produtos. É por isso que precisamos dos 'galácticos', ser um time internacional. Isso representa ótimas receitas e ótimas contratações para o futuro" (*Folha de S.Paulo*, 1/2/2004). Os números parecem lhe dar razão, pois, a título de exemplo, em 2003 o clube vendeu pelo mundo 800 mil camisas de Ronaldo, com faturamento de 65 milhões de dólares, enquanto no ano anterior tinham sido pagos 44 milhões de dólares à Internazionale de Milão para que liberasse o atleta.

Entretanto, a melhor expressão da globalização econômica e esportiva do futebol a partir de fins do século XX talvez seja o papel da televisão. Quando a primeira partida de uma Copa do Mundo foi televisionada — Iugoslávia 1 × 0 França, no dia 16 de junho de 1954 — praticamente não tinha valor de mercado. Em 1978 os direitos televisivos correspondiam, em valores atuais, a somente 15 milhões de euros; em 1982, a 24 milhões. Desde então começou lenta escalada — 30 milhões em 1986, 60 milhões em 1990, 72 milhões em 1994, 84 milhões em 1998 e depois um salto: 853 milhões na Copa de 2002, 991 milhões na de 2006. Quanto ao futebol dos clubes, os economistas Jean-François Bourg e Jean-Jacques Gouguet calcularam que na Europa, entre 1984 e 1999, a receita de direitos televisivos deles cresceu 1220 vezes, a de contratos publicitários 33, a de bilheteria apenas cinco. A evolução histórica do Real Madrid nesse plano não é exclusiva dele: em 1984 a bilheteria respondia por 75% da receita total e somente 13,65% vinha da publicidade e da televisão; em 1990 esses números foram respectivamente 57,36% e 35%; em 1999 televisão e publicidade forneceram 58,28% da arrecadação total do clube; em 2005, a bilheteria proporcionou 33% do faturamento, a televisão 22%, o marketing 45%.

Não é casual a tendência de os grandes clubes europeus abrirem seus próprios canais de televisão, como fizeram pioneiramente o Manchester United em 1998 e o Real Madrid no ano seguinte. Em certos casos os vínculos entre redes de televisão e clubes ganharam alcance ainda maior. O magnata das comunicações Silvio Berlusconi, ligado à direita italiana, para associar sua imagem à de um clube de tradição popular comprou em fins de 1985 o Milan AC. Em 1991 ele tentou penetrar no mercado francês adquirindo o Paris Saint-Germain, no entanto o quadro societário era complexo e o negócio foi fechado pela televisão francesa a cabo Canal Plus. Em 1998 foi a vez de o australiano Rupert Murdoch, dono da rede por satélite BSkyB, tentar o controle acionário do Manchester United. Se a contratação de grandes craques (Gullit e Van Basten no caso italiano, Raí e Weah no francês) tornou aceitável o negócio nos clubes que se encontravam havia anos sem conquistas, na situação estável do clube inglês a resistência da torcida foi enorme, opondo a tradição e a história do clube à globalização. A pressão popular levou a comissão inglesa antimonopólio a vetar o negócio, e o empresário ficou com apenas 9,9% das ações. Entretanto, em maio de 2005 os protestos não impediram que o norte-americano Malcolm Glazer, que tinha 3% do capital do clube, por 1,5 bilhão de dólares subisse sua participação a 56,9%, pouco depois a 78%, atingindo em junho 98%.

Tal situação manifesta no futebol a chamada fratura social que atinge a Europa. No plano comportamental, são atos de racismo que acontecem com maior ou menor frequência em todos os estádios.[1] No plano ético, é a pressão irresponsável de técnicos contra árbitros, como fez José Mourinho em 2004, levando o sueco Anders Frisk a se aposentar diante das ameaças de torcedores; é a corrupção de dirigentes, como Bernard Tapie no Olympique de Marseille em 1993 ou Luciano Moggi na Juventus em 2004-6; é o recurso de clubes a dinheiro suspeito, como aquele que financia o Chelsea desde 2003 (em três anos, 450 milhões de euros). No plano competitivo, é o desequilíbrio de forças que faz uma equipe tomar a frente do campeonato do começo ao fim, com muitos pontos de vantagem, esvaziando o suspense esportivo, como ocorreu nos últimos anos com o Manchester United na Inglaterra, a Internazionale na Itália, o Bayern na Alemanha, o Lyon na França. O Milan não ganhava um *scudetto* havia seis anos e um título europeu havia doze quando foi comprado por Berlusconi em dezembro de 1985. Nos vinte anos seguintes foram conquistados 23 títulos: sete campeonatos nacionais, quatro Ligas dos Campeões, duas Copas Intercontinentais, quatro Supercopas da Europa, cinco Supercopas da Liga Italiana, uma Copa da Itália.

Que o futebol seja atualmente produto de alto valor de mercado (37 clubes europeus têm capital aberto) nenhum analista financeiro nega. No entanto, aquilo que faz sua força faz também sua fraqueza nesse plano. Por lidar com produto não padronizável,

1. Também aqui o futebol é caixa de ressonância de fenômenos mais amplos, e não causador deles. Na Copa de 2006, a FIFA estimulou sua campanha antirracismo, mas no dia seguinte ao final da competição o vice-presidente do Senado italiano saudou os campeões denegrindo os adversários, a equipe francesa composta por "negros, muçulmanos e comunistas".

de altíssima concorrência e que envolve forte paixão, os clubes de futebol não conseguem atrair tantos investimentos quanto gostariam devido à flutuação decorrente dos resultados esportivos. Quando o Manchester United colocou ações no mercado em 1991, captou cerca de 70 milhões de euros. Quase 1 bilhão foi quanto Murdoch ofereceu em 1998 pelo clube, graças às quatro vitórias deste nas cinco ligas inglesas anteriores. Perto de 2 bilhões tornou-se o valor de mercado do clube em razão dos títulos europeu e intercontinental conquistados em 1999. Como o sucesso esportivo não se repetiu no ano seguinte, no começo de 2001 as ações estavam desvalorizadas em 40%.

A dificuldade em captar mais recursos no mercado financeiro decorre ainda de aritmética simples e impiedosa: as receitas são grandes, porém ainda maiores as despesas para manter um time vitorioso. Na Inglaterra, cinco anos depois da decisão Bosman a massa salarial tinha crescido 246%. Os vinte clubes da primeira divisão (dezenove cotados em Bolsa) dividem por temporada perto de 900 milhões de euros, mas as despesas salariais somam mais de 1 bilhão. O Chelsea teve na temporada 2005-6 prejuízo de 204 milhões. Até 1960 havia no futebol inglês um teto salarial bastante baixo, que criou sistema contraditório. Injusto para os jogadores, que não eram remunerados proporcionalmente ao talento de cada um e às receitas dos clubes. Democrático para o esporte, pois as equipes pequenas mantinham sem dificuldade seus melhores atletas. O maior jogador inglês de todos os tempos, Stanley Matthews, jogou até os 32 anos de idade no pequeno Stoke City FC. A ameaça de greve dos futebolistas e o reconhecimento da opinião pública de que lhes era negada a possibilidade de negociar sua força de trabalho como qualquer cidadão alteraram a situação. A nova revelou-se contraditória por razões inversas: justa para o jogador, que pode ter sua curta carreira bem remunerada; injusta para as competições, que são monopolizadas por poucos clubes de maior poder econômico.

Buscando valorizar as copas europeias e atrair público e patrocinadores, a UEFA realizou ao longo dos anos alterações importantes nas fórmulas de disputa — a mais significativa na temporada 1992-3, quando a Copa dos Campeões, rebatizada de Champions League, ganhou formato que visa minimizar o risco de os grandes clubes serem desclassificados logo no início da competição. Em vez de partidas eliminatórias desde o princípio, foram criadas duas etapas iniciais para selecionar oito equipes, depois divididas em dois grupos, cujos vencedores se enfrentam (o que acontece desde 1956) em decisão jogada em cidade definida antes do início da competição. Isso não resolvia, porém, o problema básico de apenas o campeão de cada país ter acesso à competição. Resolveu-se então, *l'argent oblige*, incluir a partir de 1997-8 os vice-campeões dos oito países mais bem classificados no ranking europeu. O aspecto financeiro preponderou e assistiu-se ao contrassenso de vários dos campeões da Europa não terem sido no ano de sua vitória campeões em seus países. Foi o que aconteceu com o Manchester United em 1999, o Real Madrid em 2000, o Milan em 2003 e 2007, o Liverpool em 2005.

No quadro de valorização do futebol enquanto *business*, não surpreende a preocupação da International Board em aumentar o poder de atração do jogo. Em 1995 foram autorizadas três substituições por equipe, independentemente das posições dos jogadores; o impedimento passivo deixou de ser punido. No ano seguinte validou-se o gol de tiro inicial e de tiro de meta. No outro ano determinou-se que o goleiro não pode mais pegar com as mãos arremesso lateral de companheiro e que ele tem seis segundos no máximo antes de repor a bola em jogo. Em 1999, visando reafirmar o espírito do fair play, a simulação de falta tornou-se passível de advertência. Ou seja, como vimos, a história das regras sempre esteve em aberto. De um lado, pressionada pelo próprio fluir da história, como o debate dos últimos anos sobre o uso ou não de recursos eletrônicos na arbitragem. De outro, pressionada pelo recuo dos limites físicos dos jogadores: enquanto na década de 1940 o recorde mundial do salto em altura era de 1,90 metro, em princípios do século XXI é mais do que os 2,44 de altura da trave; o recorde do salto em distância era pouco superior a seis metros, atualmente supera os 7,32 de largura das traves; os cem metros rasos eram cobertos em onze segundos, hoje em menos de dez. Enfim, tanto as sociedades concretas quanto suas representações imaginárias são dinâmicas, e por isso o futebol — atualmente a mais rica daquelas representações — deve no futuro, como ocorreu no passado, constantemente se rever, repensar-se e adaptar-se para continuar a fazer sentido.

4. Síntese do Brasil desigual e combinado

Em maio de 1958, o jornalista Nelson Rodrigues publicava uma de suas mais conhecidas crônicas esportivas, na qual se referia ao "complexo de vira-latas" dos brasileiros. Na opinião do polêmico escritor, o Brasil dividia-se entre o "pessimismo mais obtuso e a esperança mais frenética". A dor de 1950 mantinha-se viva. Nosso sentimento de inferioridade diante dos estrangeiros era forte em todos os setores, mas principalmente no futebol. Não faltavam craques, o que atrapalhava era a inibição e a falta de confiança. Dias antes, seu irmão Mário Filho também escrevera na imprensa a respeito das chances brasileiras nos gramados da Suécia, procurando retirar o peso da responsabilidade pelas glórias nacionais dos ombros dos jogadores. E tentava demonstrar que eles eram simples mortais, sujeitos a falhas e derrotas. O sucesso da seleção dependeria da nação, e o sucesso da nação não dependeria apenas dos seus jogadores.

As vitórias de 1958, 1962, 1970, 1994 e 2002, bem como as derrotas nos demais Mundiais (sobretudo de 1950, 1978, 1982, 1998 e 2006) comprovaram aquele diagnóstico. O fato de o Brasil ser um país "desigual e combinado", na expressão de José de Souza Martins, manifesta-se no futebol na esquizofrenia abatimento/ euforia, idolatria/perseguição, que marca as relações entre a seleção e a população (e também os clubes e suas torcidas), revelando que no fundo projetamos nossas aspirações coletivas mais nos campos de futebol que nos campos sociais. Como o nacionalismo brasileiro sempre calçou chuteiras, a hesitação entre o improviso e o planejamento é mais do que uma simples característica do futebol nacional. Ela reflete a feição instável das relações entre os cidadãos e o Estado, relações que transitam com facilidade de um lado para outro das frágeis fronteiras que delimitam o espaço privado e o espaço público em nosso país. Gostar de levar vantagem em tudo, que se tornou o slogan de uma propaganda de cigarros protagonizada pelo meio-campista Gérson após a Copa de 1970, expressa muito bem as características da sociedade brasileira.

4.1 ENSAIOS DE ORGANIZAÇÃO EMPRESARIAL (1955-64)

Entre 1954 e 1956 o Brasil foi governado por cinco presidentes: Getúlio Vargas, Café Filho, Carlos Luz, Nereu Ramos e Juscelino Kubitschek. A seleção brasileira teve, no mesmo período, cinco treinadores diferentes: Zezé Moreira, Vicente Feola, Flávio Costa, Oswaldo Brandão e Teté (José Francisco Duarte Junior). O clima de instabilidade gerado após a morte de Vargas era semelhante ao da seleção brasileira após a Copa de 1954. A conquista das taças Bernardo O'Higgins e Oswaldo Cruz de 1955 e 1956, respectivamente contra Chile e Paraguai, do Campeonato Pan-Americano (disputado no México) e da Taça do Atlântico (disputada no Rio) não garantiram a confiança da torcida. O Brasil perdera o Sul-Americano do Uruguai e fora derrotado em amistosos internacionais pela Itália, Tchecoslováquia e Inglaterra. Enquanto as rivalidades entre cariocas e paulistas eram mantidas acesas pelo certame brasileiro de seleções e pelo Torneio Rio-São Paulo (disputado pela primeira vez em 1933, mas jogado sem interrupções apenas entre 1950 e 1967), os campeonatos regionais continuavam a atrair multidões para acompanhar os grandes clubes dos respectivos estados.

A inexistência de uma competição nacional de times revelava importantes características do futebol brasileiro e do próprio país. De um lado, as federações e os clubes sentiam-se livres e poderosos nos seus feudos estaduais, embora fossem instituições com isenções fiscais e que com frequência desfrutavam de contribuições e de instalações cedidas ou subvencionadas pelos poderes públicos. De outro lado, a organização de uma competição nacional de clubes num país de dimensões continentais requeria planejamento mais eficiente e melhoria do sistema de transportes. Contra todos esses obstáculos, estava a intenção de diversos segmentos sociais da segunda metade da década de 1950 de promover a integração nacional, um dos pilares das propostas de modernização, desenvolvimento e garantia da soberania territorial. O alargamento geográfico do mercado de trabalho registrado a partir de 1930, com crescente fluxo de migrantes para o Centro-Sul, marcara nova etapa da construção da identidade nacional. A mão de obra deixava de ser suprida de fora para dentro, como no caso dos escravos africanos e dos imigrantes europeus, e passava a ser provida por trabalhadores nacionais. Essa realidade era clara no futebol, com as seleções paulista e carioca sendo na verdade agrupamentos de pés de obra oriundos das mais diversas regiões do país, que contribuíam tanto para o desenvolvimento dos centros industriais quanto dos centros futebolísticos.

Nesse contexto, o período de Juscelino Kubitschek foi marcado por otimismo jamais visto no Brasil, sintetizado na promessa do presidente de obter cinquenta anos de desenvolvimento em cinco anos de governo. Novas molduras, propiciadas pela tecnologia, enquadravam as ruidosas massas urbanas. Majestosos cinemas exibiam os filmes de Hollywood, da Atlântida e da Vera Cruz. Surgia principalmente a pequena tela da televisão, que transformava a massa em público, mantendo-a presa no interior de suas casas. Largas avenidas tornavam-se passarelas de desfiles de Carnaval e de diversas manifestações e comemorações populares. Avenidas que se constituíam também no espaço da diferenciação entre o coletivo, que circulava a pé, de ônibus ou bonde, e o individual das pessoas que andavam em automóveis ou lambretas. Os valores morais passavam a viver, sobretudo nas cidades, em precário equilíbrio. Naquele clima de Guerra Fria, os comportamentos eram dualistas, ou exaltados, ou execrados. A política de JK revelava-se semelhante à bossa nova, o novo ritmo que combinava a música nacional e o jazz norte-americano. De fato, a política nacional-desenvolvimentista representava uma variação melódica dentro do modelo de substituição de importações, visando superar um de seus aspectos mais problemáticos, a obtenção de investimentos estrangeiros. Nesse período, empresas multinacionais automobilísticas, eletroeletrônicas, farmacêuticas, petroquímicas, instalaram-se no Brasil. Desenvolveram-se a malha rodoviária e os aeroportos. A economia diversificava-se e a produção industrial cresceu 80% entre 1956 e 1961.

O futebol também foi influenciado pelas premissas do planejamento estratégico. Desde 1952, o São Paulo FC iniciara o projeto Morumbi para construção de seu estádio num bairro afastado da cidade. O terreno fora em parte comprado pelo clube, em parte cedido pela prefeitura e por uma empresa de construção civil. Tratava-se de investimento de longo prazo que requeria grandes sacrifícios da comunidade tricolor: até 1970 o São Paulo ganharia apenas os títulos paulistas de 1953 e 1957. O jejum de conquistas era justificado por Cícero Pompeu de Toledo, presidente do clube entre 1947 e 1957, pelo esforço em construir o maior estádio particular do mundo, que seria inaugurado parcialmente em 1960, com capacidade para 70 mil espectadores. Outro dirigente do clube, Paulo Machado de Carvalho, um dos responsáveis pela contratação de Leônidas em 1942 e empresário de sucesso no setor de rádio e televisão, foi convidado em 1958 pelo jovem João Havelange, presidente recém-eleito da CBD (evento também sintomático, pois o opositor tinha sido um dirigente do velho estilo, o folclórico Carlito Rocha), para chefiar a delegação brasileira com vistas à disputa da Copa da Suécia.

Machado de Carvalho procurou organizar um corpo técnico de especialistas para superar as rivalidades Rio-São Paulo, tanto que dos 22 jogadores que foram à Suécia, exatamente metade atuava num estado, metade em outro. O grupo de trabalho estratégico era composto pelos experientes jornalistas Ary Silva e Flávio Iazetti (este versado em regras e arbitragem), pelo repórter Paulo Planet Buarque, pelo psicológico João Carvalhaes e pelo técnico Vicente Feola, todos de São Paulo. O grupo de trabalho executivo era formado pelo supervisor Carlos Nascimento, pelo observador Ernesto Santos, pelo preparador físico Paulo Amaral, pelo médico Hilton Gosling, pelo dentista Mário Trigo e pelo massagista Mário Américo, todos do Rio de Janeiro (embora desde 1953 este último tivesse trocado o Vasco pela Portuguesa). Elaborou-se detalhado plano de 96 artigos que partia da identificação dos erros cometidos nas competições internacionais anteriores. Buscou-se estabelecer um padrão de jogo preocupado com o equilíbrio entre a eficiência defensiva e a ousadia ofensiva; definir um responsável pelo estudo das táticas e deficiências dos adversários; instituir um conjunto de normas disciplinares para os atletas; programar com bastante antecedência as viagens e hospedagens da delegação; incluir nela novidades para a época: um dentista, um psicólogo e um fisioterapeuta (profissão recente no país, onde a primeira instituição do ramo havia sido criada em 1957); planejar até mesmo a compra de uniformes e de chuteiras adequadas a cada tipo de gramado. Ao presidente bossa-nova, como JK ficou conhecido pelos traços modernos que imprimiu na política nacional, corresponde no futebol o doutor Paulo, como era chamado Machado de Carvalho pela gestão empresarial que implantou naquele esporte.

A essa altura dois grandes esquadrões formavam-se nos principais centros do Brasil: o Santos de Zito, Jair da Rosa Pinto, Dorval, Pagão, Pepe e Pelé; o Botafogo de Nilton Santos, Didi, Quarentinha, Servílio e Garrincha. O Alegria do Povo estreou na seleção em 1955. O Rei (como Nelson Rodrigues o chamaria em março de 1958) estreou em 1957, com dezesseis anos. Para a Copa da Suécia não faltavam craques, portanto. O planejamento de Machado de Carvalho podia excluir mesmo dois grandes ídolos por causa do temperamento: Luizinho, do Corinthians, e Canhoteiro, do São Paulo. A seleção embarcou para a Europa e disputou dois amistosos antes do torneio. Venceu a Fiorentina e a Inter de Milão por 4 a 0. Na primeira dessas partidas, o Brasil ganhava por 3 a 0 quando, pela ponta direita, Garrincha pegou a bola, mexeu o corpo para o lado deixando a bola parada e enganou Robotti, seu marcador. Driblou outros dois jogadores italianos. Na área, driblou o goleiro. Podia fazer o gol, mas viu Robotti correndo em sua direção. Com um rápido movimento, Garrincha tirou o corpo. O defensor italiano passou em disparada, bateu com o rosto na trave e caiu. Garrincha entrou devagar na meta adversária e fez o gol com um leve toque. Pegou a bola, botou debaixo do braço e voltou andando para o meio de campo. Até os torcedores italianos caíram na gargalhada. Mas ninguém foi abraçá-lo. Alguns companheiros de time repreenderam Garrincha, alertando que ele deveria jogar sério. No vestiário as broncas continuaram. Foi chamado de irresponsável. Era visto como incontrolável.

Talvez por isso Garrincha não tenha jogado as duas primeiras partidas da Copa. A comissão técnica preferiu colocar em campo um jogador mais disciplinado, que obedecesse às orientações táticas. A seleção, que jogou num 4-2-4 com variações para o 4-3-3, estreou com um único atleta negro, Didi, vencendo a Áustria por 3 a 0. No jogo seguinte, um empate sem gols contra a Inglaterra. A seleção precisava vencer o terceiro confronto, contra a poderosa União Soviética. Como se sabe, Feola escalou então Garrincha e Pelé, e o Brasil venceu por 2 a 0. A atuação de Garrincha no começo do jogo causou perplexidade a todos. Com dribles desconcertantes que deixavam os soviéticos no chão, chutes na trave e passes certeiros, ele comandou o time, que abriu o placar aos três minutos de partida, para alguns os três minutos mais sensacionais da história do futebol. Com os dois craques a seleção colecionou as demais vitórias que permitiram a conquista da Copa: 1 a 0 sobre o País de Gales, 5 a 2 contra a França, 5 a 2 em cima da Suécia na final.

De volta ao Brasil, a seleção desembarcou no aeroporto do Galeão e desfilou sobre um veículo do corpo de bombeiros ao som da marchinha "A taça do mundo é nossa", cantada à exaustão pela multidão ensandecida nas ruas do Rio de Janeiro. No dia seguinte à conquista, Nelson Rodrigues destacava na imprensa as atuações individuais de Zagallo e Pelé e as qualidades morais de Didi. Os jogadores eram tratados como heróis da pátria. E o futebol reconhecido como uma feição inseparável da alma brasileira. Pouco depois, em 1960, a inauguração de Brasília e a transferência da capital federal para o centro do território nacional reforçaram a esperança na integração e no desenvolvimento descentralizado prometidos por Juscelino. O bicampeonato em 1962 no Chile, assim como a dupla conquista da Taça Libertadores da América e do Mundial Interclubes por parte do Santos FC em 1962 e 1963, ratificou a avaliação de que o Brasil tinha o melhor futebol do mundo. O clima de euforia política e futebolística alimentava o otimismo com relação aos destinos do país.

No entanto, antes da Copa de 1962, a eleição de Jânio Quadros por uma articulação conservadora e sua fugaz e contundente passagem pela presidência da República atearam fogo ao cenário político nacional. A adoção do regime parlamentarista, com o objetivo de limitar os poderes de João Goulart, o vice então empossado presidente, não modificou o clima de radicalização entre a esquerda e a direita. Às pressões populares urbanas somar-se-iam ainda as pressões dos trabalhadores rurais, enquanto a crise econômica decorrente das altas inflacionárias desencadeava tempestades no oceano populista. Em meio às crises, a seleção brasileira participou da Copa do Chile como franca favorita. Defendia o título de campeã e possuía os dois maiores jogadores em atividade naquele momento. Mantinha o comando de Paulo Machado de Carvalho e o time-base de 1958 com o mesmo esquema tático, embora sob a direção técnica — devido a uma séria doença de Feola — de Aimoré Moreira. Na estreia, sem convencer, a seleção venceu a equipe do México por 2 a 0. Na partida seguinte, um empate sem gols com a Tchecoslováquia e a contusão de Pelé, que ficou fora do restante do torneio, sendo substituído por Amarildo. A partir daí, a seleção foi comandada em campo por Garrincha. Imprevisível, driblou centenas de vezes, chutou bolas na trave, fez assistências e marcou quatro gols, inclusive, fora de suas características, de esquerda e de cabeça. As vitórias foram se acumulando: 2 a 1 contra a Espanha, 3 a 1 sobre a Inglaterra, 4 a 2 no Chile, 3 a 1 na final contra a Tchecoslováquia. Esta partida Garrincha só pôde jogar por manobras extracampo.

Expulso no jogo contra o Chile, sua situação seria decidida pela comissão disciplinar da FIFA, que se basearia na súmula do jogo. Mas o árbitro peruano Arturo Yamazaki recebeu orientações diretas do presidente de seu país para não dificultar a situação do jogador brasileiro. O primeiro-ministro Tancredo Neves enviou telegrama à comissão disciplinar em nome do povo brasileiro, no qual solicitava a absolvição de Garrincha. Na súmula, o árbitro afirmou que não vira a agressão que provocara a expulsão, tendo sido alertado para o fato pelo bandeirinha uruguaio Esteban Marino, que não foi, porém, encontrado para depor. Diz-se que esse antigo árbitro da Federação Paulista de Futebol nos anos 1950 ganhara após a partida uma passagem para Paris, para onde viajou na manhã seguinte. Por falta de provas o jogador brasileiro foi absolvido. A taça do mundo continuava no Brasil. Aquela foi, sem dúvida, a taça de Garrincha. Sob todos os aspectos.

Os atletas brasileiros foram novamente recebidos como heróis, desta vez por João Goulart. Entretanto, o clima político continuava bastante tenso. Goulart pretendia retomar os poderes presidenciais, o que conseguiu em janeiro de 1963. Ora, toda a sua carreira política tinha sido de aproximação com as multidões, por exemplo em 1954, quando era ministro do Trabalho e concedeu reajuste de 100% no salário mínimo. Naquela oportunidade ele foi demitido, mas caiu nas graças dos trabalhadores. Com novos poderes a partir de 1963, criou um programa de reformas para o país. Direito de voto aos analfabetos, distribuição de terras aos trabalhadores rurais e regulamentação de direitos trabalhistas no campo sacudiram as massas brasileiras. A economia nacional crescia e as massas urbanas desejavam se beneficiar desse crescimento. Elas reivindicavam melhores salários, mais escolas, melhores moradias.

O clima de reivindicação atingiu também o futebol. Após as conquistas da seleção brasileira, os grandes times viajavam pela Europa em excursões que davam bons rendimentos aos clubes e a seus dirigentes. O Botafogo era um desses clubes, pois tinha cinco bicampeões mundiais: Nilton Santos, Didi, Garrincha, Amarildo e Zagallo. Os trabalhadores da bola começaram a solicitar sua parte. Em 1962, Garrincha desentendeu-se com os dirigentes. Queria receber melhores salários, assinar melhores contratos, ser mais considerado pelo clube. Mas ele não cuidava da saúde. Bebia muito, fumava, tomava chuva, não se agasalhava. E os joelhos tão atingidos pelos adversários doíam muito. Ele só conseguia jogar com infiltrações de analgésicos. Treinava pouco, engordava, jogava mal e era vaiado. Foi para o banco de reservas. A alegria do povo estava acabando. Na política também. Em 31 de março de 1964, um golpe militar destituiu João Goulart. Dias antes, numa sexta-feira 13, ele tinha reunido uma grande multidão no último comício de sua vida, no Rio de Janeiro. Nesse Comício das Reformas, milhares de trabalhadores aplaudiram-no quando anunciou que iria tabelar o preço dos aluguéis. Era uma tentativa de drible na desigualdade social brasileira. Mas, enquanto os dribles de Garrincha deixavam seus marcadores no chão (a última vez em 15 de dezembro de 1962, quando arrasaram o Flamengo e deram ao Botafogo o título carioca), quem caiu foi o presidente. Insatisfeitas com as movimentações populares, as Forças Armadas tomaram o poder. Militares invadiram casas de simpatizantes do presidente deposto. Inclusive a de Garrincha. O craque e sua mulher — a cantora Elza Soares, que havia cantado para as massas no comício de 13 de março — foram ameaçados por policiais. Os tempos eram outros.

4.2 O FUTEBOL NOS ANOS DE CHUMBO (1964-74)

A intervenção militar era anunciada como passageira e saneadora. Às forças sociais que efetuaram a ruptura constitucional coube a tarefa de formar o novo governo a partir de alianças entre os representantes da UDN e do PSD, das principais lideranças militares e de diversos setores do empresariado. A hegemonia política, tão instável durante a República populista, seria exercida pelas Forças Armadas. Com poderes para suspender direitos políticos, cassar mandatos e exonerar funcionários públicos, o general Humberto de Alencar Castello Branco foi eleito presidente pelo Congresso Nacional para um governo de dois anos, tempo que ainda restava ao mandato de

Goulart. As eleições presidenciais ficavam marcadas para outubro de 1965. Um mês depois, contudo, foi aprovada uma emenda constitucional adiando o pleito para o final de 1966 e prorrogando o mandato de Castello Branco até março de 1967.

Em meio às turbulências políticas, o Santos de Pelé impunha sua hegemonia. Entre 1964 e 1974 venceu seis campeonatos paulistas, dividiu o título do Torneio Rio-São Paulo de 1964 e 1966, conquistou em 1964 e 1965 a Taça Brasil — criada em 1959 para indicar os representantes brasileiros na Copa Libertadores da América, inaugurada em 1960 — e diversos torneios internacionais. Pelé foi artilheiro do Paulista entre 1957 e 1965, em 1969 e 1973. O Palmeiras conseguiu quebrar a série santista em certames estaduais em 1963 e 1966, o São Paulo com a finalização do estádio do Morumbi voltou a vencer em 1970 e 1971, o Corinthians prolongava seu jejum que começara em 1955 e que se encerraria apenas em 1977. No Rio de Janeiro, a decadência de Garrincha abateu-se sobre o Botafogo. Entre 1963 e 1966 não figurou entre os dois primeiros lugares em nenhum dos campeonatos, conquistados por Flamengo (1963 e 1965), Fluminense (1964) e Bangu (1966). O Botafogo só voltaria a levantar a taça estadual em 1967 e 1968, já sem Garrincha. Em Minas Gerais, o Cruzeiro de Tostão, Dirceu Lopes e Piazza foi pentacampeão em 1969. No Rio Grande do Sul, o Grêmio de Alcindo chegou ao heptacampeonato em 1968.

Comandada pelo próprio João Havelange — com quem Paulo Machado de Carvalho se desentendera, retirando-se da CBD —, a comissão técnica encarregada de preparar a seleção para a Copa de 1966, na Inglaterra, acumulou uma série de equívocos. Vicente Feola voltou à direção técnica e convocou, por pressão dos clubes e das federações, 47 jogadores, dos quais 25 seriam cortados. Dois meses antes, a seleção disputou onze amistosos no Brasil com formações completamente distintas. Veteranos da Copa do Chile (como Pelé, Zito, Garrincha, Gilmar, Djalma Santos e Bellini) foram mesclados a novos ídolos (Tostão, Jairzinho, Gérson, Alcindo, Édson, Dudu e Paraná). Na Europa, foram seis amistosos que serviram mais para promover Havelange e impulsionar suas pretensões ao cargo de presidente da FIFA que para a preparação do time brasileiro. Para o regime militar, a exposição da seleção dentro e fora do Brasil também era interessante para passar a imagem de normalidade política e para desviar o foco das oposições, que se fortaleciam cada vez mais, sobretudo com a dissolução dos partidos políticos existentes e com a implementação do bipartidarismo em fevereiro, que resultou na criação da Aliança Renovadora Nacional (Arena) e do Movimento Democrático Brasileiro (MDB). O Brasil estreou na Copa em 12 de julho com vitória sobre a Bulgária por 2 a 0, com gols de Pelé e Garrincha, na última partida oficial que os dois craques disputaram juntos. Pelé saiu contundido e não pôde jogar contra a Hungria, três dias depois. Contra os húngaros, Garrincha fez sua última partida pela seleção e o Brasil perdeu por 3 a 1. No jogo seguinte, contra Portugal, a equipe brasileira perdeu novamente por 3 a 1, numa partida em que se destacaram a habilidade de Eusébio, o Pantera Negra, e a violência sobre Pelé.

Desta vez a seleção não foi recebida com festa. As únicas manifestações nas ruas eram promovidas por estudantes contra o regime militar. Em 1967, a linha dura chegava ao poder com o general Artur da Costa e Silva. Já vigorava a Lei de Segurança Nacional, que visava coibir greves, manifestações, pronunciamentos e articulações políticas contrárias ao regime. Como reação, eclodia imensa onda de protestos em todo o país, aumentando o clima de radicalização política, que culminaria no Ato Institucional nº 5 e no ato suplementar que fechava o Congresso indefinidamente, suspendia todos os direitos civis e constitucionais e estabelecia a censura. Estendendo o conceito de guerra para o cotidiano da política, obtinha-se perigosa identificação entre nação e Estado. As discordâncias oposicionistas eram tidas como crimes contra o Estado, como atos que visavam desestabilizar o regime e subjugar a soberania nacional. Eliminada a possibilidade da oposição legal e da resistência civil, começava a ganhar corpo a opção da luta armada, que teve como resposta a organização de forte aparato repressivo por parte do governo. Impunha-se a nefasta dialética de o endurecimento do regime fortalecer a opção da resistência armada, o que fortalecia os setores mais identificados com a ideologia de segurança nacional. Em outubro de 1969, foi indicado para a presidência da República o general Emílio Garrastazu Médici.

Nesse período caracterizado pela repressão, o futebol se tornaria instrumento da ditadura. Como durante o Estado Novo, o CND concentrava poderes de intervenção e normatização. Já em 1968 se havia regulamentado a venda do passe dos jogadores, que teriam direito a 15% se concordassem com as transações. Em junho de 1970, era criada a Loteria Esportiva, que se constituiu em importante fonte arrecadadora de recursos para o governo. Mas os preparativos para a Copa de 1970, no México, tinham começado com problemas. A geração bicampeã havia encerrado seu ciclo e Aimoré Moreira iniciava o processo de renovação do selecionado. A conquista da Copa Rio Branco em 1967 trouxera algum alento à CBD e aos partidários do regime. Para uma série de amistosos internacionais, Pelé não fora incluído devido a compromissos com o Santos e também pelo desejo do técnico de experimentar novos jogadores. Uma sucessão de derrotas levou à destituição de Moreira em 1968, ano marcado pelas mais ruidosas manifestações estudantis contra a ditadura.

Surpreendentemente, em fevereiro de 1969, logo após a edição do AI-5, o técnico escolhido foi João Saldanha, jornalista que havia tido pequena experiência como treinador no Botafogo entre 1957 e 1959 e mantinha estreitas ligações com o PCB, o que provocava desconforto à direita e à esquerda. Alternando o 4-3-3 e o 4-2-4 e convocando os mais destacados jogadores da época, Saldanha obteve resultados expressivos em amistosos e nas eliminatórias para a Copa de 1970. As "feras do Saldanha" tiveram alguns tropeços diante da Argentina, do Atlético Mineiro e do Bangu, mas foi o temperamento irrequieto do treinador que precipitou sua demissão. Como Jânio Quadros, o técnico deixou a esquerda perplexa e a direita indignada. Ou talvez tenha sido o contrário. Como Jânio em relação à presidência, Saldanha teve uma passagem de apenas alguns meses no comando do time nacional. Polêmico, a ele são atribuídas declarações que geraram instabilidade. A respeito de Pelé, afirmou que tinha problemas de visão. Ao presidente Médici, que teria insistido na presença do atacante Dario na seleção, Saldanha respondeu com uma frase bombástica: "Ele escala o ministério e eu escalo a seleção".

De qualquer modo, com a equipe já classificada e com a base montada, o bicampeão Mário Jorge Lobo Zagallo assumiria o comando técnico, promovendo a entrada de Félix, Rivelino, Clodoaldo, Everaldo e Brito como titulares e dispondo o time num 4-3-3 que atacava e defendia em bloco. Ao regime era fundamental conquistar o título para sua legitimação diante da sociedade brasileira, o que, aliás, já estava em curso graças aos resultados positivos do chamado "milagre econômico" e à censura à oposição. Assim, a comissão técnica foi militarizada: o chefe da delegação era o brigadeiro Jerônimo Bastos, a segurança ficou a cargo do major Roberto Guaranyr, a supervisão com o capitão Cláudio Coutinho, a equipe de preparação física, dirigida por Admildo Chirol e Carlos Alberto Parreira, era composta pelos capitães Kléber Camerino e Benedito José Bonetti, a preparação de goleiros entregue ao subtenente Raul Carlesso. A preparação física militarizada respondia ao fracasso de 1966, atribuído à má condição atlética dos convocados. O jogador rebelde de talento espontâneo cedia espaço ao atleta-soldado, sujeito a mecanismos disciplinares e repressores, da mesma maneira que o cidadão brasileiro submetido à ditadura. Um mês antes da Copa, a seleção desembarcou no México para adaptar-se à altitude. A eficácia da preparação foi evidenciada pelo desempenho do time nas etapas complementares das partidas disputadas: 4 a 1 contra a Tchecoslováquia (3 a 0 no segundo tempo); 1 a 0 sobre a Inglaterra (0 a 0 na primeira etapa); 3 a 2 frente à Romênia; 4 a 2 contra o Peru (2 a 1 na segunda etapa); 3 a 1 no Uruguai (2 a 0 na etapa complementar); 4 a 1 sobre a Itália (3 a 0 no segundo tempo).

A Copa do Mundo de 1970 demarcou a história do futebol graças aos lançamentos de Gerson, aos chutes de Rivelino, à inteligência tática de Tostão, às arrancadas de Jairzinho, aos gols e quase gols de Pelé, ao ritmo ruidoso de um futebol elevado à categoria de arte, ainda que proveniente de um país rebaixado à condição de ditadura militar. Tudo difundido pela televisão em transmissão ao vivo (inclusive para o Brasil) e pela primeira vez a cores (mas ainda não para o país campeão) fazendo com que, a partir de então, gestos, dribles, comemorações, feições e expressões de jogadores passassem a ser espetáculo mundial imortalizado, reproduzido e idolatrado em escala nunca vista. Pelé foi definitivamente ungido como rei do futebol. Sua marca de mil gols — alcançada meses antes, em 19 de novembro de 1969 — tornou-se a demonstração quantitativa de uma superioridade indispensável a toda sociedade tecnológica.

A propaganda embalou a seleção desde sua partida para o México. A marchinha "Pra frente, Brasil" era tocada nas rádios, nos programas de televisão, nos desfiles militares e nas escolas. Os cartazes de propaganda do regime confundiam-se com o sucesso do escrete nacional. Na Semana da Pátria o slogan era "Ninguém mais segura este país". Nas repartições públicas, "Ontem, hoje, sempre, Brasil". Nos intervalos comerciais das emissoras de rádio e televisão, "Até 1964 o Brasil era apenas o país do futuro. E então o futuro chegou". Nos automóveis, adesivos estampavam uma pequena bandeira nacional com os dizeres "Brasil, ame-o ou deixe-o". Além do tradicional desfile em carro aberto pelas ruas das grandes capitais, com os jogadores segurando a taça, o governo patrocinou a exibição pública do troféu, para alegria do povo brasileiro. Antes mesmo da conquista, o presidente Médici, sem a farda de general, aparecia sorridente em fotos cabeceando uma bola. O álbum de figurinhas da Copa, com a foto dos heróis do tricampeonato, tinha como primeira estampa uma grande imagem do próprio presidente. Era a pátria de chuteiras e de boina militar.

A esquerda, acuada pela repressão e fragmentada em inúmeras tendências, encontrava-se dividida entre dar vazão ao sentimento nacionalista ou torcer contra o time brasileiro. Não foram poucas as discussões nos aparelhos guerrilheiros sobre qual seria a postura de um verdadeiro revolucionário diante da situação. Não foram poucos aqueles que escutaram e assistiram de forma duplamente clandestina à performance do selecionado canarinho. Não foram poucos os que vibraram com o primeiro gol da Tchecoslováquia, marcado por Petras aos onze minutos do primeiro tempo, ainda que incomodados com a comemoração do jogador comunista ajoelhando-se no gramado e fazendo o sinal da cruz. Muitas daquelas pessoas ficaram inconformadas com o resultado da espetacular tentativa de Pelé de marcar do meio de campo, quando o goleiro Viktor estava adiantado, quase na linha da grande área. E por fim muitas ficaram surpresas ao serem tomadas pelo sentimento de alegria quando o Brasil empatou o jogo com Rivelino e virou com um gol de Pelé e dois de Jairzinho. O nacionalismo de chuteiras abriu fissuras irreparáveis nas mais aguerridas convicções ideológicas.

Embalada pela conquista do México, a ditadura organizou em 1972 a Taça da Independência para comemorar o sesquicentenário da emancipação política do Brasil. Sem Pelé, que se despedira da seleção em julho de 1971, o time brasileiro conquistou mais um troféu, empatando sem gols com a Tchecoslováquia e vencendo Iugoslávia, Escócia e Portugal, respectivamente por 3 a 0, 1 a 0 e 1 a 0. Com o sucesso da seleção, a CBD organizou cinco amistosos em 1971, dez em 1973 e nove em 1974, considerando apenas os jogos contra selecionados nacionais. Articulada à política de integração nacional, a CBD passou a organizar o campeonato brasileiro a partir de 1971, com vinte clubes. Foram construídos trinta estádios entre 1972 e 1975. Mas a elevação dos preços do petróleo no mercado mundial em 1974 trazia de volta a inflação e o endividamento externo, revelando os limites do "milagre econômico" e tornando visíveis os sinais de desgaste da ditadura.

Simetricamente, apareciam os limites do milagre futebolístico de 1970, quando o jogo da seleção comandado por craques excepcionais foi tão solto e criativo quanto o jogo social comandado pela ditadura militar era reprimido e previsível. Tentando estimular nos gramados brasileiros a produtividade que caía na economia, entre 1974 e 1976 a CBD passou nos certames nacionais a creditar três pontos para as vitórias por diferença de dois gols ou mais. Nos dois anos seguintes, para obter três pontos foi preciso vencer pela diferença de três gols. Justamente porque a economia e o futebol nacional não iam bem em 1974, a vitória na Copa daquele ano manifestava-se importante para o regime. A preparação da seleção deveria se tornar uma campanha militar.

Com a CBD sob a direção do almirante Heleno Nunes, presidente da Arena, a chefia da delegação foi entregue ao coronel Tinoco Marques, o secretariado ao major Kléber Camerino, a assessoria ao tenente Osvaldo Costa Lobo, a supervisão ao major Carlos Cavalheiro, a preparação física ao capitão Cláudio Coutinho e ao tenente Raul Carlesso (além do civil Parreira). O comando técnico permaneceu com Zagallo, que repetindo o erro de Feola em 1966 convocou quarenta jogadores, dezoito dos quais seriam cortados, o que criou um clima de intrigas e disputas no interior do grupo. Mas da mesma forma que João Havelange, apoiado pelas confederações latino-americanas e africanas, tinha acabado de assumir a presidência da FIFA, os militares apostavam em novo sucesso brasileiro, com a conquista da Copa do Mundo FIFA. De posse transitória dos vencedores, esta substituía a partir de 1974 a Taça Jules Rimet, que por ter sido vencida três vezes pelo Brasil ficara com ela de forma definitiva (pelo menos até fins de 1983, quando foi roubada e fundida...).

No entanto, em 1974 a equipe brasileira praticava um futebol sofrível, não lembrava em nada aquela que quatro anos antes tinha sido apontada como a melhor seleção de todos os tempos. Ela mostrava-se desorganizada, sem brilho, pouco motivada. Como o país. Nas duas primeiras partidas, obteve apenas empates sem gols com a Iugoslávia e a Escócia. No terceiro jogo, uma vitória suada contra o Zaire, apesar do placar de 3 a 0. Contra a Alemanha Oriental, um magro 1 a 0. Na partida seguinte, uma vitória razoável por 2 a 1 sobre a Argentina. Nas semifinais, enfrentou o carrossel holandês, a grande sensação da Copa, que praticava um futebol quase hippie, alegre e livre, no qual jogadores de cabelos rebeldes trocavam constantemente de posição, confundindo os adversários (itens 6.2 e 9.3). Em contraste, o Brasil, com futebol triste e reprimido, perdeu por 2 a 0, sem contestações. Na disputa pelo terceiro lugar, também perdeu, desta vez para a Polônia, por 1 a 0. A campanha desapontou militares e provocou a fúria dos torcedores. Sinônimo do regime por obra da propaganda, o time foi duramente criticado e a casa do técnico Zagallo cercada e apedrejada por populares. Devido à simbiose entre ditadura militar e seleção, as manifestações de desagrado não se restringiram aos insucessos do escrete canarinho. O descontentamento contra o regime ressurgia com força.

4.3 EFICIÊNCIA E DEMOCRACIA RELATIVAS (1974-86)

Em 1974, o MDB obteve importante resultado nas eleições para o Senado Federal, vencendo nas regiões Sul e Sudeste e em outros estados do país. Oposicionistas aproveitaram-se da legislação eleitoral e utilizaram os meios de comunicação para intensificar as críticas ao governo militar. Nesse contexto, o general Ernesto Geisel, escolhido pela maioria parlamentar do governo para a presidência da República, promoveria a chamada distensão política. Dois anos depois, a oposição vencia as eleições nos principais estados da federação. Em 1977 os estudantes reorganizavam a UNE e, no ano seguinte, inúmeras greves operárias voltavam a sacudir o país. Mas em 1978 o Congresso Nacional, graças à maioria arenista, garantia a continuidade do regime com a escolha do general João Baptista Figueiredo.

O mundo do futebol não se manteve isento do clima de contestação, que ali estava presente desde fins dos anos 1960. Tostão concedeu entrevistas defendendo a reforma agrária e confessando ter sido na época da República populista eleitor do agora exilado Leonel Brizola. A torcida organizada corintiana Gaviões da Fiel tinha sido formada em 1969 com o objetivo de destituir da presidência do clube Wadih Helú — então deputado estadual pela Arena —, considerado o principal responsável pelo jejum de títulos paulistas desde a conquista de 1954. Se entre os jogadores da seleção de 1970 não se falava de política, como relatou Tostão, o irrequieto Afonsinho incorporava a imagem da rebeldia daqueles tempos. Após desentendimentos com o técnico botafoguense Zagallo, Afonsinho foi emprestado para o Olaria, time com o qual excursionaria pela Ásia. Como um *easy rider*, não retornou com o restante da delegação, viajando pela Europa à época da Copa do Mundo e das manifestações estudantis contra o imperialismo estadunidense. De volta ao Brasil em agosto de 1970, e com o fim do seu empréstimo, o jogador apresentou-se ao Botafogo de barba e cabelos compridos. Os dirigentes proibiram-no de treinar com aquela aparência. Ligado ao clube por contrato, Afonsinho aparecia regularmente nos dias de treinos e regularmente era impedido de treinar com os demais jogadores, o que o levou a ingressar com um processo judicial para obter passe livre. Oito meses depois, ganhou o direito de jogar por outro clube.

Além de contestar a arbitrariedade contra sua vida privada, o processo de Afonsinho fustigava a prevalência do vínculo desportivo ("passe") sobre o vínculo trabalhista (contrato). Os profissionais da bola ganhavam liberdade de escolha de clube ("passe livre") apenas aos 32 anos de idade ou depois de dez anos de atividade em uma mesma agremiação. Logo, barba e cabelos compridos foram adotados por outros jogadores, como Paulo César Caju, do Botafogo, Doval e Arílson, do Flamengo, César, do Palmeiras, e Spencer, do Cruzeiro. Em 1974, Jairzinho trocava o cabelo escovinha de quatro anos antes por um orgulhoso *black power*. E diversos outros jogadores entraram com processos para a obtenção do passe, como os cruzeirenses Raul e Spencer. Detentor dos direitos sobre o seu futebol, Afonsinho jogou por vários times brasileiros até 1981, mas, figura incômoda, ficou sem clube entre 1976 e 1979. Nesse período montou o Trem da Alegria, time independente que contava também com Brito e Samarone e excursionava pelo Brasil e pelo exterior. Afonsinho foi estigmatizado e perseguido por ter se tornado modelo da contestação no futebol, fator combatido por técnicos como Iustrich e Diede Lameiro, tão linhas-duras quanto os setores mais ferozes das Forças Armadas. Em 1973 foi a vez de Tostão interpelar o Vasco. O jogador, que deixara o Cruzeiro no ano anterior e se encontrava afastado dos gramados por problemas no olho esquerdo, solicitava o recebimento de seus salários. A Justiça determinou que o Vasco pagasse apenas a remuneração atrasada, não atendendo a solicitação para que recebesse rendimentos até o final do contrato, mesmo em inatividade.

Os clubes militarizavam-se, a exemplo da seleção brasileira. Mas alguns jogadores, como os políticos oposicionistas, procuravam resistir, engrossando a longa lista daqueles que no passado tinham sido considerados rebeldes, mercenários ou boêmios, como Fausto, Heleno de Freitas, Leônidas e Garrincha. Em alguns anos, juntavam-se à lista Sócrates, Casagrande, Serginho, Mário Sérgio, Renato, Neto, Romário, Edmundo, Marcelinho, Djalminha, Ronaldo e tantos outros. Na verdade, a rebeldia tinha muitas feições, das mais politizadas às mais hedonistas. Várias vezes ambas no mesmo personagem. Sócrates jogava evidentemente com os pés, mas sua filosofia de vida transparecia mais nas mãos, dentro de campo comemorando seus gols com o braço direito levantado e o punho cerrado, fora de campo segurando um cigarro e um copo de cerveja. Estando no espírito do tempo, a rebeldia era bem aceita pela maioria dos torcedores, desde que não implicasse mudança de partido futebolístico, fato que gerava reações ambíguas. Resgatava-se nesse caso o discurso dos tempos do amadorismo, evocando a falta de amor à camisa do ídolo que deixava seu clube. Os mesmos dirigentes e torcedores festejavam, contudo, quando se conseguia tirar um craque de um rival, exaltando nesse momento os princípios do profissionalismo. Contradição típica de um país que hesitava (ainda hesita?) entre a herança patrimonialista e escravista e os princípios liberais.

A seleção continuava militarizada, sob o comando do capitão Cláudio Coutinho, para disputar o que era encarado como uma guerra a ser travada na Argentina também submetida a uma ditadura militar, a Copa de 1978. Mesmo contando com craques como Rivelino, Oscar, Jorge Mendonça, Zico, Cerezzo e Reinaldo, as primeiras partidas da seleção foram decepcionantes: 1 a 1 com a Suécia e 0 a 0 com a Espanha. No terceiro confronto, a magra vitória de 1 a 0 sobre a Áustria garantiu a classificação para a fase seguinte. Nesta, o time melhorou, vencendo o Peru por 3 a 0, empatando sem gols com a anfitriã e derrotando a Polônia por 3 a 1. O Brasil ficou, contudo, fora da final pelo critério de saldo de gols devido à suspeita goleada aplicada pela Argentina sobre o Peru (6 a 0), quando pressões militares e políticas parecem ter entrado nos vestiários peruanos e em campo para garantir a vitória da ditadura local. A seleção brasileira precisou contentar-se com o terceiro lugar, obtido ao derrotar a Itália por 2 a 1. Aproveitando as desconfianças quanto à lisura do título argentino, nossos dirigentes e nossa imprensa proclamaram o time brasileiro "campeão moral".

Mais ou menos como se sentiam os responsáveis pelo regime militar, cujo fim dava indícios de se aproximar. Em continuidade à política de distensão iniciada por Geisel, cujo último ato seria a revogação do AI-5, Figueiredo sancionou em 1979 a Lei da Anistia, que permitiu a libertação e o retorno do exílio de mais de 4 mil penalizados pela ditadura. A essa altura as movimentações operárias e estudantis já se tornavam corriqueiras nas principais cidades do país. A crise econômica intensificava-se. A inflação saltara de 17,5% em 1972 para 77% ao ano em 1979, atingindo 97% em 1981. A dívida externa passara de 12 bilhões de dólares em 1972 para quase 50 bilhões em 1979, e em 1981 chegaria a 61 bilhões. Neste último ano, o PIB apresentou variação negativa. Era um fim melancólico para o regime que prometera colocar o país no Primeiro Mundo.

O futebol também entrava em crise. E não só por razões econômicas. Com o aumento crescente de participantes a cada edição, para ampliar o espaço político do regime, o campeonato brasileiro chegou a reunir 94 clubes em 1979, consagrando a máxima "Onde a Arena vai mal, mais um clube no nacional". A desgastante competição era controlada por Rio de Janeiro, Rio Grande do Sul e São Paulo: de 1971 a 1986, Flamengo e Internacional conquistaram três taças cada um, Palmeiras e São Paulo duas, Guarani, Vasco, Fluminense e Grêmio uma. Fora desse eixo geográfico, apenas os títulos brasileiros de Atlético Mineiro em 1971 e de Coritiba em 1985, além do da Libertadores da América de 1976, vencida pelo Cruzeiro. Nem o título moral da seleção em 1978 e as vitórias do Flamengo de Zico na Libertadores e no Mundial Interclubes de

1981 e do Grêmio nas mesmas competições em 1983 foram capazes de fortalecer o futebol brasileiro. Fórmulas esdrúxulas, com o objetivo de valorizar as partidas finais e semifinais, provocavam distorções, tornando campeões times que haviam obtido menos pontos que os vices, como foi o caso em 1974, 1977, 1981, 1983 e 1986. Os casuísmos aplicados às regras eleitorais — Lei Falcão, que em 1976 proibia transmissões ao vivo pelo rádio e pela televisão durante as campanhas eleitorais; Pacote de Abril, de 1977, que instituiu eleições indiretas para um terço do Senado e ampliou o número de deputados federais das regiões Norte e Nordeste, controladas pelo governo militar; MDB, que mesmo tendo mais de 50% dos votos possuía apenas um terço do Senado — transbordaram para o universo do futebol.

Com tudo isso, o interesse do público diminuiu, apesar da boa média de gols, mais de dois por partida entre 1974 e 1986, que chegou a 2,74 em 1982. A média de público por partida despencou de 20 mil torcedores em 1971 para 10 mil em 1978 e 9 mil em 1979. Nos três anos seguintes haveria uma recuperação que elevou a frequência nos estádios para perto de 20 mil torcedores. Porém ocorreu nova queda, acentuada, em 1985 e 1986, que apresentaram respectivamente 12 mil e 13 mil espectadores em média. Daí nova alteração no regulamento de pontuação, em 1988. No caso de partidas que terminavam empatadas, a decisão se daria por disputa de pênaltis. Uma vitória no tempo normal valia três pontos. Vitória obtida através de pênaltis, dois pontos. Somente a partir de 1995 qualquer vitória passaria a valer três pontos. Disputando campeonatos deficitários, cedendo jogadores para times estrangeiros, sofrendo pressões dos dirigentes da CBD e dos governantes, os clubes aproximavam-se de uma situação-limite. O futebol não conseguia mais servir de reforço ao poder militar. Ao contrário, ele antecipava as fissuras que se abriam na ditadura. A mais significativa daquelas manifestações foi, sem dúvida, a Democracia Corintiana instaurada em 1981, um ano antes das eleições diretas para governos estaduais e para o Congresso Nacional.

Naquele clube, sob a presidência do empresário Waldemar Pires e a direção de futebol do sociólogo Adilson Monteiro Alves, os jogadores foram convidados a participar de decisões até então monopolizadas pelos dirigentes: concentração, contratação de novos jogadores e escolha do técnico. No mar autoritário daquele momento, em que não havia eleições diretas para a presidência da República, o Corinthians tornava-se uma ilha de democracia liderada por Sócrates, Casagrande e Wladimir. Jogadores chegaram a se tornar sócios beneméritos e conselheiros, tendo direito a voto para a presidência do clube. Essa democracia interna não deixou de contagiar mesmo multidões que não torciam pelo clube, e resultou no bicampeonato paulista de 1982 e 1983. Na partida final deste último torneio, os atletas entraram em campo empunhando enorme faixa com os dizeres "Ganhar ou perder, mas sempre com democracia". Manifestação propícia, pois nas eleições do ano anterior a oposição havia vencido em nove estados da federação. Se em Minas Gerais fora o conciliador Tancredo Neves, pelo PMDB, no Rio de Janeiro tinha sido o adversário mais temido pela ditadura, Leonel Brizola, eleito pelo PDT.

Outra antecipação futebolística das transformações políticas em curso foi, em 1980, a criação da Confederação Brasileira de Futebol (CBF), em substituição à CBD. Os dirigentes civis modificaram o torneio nacional de clubes, criando duas divisões: a Taça de Ouro e a Taça de Prata. No mesmo ano, Telê Santana, o mais popular treinador brasileiro, era escolhido para comandar a seleção na Copa do Mundo de 1982, a ser disputada na Espanha. Desde 1969, Telê mostrava como se poderia manter a autoridade sem autoritarismo. A disciplina e o respeito eram obtidos com conversas francas com o grupo de jogadores, e assim se dividiam responsabilidades e se assumiam compromissos coletivos. Entusiasta do futebol-arte, ele também dava aulas táticas aos jogadores e adversários e conseguira arrebatar os títulos carioca (1969), mineiro (1970), gaúcho (1977) e brasileiro (1971). Na seleção, Telê implantou um sistema inovador baseado na qualidade técnica de seu elenco. Não havia pontas fixos, os laterais Leandro e Júnior frequentemente subiam ao ataque, havia dois zagueiros técnicos (Oscar e Luizinho), no ataque o redisciplinado Serginho, no meio de campo cinco jogadores versáteis que se revezavam na contenção, armação de jogadas, infiltração e chutes de fora da área (Falcão, Cerezzo, Sócrates, Zico e Éder). Com uma comissão técnica desmilitarizada, a seleção vencia e dava show: 2 a 1 na União Soviética; 4 a 1 na Escócia; 4 a 0 na Nova Zelândia; 3 a 1 na Argentina. A imprensa do mundo todo anunciava o Brasil como favorito. Diante da Itália, no entanto, precisando apenas de um empate, o time foi derrotado por 3 a 2. Como em 1950, a torcida chorou, perplexa. Desta vez, vestida de amarelo.

O líder da Democracia Corintiana, o rebelde Sócrates, médico como Afonsinho, havia sido escolhido por Telê para ostentar a braçadeira de capitão. Se ele não levantou a taça do mundo, levantou contudo as massas. Como tantos outros cidadãos, desejava o fim da ditadura militar. Em 1984, milhões de brasileiros também vestidos de amarelo participavam da campanha Diretas Já. Da mesma forma que o futebol da seleção de Telê, o jogo político excitava, criava esperanças. Seu meio de campo era constituído por Tancredo, Ulysses, Fernando Henrique, Montoro e Aureliano Chaves. Respeitados pelas massas, a eles cabia planejar as jogadas contra o regime militar, fazer as articulações que levassem à democratização do país. Mas diferentemente da seleção de 1982, que jogara sem pontas, os comícios de 1984 apresentavam arrancadas pela esquerda de Lula e de Brizola, que falavam em transição com aprofundamento das transformações sociais. Sócrates, Casagrande e Adilson Monteiro Alves subiam nos palanques e arriscavam com palavras jogadas de efeito que eram recebidas como gols de placa pela torcida. Emblematicamente, o locutor da campanha Diretas Já era Osmar Santos, o mais popular radialista esportivo do momento.

Entretanto, assim como a seleção de Telê, a movimentação política encantou o país, mas não conseguiu vencer. A Câmara dos Deputados não aprovou a modificação nas regras eleitorais. A sucessão presidencial se daria por meio de eleições indiretas. A transição democrática permaneceu lenta e gradual, tal como a concebera o general Golbery do Couto e Silva, o principal ideólogo do regime. Pelo centro, uma articulação política aceitável pelos militares levou à frente a vitoriosa candidatura de Tancredo Neves e José Sarney, apoiados por Aureliano Chaves (vice-presidente da República), Marco Maciel, Antônio Carlos Magalhães e por todo o PMDB. Com a impossibilidade de Tancredo assumir a presidência por motivos de saúde — que levariam ao seu falecimento em abril de 1985 —, o cargo foi ocupado por Sarney, ex-presidente da Arena/PDS, partido que dava sustentação política à ditadura. O centrismo invertebrado, marcado pelo continuísmo, definiria a transição democrática.

De volta à seleção em 1985, nas eliminatórias para a segunda Copa do México, a ser disputada no ano seguinte, Telê Santana adotou o 4-4-2 e manteve o time sem pontas, apostando nos avanços de seus laterais e na habilidade de seu meio de campo. Mas com Zico retornando de contusão, Sócrates fora de sua melhor forma física e Falcão no banco de reservas, a seleção não atingiu o nível de quatro anos antes: 1 a 0 diante da Espanha, 1 a 0 sobre a Argélia, 3 a 0 contra a Irlanda do Norte, 4 a 0 na Polônia. Contra a França, empate em um gol no tempo regulamentar e na prorrogação, depois derrota nos pênaltis por 4 a 3. Encerrava-se sem conquistas o ciclo de uma geração futebolística brilhante e de Telê à frente dela.

4.4 A DIFÍCIL ADAPTAÇÃO AO MODELO LIBERAL (DESDE 1987)

Ao mesmo tempo que se processava a transição política, o futebol também vivia uma transição do poder tutelar do Estado para o controle civil numa conjuntura de franca expansão do capital no campo esportivo. Se a vitória da oposição incorporou representantes da ditadura e velhos oligarcas brasileiros, a pretensa modernização futebolística manteve as estruturas de poder dos clubes e federações e foi levada a cabo sem desarticular o poder dos velhos cartolas ou de novos dirigentes que ainda comandavam suas agremiações à moda antiga. O rebaixamento e o acesso de clubes — dinâmica essencial, comparável à alternância de governos num regime democrático —, instaurados em 1988, foram sujeitos a interrupções e mudanças de regulamento que contornavam os fracassos esportivos de clubes tradicionais. Em 1980 a Taça de Ouro foi disputada por quarenta clubes e a Taça de Prata por 64, fórmula que durou até 1986. Nesse ano, numa das maiores viradas de mesa, o regulamento foi alterado durante a competição de maneira a classificar Vasco e Botafogo para a segunda fase do certame. Entre 1975 e 1984 foi utilizado o artifício da repescagem, que procurava levar às fases decisivas grandes clubes que por acaso tivessem tido fraco desempenho nas etapas iniciais. Fórmula que seria reeditada para o campeonato de 1994.

Em 1987, em meio a grave crise financeira, a CBF anunciava que não teria condições de promover o certame nacional. Os principais clubes brasileiros formaram então o Clube dos Treze (Atlético-MG, Bahia, Botafogo, Corinthians, Cruzeiro, Flamengo, Fluminense, Grêmio, Internacional, Palmeiras, Santos, São Paulo e Vasco) e encarregaram-se de organizar a chamada Copa União, convidando para ela mais três clubes, Coritiba, Goiás e Santa Cruz. Durante a competição, a CBF resolveu interferir e obrigar a disputa de um quadrangular entre os dois primeiros colocados da Copa União (que a CBF denominou Módulo Verde) e os dois primeiros do campeonato da segunda divisão (organizado pela entidade e por ela denominado Módulo Amarelo). Campeão e vice seriam os representantes brasileiros na Libertadores da América. Com a recusa do Clube dos Treze, em 1987 houve dois campeões nacionais, Flamengo e Sport. Este último e o Guarani disputariam a Libertadores.

Após ameaças de desfiliação da FIFA por ser a entidade representante do futebol brasileiro, a CBF retomou o controle do campeonato brasileiro, e continuaria a proporcionar espetáculos surpreendentes. Por exemplo, na sua lógica elitista e paternalista, em 1996 o descenso de Fluminense e Bragantino foi cancelado sob alegação de arbitragens suspeitas e prejudiciais aos dois clubes, cujas diretorias possuíam íntimas relações com os salões da CBF e os gabinetes de Brasília. Só em 1997, após repetir campanha pífia, o Fluminense seria rebaixado para a segunda divisão. Em 1999 foi a vez de o Botafogo recorrer aos bastidores, o que provocaria o rebaixamento do Gama. O clube brasiliense recorreu à Justiça comum e conseguiu o direito de disputar o campeonato de 2000. A virada de mesa atingiu seu ponto máximo. A CBF saiu de cena, permitindo que o Clube dos Treze organizasse a Copa João Havelange, disputada por 116 times distribuídos em quatro módulos: Azul, Amarelo, Verde e Branco. No Grupo Azul, 25 equipes, com a inclusão de três times da Segunda Divisão, Fluminense, Bahia e América-MG, para 12 vagas na fase final. No Grupo Amarelo, 36 times para três vagas. Os grupos Verde e Branco, compostos por 55 times, teriam uma vaga cada um na fase decisiva do torneio.

Se o início do certame foi cômico, o desfecho foi trágico. São Caetano e Vasco da Gama se enfrentariam em duas partidas. Na primeira, 1 a 1 no Parque Antártica. A segunda, no superlotado estádio de São Januário, foi interrompida aos 23 minutos do primeiro tempo devido a um tumulto na torcida vascaína que causou a derrubada de um dos alambrados e a invasão do campo. O espetáculo foi triste:168 feridos, centenas de torcedores em campo e o dirigente do Vasco, Eurico Miranda, tentando "limpar" o gramado para dar continuidade à partida. De fato, Miranda é talvez a mais característica personagem desses tempos de transição. Diretor desde 1975, vice-presidente do clube entre 1986 e 2000, deputado federal pelo PPB (ex-Arena/PDS, hoje PP) entre 1995 e 2002, depois presidente do Vasco, ele colecionou uma série de denúncias e processos contra suas práticas administrativas. Foi acusado de desviar recursos de várias formas, inclusive em um episódio no mínimo caricato: ele teria sido assaltado com toda a arrecadação de uma partida do Vasco em sua maleta. Mas as preocupações de Miranda naquele 30 de dezembro de 2000 residiam na possibilidade de punição ao time vascaíno com a perda do título nacional. No lugar do que indicava o senso de justiça, os organizadores do torneio promoveram nova final dias depois. Vasco 3 a 1, campeão.

As tensões entre os clubes e a CBF, os recursos à Justiça Desportiva, as falcatruas nos bastidores, as mudanças casuísticas de regulamento e a impunidade revelavam o tumultuado processo de modernização do futebol brasileiro, em sintonia com o que ocorria na cena política nacional. Os trabalhos constituintes de 1987 e 1988, com práticas semelhantes, já tinham denunciado as dificuldades em se modernizar as estruturas políticas do Brasil. A liberdade de organização de agremiações políticas foi estabelecida sem a adoção da fidelidade partidária, permitindo a rentável troca de legenda conforme as conveniências pessoais, a formação de partidos de aluguel e de blocos governistas fragilmente reunidos pela argamassa fina e reluzente de cargos e recursos públicos, além de mudanças na duração do mandato presidencial e da adoção casuística de novas regras com o jogo político em andamento.

Não surpreende que o domínio quase monárquico de Ricardo Teixeira na CBF tenha começado nesse contexto, em 1989, e que ele tenha depois garantido a continuidade no poder graças a mudanças no estatuto e a excelentes relações políticas e familiares. No mesmo ano, também com ares de modernidade e juventude, e aparentemente com semelhantes intenções de se prolongar no cargo, era eleito para o cargo máximo da República um ex-presidente do CSA de Alagoas, Fernando Collor de Mello. Ele logo implementou inesperado plano econômico, que confiscava por ano e meio os recursos depositados em contas bancárias e poupanças e estabelecia novo congelamento de preços. Ao mesmo tempo, iniciou processo de privatização de empresas públicas e promoveu a abertura da economia brasileira ao capital, tecnologia e produtos estrangeiros.

O clima de modernidade contagiou a seleção que disputaria a Copa de 1990 na Itália. O técnico Sebastião Lazaroni adotou o 3-5-2, sistema não usual no futebol brasileiro da época. Na estreia, 2 a 1 contra a Suécia. Depois, 1 a 0 na fraca Costa Rica e o mesmo placar no modesto time da Escócia. O futebol pragmático e de tática estrangeira teria sua prova de fogo contra a Argentina, na oitava de final. Por ironia, foi a melhor partida do Brasil. O gol de Caniggia aos 35 minutos do segundo tempo é, no entanto, expressão de uma modernidade estabelecida em bases frágeis. Numa rápida arrancada, Maradona passou no meio de campo por Alemão, que não quis fazer falta em seu companheiro do Napoli, e avançou sobre a defesa brasileira, que apesar de ter três zagueiros deixou Caniggia livre para receber a bola, driblar Taffarel e decretar a eliminação do Brasil. Muito acostumada ao contato familiar com jogadores estrangeiros e pouco habituada à nova organização tática, a seleção foi retrato fiel de um governo que sem planejamento maior abriu a economia à penetração dos produtos internacionais. A foto oficial dos jogadores da seleção cobrindo a marca do patrocinador por divergências financeiras também demonstrou os estreitos limites para a transformação do futebol no país.

A crise dos clubes, o crescente êxodo de jogadores e os ventos liberais insuflaram a busca por alternativas econômicas. Desde o início da década de 1980, as transmissões televisivas consolidaram o futebol como veículo de propaganda e estimularam a ampliação do marketing esportivo. O problema residia no amadorismo — às vezes gangsterismo — da maioria dos dirigentes. A primeira experiência bem-sucedida ocorreu em 1987 com a Copa União, patrocinada por Coca-Cola, Varig e Rede Globo. Novo passo foi dado por Zico no cargo de secretário nacional de Esportes de Fernando Collor (março de 1990 — abril de 1991), com um projeto que procurava implementar métodos empresariais na administração do futebol, além da democratização das federações e da CBF, bem como a extinção da Lei do Passe. Diante das resistências e pressões exercidas no Congresso, o projeto aprovado em 1993 estava desfigurado e não alterava as estruturas do futebol, apenas ampliava a capacidade de obtenção de receitas através de bingos e de sorteios realizados em estádios.

Em 1994, na Copa dos Estados Unidos, Parreira retornava à seleção na condição de treinador e Zagallo na de supervisor. O time adotou um 4-4-2 defensivo, contando com a eficiência de dois atacantes rápidos, Romário e Bebeto. Apesar do sucesso do Plano Real, implementado pelo ministro Fernando Henrique Cardoso, e do otimismo que dominava a sociedade brasileira após a tumultuada experiência com Collor, a seleção saiu do Brasil desacreditada. Mas um futebol disciplinado e eficiente levou o Brasil a vencer a Rússia por 2 a 0, Camarões por 3 a 0, a empatar com a Suécia em 1 a 1, a vencer a Holanda por 3 a 2 e a Suécia por 1 a 0. O futebol de resultados levou à final contra a Itália, quando não conseguiu contudo marcar gol. Pela primeira vez na história, uma Copa do Mundo seria decidida nos pênaltis: 3 a 2 para o Brasil. Contidos, preciosistas, cautelosos e corteses, Cardoso e Parreira possuíam diversos pontos em comum. Nenhum dos dois era sensível às massas, para o técnico "o torcedor é mera caixa de ressonância do que a mídia divulga" (*Folha de S.Paulo*, 9/7/1994). Ambos renegaram suas origens, Parreira a seleção de 1970, Cardoso seus primeiros textos marcados pela influência marxista e weberiana.

Embalados pelo sucesso na Copa, Grêmio (1995), Cruzeiro (1997), Vasco (1998) e Palmeiras (1999) conquistaram a Libertadores da América. Mas todos perderam o Mundial Interclubes. Mais do que de modernização estrutural, eles haviam se beneficiado de conjunturas favoráveis, tanto que tempos depois Grêmio e Palmeiras foram rebaixados e o Vasco entrou em longo limbo futebolístico. A ausência de transformações profundas no futebol continuou a sangrar os clubes, obrigando-os a exportar jogadores para cobrir os endêmicos déficits financeiros. Em 1998, nova medida modernizadora foi implementada por Pelé, ministro dos Esportes, ao extinguir a Lei do Passe, estabelecer a fiscalização pública dos esportes e estimular a organização dos clubes como empresas. As reações contrárias uniram clubes, federações, CBF e até mesmo sindicatos de jogadores. Baseada nos princípios neoliberais, a avançada legislação delegou ao mercado a construção do modelo de futebol-empresa, trazendo novos problemas aos ultrapassados clubes brasileiros.

No mesmo ano ocorreu a Copa da França, com Zagallo de novo no comando da seleção. Mais uma vez favorito, o Brasil venceu a Escócia (2 a 1), o Marrocos (3 a 0), perdeu para a Noruega (1 a 2), superou o Chile (4 a 1), a Dinamarca (3 a 2), empatou com a Holanda (1 a 1; 4 a 2 nos pênaltis) e na decisão foi goleado pela França (3 a 0). Antes dessa partida o episódio, cercado de mistérios e rumores, que envolveu Ronaldo demonstrou mais uma vez a falta de preparo dos dirigentes. Pressionados pelas necessidades do espetáculo e pela vontade do atleta, tomaram uma decisão negligente com respeito à integridade física do jogador — ainda visto como objeto, mesmo que de luxo — e prejudicial à tranquilidade da equipe durante a partida. Para a Copa seguinte, disputada em 2002 na Coreia e no Japão, o técnico escolhido foi Luiz Felipe Scolari, que colecionara títulos pelo Criciúma, Grêmio, Palmeiras e Cruzeiro. Adepto taticamente do 3-5-2 e psicologicamente do paternalismo com os jogadores, Felipão é exemplo expressivo de antropofagia futebolística, tendo conseguido unir algumas premissas do futebol moderno aos códigos culturais da sociedade e do futebol brasileiro. Foi assim que o Brasil atingiu seu objetivo: 2 a 1 na Turquia, 4 a 0 na China, 5 a 2 na Costa Rica, 2 a 0 na Bélgica, 2 a 1 na Inglaterra, 1 a 0 na Turquia, 2 a 0 na Alemanha.

Contudo, no campo político-social a fusão entre o tradicional e o moderno revelava-se mais complexa. Desgastado pela crise cambial iniciada em 1998, pela manutenção de altíssima taxa de juros e por índices negativos de crescimento econômico, o final do governo Fernando Henrique Cardoso foi marcado pelo progresso da oposição. Setores empresariais criticavam a política recessiva e a concorrência estrangeira, setores sindicais condenavam a adoção do receituário neoliberal, setores do funcionalismo público censuravam a reforma previdenciária e a política de privatizações. Assistiu-se, então, à chegada ao governo de um sindicalista acompanhado por ex-militantes da luta armada, ex-exilados, ex-opositores da ditadura, grupos evangélicos e conservadores. Coerente com essa miscelânea incoerente, em pouco tempo de governo o Ministério dos Esportes, dirigido pelo PC do B, aproximou-se da CBF de Ricardo Teixeira e dos tradicionais dirigentes de federações e de clubes do país. Mais que uma característica do processo político, o centrismo invertebrado parece uma espécie de maldição da sociedade brasileira.

Não surpreende, portanto, a compra de parlamentares, o desvio de verbas públicas e as irregularidades administrativas do governo que vieram à tona em 2006. Tampouco surpreende que na mesma época a seleção que foi jogar a Copa da Alemanha tenha sido tão mesquinha no futebol quanto a classe política na sua atividade. O que se viu foi um jogo de interesses e vaidades pessoais. E também a concorrência entre três gerações dentro da seleção. Os veteranos contra os mais novos, muitos dos quais acabaram na reserva por critérios duvidosos. Ambas as gerações competindo com o fantasma da geração de 1970, a qual se julgavam capazes de superar. Não surpreende, enfim, que a seleção "canalhinha", como a chamou João Ubaldo Ribeiro, tenha caído (depois de 1 a 0 na Croácia; 2 a 0 na Austrália; 4 a 1 no Japão; 3 a 0 sobre Gana) na quarta de final: 0 a 1 contra a França.

Alguns jogadores foram muito censurados por buscar metas pessoais, recorde no número de partidas jogadas pela seleção ou de gols marcados em Mundiais. Mas isso não era de certa forma a expressão futebolística do bem conhecido mantra do presidente da República para quem "nunca antes neste país" alguém fez tantas coisas boas quanto ele? Eliminada, a seleção foi acusada de ter privilegiado interesses outros que os esportivos. Por motivos econômicos é que os amistosos preparatórios foram absurdos ou inócuos; que se optou por treinos abertos ao público, impedindo a preparação de alternativas táticas e de jogadas ensaiadas; que jogadores de renome e fora de forma pressionaram para continuar no time. Muito se criticou o técnico Carlos Alberto Parreira por aparentemente ignorar a existência de tais problemas. Mas na mesma época o presidente da República não alegava desconhecer que antigos companheiros de partido, colocados por ele na cúpula do poder, tinham armado e executado enorme assalto aos cofres públicos?

A verdade é que tanto o cidadão quanto o torcedor brasileiro — não apenas em 2006 — têm tendência a depositar suas expectativas (e quando frustrado suas críticas) em individualidades, não em coletividades. A esperança estava em Lula, não em um programa de governo, nos Ronaldos ou no "quadrado mágico", não em um time. Espera-se sucesso de gestos isolados, não de esforço contínuo e planejado. Seja na política ou no futebol, a sociedade brasileira continua esperando um messias que resolva suas dificuldades.

PARTE 2

FUTEBOL, METÁFORA DO MUNDO CONTEMPORÂNEO

O futebol é síntese da história, como vimos na Primeira Parte, mas a compreensão de tal fato é intelectual, depende de certos conhecimentos, o que não explica portanto a popularidade desse esporte. Ademais, de um ponto de vista friamente racionalista, ele pode ser visto por quem não se emociona com ele como atividade rudimentar de 22 pessoas que correm atrás de uma bola para chutá-la em direção a uma grande gaiola. Mas essa estranha atividade atrai em quase todo o mundo muitas centenas de milhões de pessoas. Alegra-se e sofre-se por ela, fala-se e escreve-se cotidianamente sobre ela, algumas vezes briga-se e mesmo mata-se e morre-se por ela. A maior prova do alcance e do enraizamento cultural daquela atividade está no fato de que, embora ela envolva profundamente, de forma direta ou indireta, larga porção da população ocidental, poucas vezes se coloca a questão essencial: qual é o fascínio do futebol?

Este deve ser buscado na apreensão intuitiva e emotiva daquilo que o futebol transmite a cada um de seus adeptos: o reconhecimento velado e indireto de que o futebol fala da própria vida.

Talvez por isso Albert Camus, Prêmio Nobel de Literatura de 1957 e antigo goleiro do Racing Universitaire de Argel, tenha afirmado que "a maior parte daquilo que sei da vida aprendi jogando futebol". De fato, futebol é metáfora de cada um dos planos essenciais do viver humano nas condições históricas e existenciais das últimas décadas. Mais precisamente, é conjunto de metáforas que deve ser visto na sua articulação, na sua complementação mútua, exatamente — para usarmos nós também uma metáfora — como os gomos de uma bola de futebol. Ou ainda como um mosaico que constrói com peças quantitativa e qualitativamente diferentes (jogadores, técnicos, profissionais de várias áreas médico-esportivas, árbitros, dirigentes, jornalistas, torcedores) a imagem-síntese do mundo em que vivemos. Imagem que mostra tanto a realidade externa (social, econômica, política) quanto a interna (anseios, medos, frustrações, esperanças, alegrias). Como toda metáfora, uma coisa no lugar de outra, o futebol é sentido antes de ser compreendido, e no entanto, como toda metáfora, ele pode, e deve, ser também analítica e criticamente examinado.

5. Metáfora sociológica

Embora bem menos comum que no passado, ainda não desapareceu totalmente certa interpretação sociológica do futebol que vê nele um "ópio do povo". Mas se isso significa atividade que afasta o homem da reflexão e da contestação, dificultando as transformações políticas e sociais, a atividade mais alienante é o trabalho, como tem sugerido a sociologia do lazer. Não se pode, é claro, negar que o futebol funciona como poderosa válvula de escape para tensões e ansiedades potencialmente perigosas para a saúde da sociedade. O futebol é fuga do real, representação imaginária, não realidade em si, contudo ele não se diferencia nisso do teatro, do cinema, da literatura e das artes em geral. Ao canalizar esperanças e frustrações da sociedade para certos espaços e certos momentos muito mais coletivos do que os oferecidos por aquelas formas culturais, o futebol parece se assemelhar mais a festas populares, festivais musicais, passeatas, programas de auditório. Todavia ele possui uma intensidade de adesão e um envolvimento emocional que o destacam.

E desde as primeiras décadas de existência, multidões crescentes interessavam-se pelo novo esporte. Projetou-se então um grande estádio em Wembley, cuja construção dava indícios do papel que se imaginava iria caber ao futebol. Primeiro, a localização escolhida, nos arredores de Londres, foi a mesma onde seria erguida no ano seguinte a Exposição do Império Britânico. Segundo, ele foi levantado em apenas trezentos dias de trabalho, bem de acordo com o ritmo da nova sociedade industrial. Terceiro, concebido para um público de 125 mil pessoas, logo na inauguração, em 28 de abril de 1923, na final da Copa da Inglaterra entre Bolton e West Ham (2 a 0), ele recebeu quase 200 mil. O estádio resumia em si toda a estreita interligação que o futebol faz entre vida política, econômica e social. Esse mesmo caráter de símbolo que teve Wembley na sua construção, teve também na sua demolição, em 2003, para dar lugar a novo estádio (inaugurado em 2007) mais de acordo com as exigências atuais do futebol europeu, plenamente capitalista.

5.1 AUTORITARISMO, DEMOCRACIA, NACIONALISMO

À medida que o futebol caía no gosto popular, foi se acelerando no mesmo ritmo sua utilização como instrumento político. De início a política informal, com industriais de pequenas cidades inglesas apoiando financeiramente o time de sua fábrica para reforçar seu prestígio pessoal e ganhar o reconhecimento de seus trabalhadores. Depois, cada vez mais a política institucional penetrou no mundo do futebol. E vice-versa. Qualquer que seja o sistema em vigor na sociedade. Políticos de todos os matizes perceberam a imensa capacidade que ele tem de mobilizar sentimentos coletivos, sejam eles grupais, regionais ou nacionais. Desde 1914, toda final da Copa da Inglaterra conta com a presença do rei, que entrega o troféu ao vencedor. A mesma coisa faz na Copa da França o presidente da República a partir de 1927. Na Espanha, a competição do mesmo tipo teve sua nomenclatura mudada de acordo com a forma de governo: foi Copa do Rei (1902-30), tornou-se Copa do Presidente da República (1931-6), depois Copa do Generalíssimo (1939-75), voltou a ser Copa do Rei a partir da redemocratização do país.

Os governos autoritários foram, em busca de legitimação, aqueles que mais recorreram ao futebol. Muitos apoiaram, de forma direta ou indireta, determinado clube, tentando tirar proveito político disso. Assim fizeram Hitler com o Schalke 04, Mussolini com a Roma, Franco com o Real Madrid, Salazar com o Benfica, Ceausescu com o Steaua Bucareste. Outros privilegiaram a seleção, símbolo da unidade pretendida pelo regime. Foi o que fizeram os autocratas da União Soviética e de seus países-satélites. A opção não deixava de comportar riscos (os soviéticos perderam as finais das Eurocopas de 1964, 1972 e 1988), mas esperava-se que os sucessos fossem numerosos. Mais perigoso era quando disputas esportivas davam destaque a tensões internas ao bloco, como na partida Iugoslávia versus União Soviética nos Jogos Olímpicos de Helsinque, em 1952. Ela trouxe à tona as discordâncias que em 1948 tinham levado o regime do marechal Tito a ser considerado revisionista pelos soviéticos. Daí a dramaticidade do encontro: os iugoslavos venciam por 3 a 0 no intervalo, por 5 a 1 a quinze minutos do final, mas a partida terminou com um pouco usual 5 a 5. Todavia, como perderam depois o choque desempate (3 a 1), de volta ao país os jogadores soviéticos passaram por interrogatório político e um deles foi suspenso por um ano, acusado de "jogo irresponsável e atitude covarde em uma partida". Por trás disso estava uma clara concepção política do futebol, que "não é apenas um simples jogo, é uma arma da revolução", conforme definiu Che Guevara.

A outra ponta do leque político-ideológico também percebeu as possibilidades do futebol. A Copa disputada na Itália em 1934 foi considerada assunto de segurança nacional. Antes que, em 1936, o ideólogo do nazismo, Joseph Goebbels, tivesse definido o futebol como "utopia do povo", Mussolini já sabia disso e empregou todos os meios, éticos ou não, para vencer a Copa. Cinco *oriundi*, jogadores sul-americanos de pais italianos (inclusive o ponta-direita corintiano Filó, lá conhecido por Guarisi), foram incorporados à seleção italiana. Após derrota para a Áustria por 4 a 2 durante a preparação, a Azzurra ficou dois meses seguidos em concentração. Muito mais do que a bola, o que estava em jogo era a honra nacional. Daí o esforço homérico que levou o centroavante Giuseppe Meazza a desmaiar quando terminou a primeira partida (o empate forçou novo encontro no dia seguinte) da quarta de final contra a Espanha, com Mussolini na tribuna. A arbitragem desse jogo foi tão suspeita que depois da Copa o árbitro foi suspenso pela federação de seu próprio país, a Suíça.

O general Franco, por sua vez, tinha dentre suas preocupações centrais cicatrizar as profundas feridas causadas pela guerra civil, e confiou ao futebol a função de "irmanar os diferentes povos de Espanha". A nova Federação Espanhola de Futebol atribuiu a esse esporte uma função cívica no seio do "novo Estado". Em 1943, contudo, os incidentes na partida final da Copa do Generalíssimo (item 3.2) puseram em risco aquela política. O Real Madrid recebeu uma grande multa, o jovem jornalista Juan Antonio Samaranch (que seria presidente do Comitê Olímpico Internacional em 1980-2000) ficou impedido de trabalhar devido a um artigo muito ácido sobre a partida, os presidentes dos dois clubes foram obrigados a se demitir. O governo passou a seguir de perto as atividades das duas agremiações, que serviam de símbolos políticos para muita gente, o Real Madrid para os adeptos do centralismo castelhano, o Barcelona para os dos autonomismos e culturas regionais.

As ditaduras militares latino-americanas também buscaram se beneficiar com o futebol. Perón demonstrava simpatia pelo

Racing, o general Garrastazu Médici pelo Flamengo. No caso do Brasil, procurou-se a apropriação dos dividendos políticos do tricampeonato mundial e a organização de um inchado campeonato nacional que satisfizesse as lideranças regionais (item 4.2). No caso da Argentina, a organização da Copa de 1978 tornou-se verdadeiro projeto político. A união nacional comprometida pelas perseguições da ditadura deveria ser restaurada pela seleção nacional. A imagem do país, abalada no interior e no exterior, precisaria ser recuperada pela vitória na competição. Em alguns países democratas houve resistência à ideia de indiretamente colaborar com o governo do general Videla participando do espetáculo que ele montava. Os holandeses discutiram a conveniência de enviar ou não sua seleção àquela Copa, e a decisão favorável desagradou Cruyff, que se recusou a viajar. Os franceses também hesitaram e houve várias manifestações favoráveis ao boicote, feitas sob o slogan "Nada de futebol perto de campos de concentração". No caso do Chile, um episódio mostrou como as relações entre futebol e política são estreitas e podem algumas vezes provocar situações tragicômicas. Assim como a Espanha franquista havia se recusado a enfrentar a URSS pela Eurocopa de 1960, os soviéticos não aceitaram em 1973 disputar no Chile de Pinochet uma partida qualificativa para a Copa do Mundo. Naquele 21 de novembro a seleção chilena entrou em campo, esperou o apito inicial, então Francisco Valdès passou a bola a Carlos Reinoso, este a Julio Crisosto e, para coroar o esplêndido jogo coletivo, a bola chegou a Valdès, que a empurrou lentamente para o gol vazio. O Chile estava classificado.

Outros episódios bizarros aconteceram na Romênia comunista. Nela o apoio oficial ao clube da capital era escancarado: em 1988, o árbitro que apitou um impedimento que interrompia a série de 176 vitórias do Steaua Bucareste foi preso e o impedimento anulado por decisão do comitê político do regime! Quando um ano depois a revolução alterou a situação política, não somente o árbitro foi libertado como o placar daquela partida restabelecido. Mas a promiscuidade daquelas relações conhecera seu auge dois anos antes. Na final da Copa dos Campeões de 1986, jogada em Sevilha, na decisão por pênaltis o goleiro Helmut Ducadam defendeu quatro cobranças do Barcelona e ganhou uma Mercedes de presente do Real Madrid, agradecido por ele ter impedido que os catalães ganhassem seu primeiro título europeu. Nicu Ceausescu, *playboy* filho do ditador, exigiu ficar com o automóvel e diante da recusa do goleiro mandou quebrar seus dedos e pulsos.

Também em sociedades democráticas o futebol pode ter peso na vida política. Na França, o debate entre centralismo e regionalismo manifesta-se futebolisticamente no primeiro caso pela simpatia ao Paris Saint-Germain, no segundo caso pelo clube da própria província ou por aquele que se destaque em cada momento (Saint-Étienne, Bordeaux, Marseille, Lyon). O fato de Fernando Henrique Cardoso e de Lula terem declarado sua simpatia pelo Corinthians certamente não deixava de levar em conta que esse clube tem uma das maiores torcidas do Brasil. O rei Juan Carlos não esconde sua inclinação pelo Real Madrid (do qual seu avô Afonso XIII tinha sido nomeado presidente honorário em 1920), enquanto o primeiro-ministro José Luis Zapatero o faz pelo Barcelona. O primeiro-ministro italiano, Silvio Berlusconi, é proprietário do Milan. Essa contaminação da política pelo futebol não é apenas latina.

A Inglaterra tinha sido campeã mundial em 1966 e esperava-se que repetisse o feito em 1970. A quarta de final foi jogada contra a Alemanha, justamente a adversária da contestada final de 1966, quando, no célebre gol de Hurst, marcado no primeiro tempo da prorrogação, a bola não teria entrado. Era questão de honra nacional vencer os alemães e assim confirmar o título mundial. Mas o grande goleiro Gordon Banks (autor da talvez mais famosa defesa da história, em cabeçada de Pelé, na fase anterior) não pôde jogar por causa de intoxicação alimentar. Seu substituto falhou em todos os gols da Alemanha, que venceu por 3 a 2, e a Inglaterra foi desclassificada. O primeiro-ministro, Harold Wilson, perdeu as eleições realizadas pouco depois e culpou a derrota futebolística pelo fato. Ele tinha certa razão, porque a opinião pública de qualquer país em alguma medida transforma sua seleção de futebol em símbolo nacional. Mais recentemente, os alemães ficaram tão irritados com a goleada sofrida diante da Itália, em março de 2006, em amistoso preparatório para o Mundial daquele ano (4 a 1), que o Parlamento pensou em convocar o técnico Jürgen Klismann. Para vários deputados, tanto da situação quanto da oposição, ele deveria oficialmente explicar e justificar seus planos para a Copa do Mundo, vista como negócio de Estado por ser disputada na própria Alemanha.

Na base de todos esses usos do futebol, autoritários ou democráticos, há sempre um mesmo elemento — o nacionalismo. O futebol nascera em ambientes bem restritos (escolas e universidades inglesas), mas à medida que ultrapassava esses limites era contaminado pelo ambiente global de forte nacionalismo da segunda metade do século XIX. Testemunha-o o entusiasmo que cercava os encontros anuais entre Inglaterra e Escócia a partir de 1872. No mundo posterior, em que a padronização cultural foi diminuindo as diferenças entre os povos, parte do sentimento de identidade nacional deslocou-se para o futebol. No caso de Estados constituídos, a seleção nacional reafirma aquela identidade. O exemplo maior talvez seja a chamada guerra do futebol, ocorrida em julho de 1969 entre El Salvador e Honduras. Este país, de baixa densidade demográfica, há tempos acusava imigrantes ilegais salvadorenhos de se apropriarem de terras fronteiriças. O clima era difícil quando se deu a disputa por uma vaga na Copa do Mundo do ano seguinte. Na primeira partida El Salvador foi derrotado, o que levou uma jovem de dezoito anos ao suicídio. Na partida de volta, o hotel em que se hospedaram os hondurenhos foi incendiado, seu hino vaiado, sua bandeira queimada. A vitória salvadorenha obrigou a um encontro de desempate no México, que selou a classificação de El Salvador. Colonos salvadorenhos foram expulsos de Honduras, que teria ainda invadido o espaço aéreo do vizinho. A reação foram bombardeios, logo respondidos. A guerra durou apenas quatro dias, e ainda assim fez 3 mil mortos e 6 mil feridos.

No caso de nações que ainda não construíram seu Estado, uma equipe de futebol pode ser etapa preparatória importante no plano psicológico. A nação corporifica-se em um time enquanto não pode fazê-lo em um Estado. O movimento argelino pela independência (Frente de Libertação Nacional, a FLN) montou uma equipe de futebol que entre 1958 e 1961 defendeu as cores da Argélia, que ainda não existia institucionalmente. De forma semelhante, desde 1998 há uma equipe nacional palestina filiada à FIFA. No caso de Estados multinacionais, o futebol várias vezes revelou o mal-estar coletivo que levaria à desintegração. Em março de 1990, a briga generalizada entre torcedores, quando de uma partida entre o Dínamo de Zagreb e o Estrela Vermelha de Belgrado, anunciava o destino da Iugoslávia. Ou ainda, na antiga Tchecoslováquia, os encontros sempre tensos entre o Slovan de Bratislava, símbolo da identidade eslovaca, e o Sparta de Praga, símbolo tcheco.

A exaltação nacionalista que as Copas do Mundo costumam alimentar foi de novo ilustrada pela edição mais recente, na Alemanha, em 2006. A começar pelo país anfitrião. O futebol rompeu o tabu em torno da chamada "grande culpa nazista", presente mesmo em pequenos dados do cotidiano germânico. Assim como não existem placas de automóveis com letras consideradas suspeitas (por exemplo, HJ, que lembra Hitler Jugend, a Juventude Hitlerista), qualquer manifestação patriótica era vista até então com desconfiança na Alemanha. A última vez em que as bandeiras nacionais tinham circulado em quantidade fora em 1990, quando da reunificação entre a Alemanha Ocidental e a Oriental. Um mês antes da Copa um sindicato de professores exigiu mesmo a proibição do hino nacional, por julgá-lo de traços nazistas. Mas com o início da competição e as primeiras vitórias o orgulho nacional voltou a se manifestar. Mesmo eliminada na semifinal pela Itália, a seleção foi longamente aplaudida e elogiada pelo seu esforço em bem representar o país. O nacionalismo alemão de certa forma renasceu por intermédio do futebol.

Fenômeno semelhante acontecera com Portugal em 2002, quando da Eurocopa que ele sediou, e prosseguiu com a boa campanha no Mundial da Alemanha. O nacionalismo adormecido pelas lembranças da longa ditadura salazarista e por dificuldades mais recentes redespertou graças ao futebol. Na Itália, os meses anteriores à Copa foram cheios de problemas na política (eleições nacionais acirradas, contestadas, geradoras de situação instável) e no futebol (descoberta de vasto sistema de corrupção na arbitragem), afetando a autoestima já debilitada nos anos anteriores. Mas a vitória final alterou o quadro, provocou grande excitação nacional: quase 35 milhões de italianos (num total de 58 milhões) assistiram à partida pela televisão, 2,3 milhões de pessoas compraram o principal cotidiano esportivo (*La Gazzetta dello Sport*), 1 milhão de torcedores acompanhou nas ruas a chegada dos campeões. O presidente italiano, Giorgio Napolitano, expressou o sentimento geral ao saudar os jogadores: "A Itália recomeça com vocês".

O caso brasileiro é, talvez, ainda mais marcante. Ao longo de um ano comum poucas vezes se vê a bandeira ou se ouve o hino nacional. Em ano de Copa do Mundo, bandeiras são numerosas tanto em edifícios e casas luxuosas quanto em construções humildes e barracos de favelas. O símbolo nacional aparece na fachada não apenas de descontraídos bares e restaurantes, como também de austeros escritórios e consultórios. Automóveis de último tipo e as carroças de catadores de papel ostentam orgulhosamente "o lindo pendão da esperança". Diferentemente da distinção que muitos povos fazem entre sua seleção de futebol e o país — Azzurra, Bleus, Mannschaft, Fúria, Celeste etc. —, entre nós a equipe nacional é chamada simplesmente de "Brasil". "Pátria em chuteiras", como dizia Nelson Rodrigues, talvez seja expressão redundante para a seleção brasileira. Em país historicamente maltratado por seus dirigentes, país de pequena consciência de cidadania, pátria é abstração sem muito sentido, a não ser quando se materializa na seleção. Por isso derrotas inesperadas como as das Copas de 1950 e 1982 doeram como derrotas em guerras que nunca tivemos. Por isso os abusos dos políticos ao longo do tempo não têm a mesma repercussão popular que as convocações dos técnicos da seleção. Por isso em 2006 a corrupção e a inércia do governo não geraram tanta indignação quanto os interesses pessoais e a apatia coletiva que levaram aquela seleção ao fracasso.

O clima político fez parte já da primeira Copa do Mundo. O grito da torcida argentina ao atravessar o rio da Prata para assistir à final de 1930, em Montevidéu, foi "Vencer ou morrer". Décadas mais tarde o volante Chicão, referindo-se à partida contra a Argentina, em 1978, reconheceu que "em uma Copa do Mundo, quando a gente ouve o hino nacional, dá impressão de que se está indo para uma guerra e é preciso vencê-la". Na Copa seguinte, a França enfrentou a Alemanha numa partida que redespertou profundas marcas históricas. Superior tecnicamente, porém com menos garra, a seleção francesa começou vencendo, cedeu o empate, foi derrotada nos pênaltis. Para o país, definiu o germanista francês Patrick Démerin, "o Mundial de 1982 foi continuação, menos sangrenta, dos conflitos mundiais de 1914 e 1940". Na Copa de 1986, a partida entre ingleses e argentinos teve para estes, Maradona reconhece na sua autobiografia, sabor de revanche nacional em relação à Guerra das Malvinas. Nas suas palavras, "estávamos defendendo nossa bandeira, os rapazes mortos [dentre eles o irmão de Oswaldo Ardiles, campeão mundial em 1978]". No Irã, o futebol, estimulado na década de 1960 pelo xá Rezah Pahlevi (que o admirava de seu tempo de estudante na Inglaterra), foi banido em 1979 com a chegada ao poder dos integristas do aiatolá Khomeini. O esporte somente recuperou prestígio no país com a vitória da seleção nacional sobre a dos EUA na Copa da França, em 1998. Como no caso argentino, o sucesso no campo de futebol compensava o insucesso no campo político-militar. Como definiu o camaronês Roger Milla, "futebol é o que permite a um pequeno país tornar-se grande".

O Brasil conhece bem esse procedimento compensatório. O jornalista do *France Soir* no Rio de Janeiro quando das comemorações da conquista da Copa de 1962 relatou que "a cidade inteira parecia ter entrado em estado de catalepsia". E completou: "Hoje o Brasil esqueceu suas misérias". Outro importante jornal francês, *Le Figaro*, explicava por sua vez que aquela "vitória era vital para os brasileiros, um povo que não dispõe de outro meio, além do esporte, para se impor no cenário internacional". A Copa de 1970, em contexto de ditadura militar, cumpriu o mesmo papel. Como o tricampeonato obviamente não superou as dificuldades concretas, as esperanças foram transferidas para o tetracampeonato. Descrevendo o país às vésperas da decisão de 1994, a revista *France Football* previa que "a situação econômica combinada com a loucura do futebol poderia se tornar um coquetel explosivo. Os nervos estão à flor da pele, é visível. O futuro do Brasil depende de uma partida de futebol". Com a vitória veio uma alegria carnavalesca, pois "somente o futebol podia provocar essa doce loucura capaz de fazer esquecer a dureza da vida".

Fenômeno comparável deu-se em outros países. A brilhante campanha da seleção na Copa de 1994 levou o presidente da Romênia a reconhecer que "nossos jogadores promoveram o país melhor do que qualquer campanha publicitária". Depois de jamais ter vencido uma partida sequer nas cinco Copas de que participara anteriormente, a seleção búlgara conseguiu em 1994 um expressivo quarto lugar, o que provocou sensível diminuição nos índices de criminalidade e levou o presidente do país a manifestar esperança de "que o futebol torne outras coisas mais fáceis na Bulgária". A França, país sem maior tradição esportiva, terra de escritores e filósofos mais do que de atletas, ficou tomada pela possibilidade de ganhar a Copa do Mundo organizada por ela em 1998. O mais importante e visto jornal televisivo do país afirmava, dois dias antes da partida decisiva contra o Brasil, que "desde a Liberação [expulsão dos nazistas] não se via tal entusiasmo popular dos franceses". E uma senhora de idade avançada confessava ao repórter ter tirado do armário sua bandeira nacional usada quando da Liberação. Muitos outros entrevistados reconheceram que, mesmo não sendo torcedores habituais do futebol, era difícil ficar afastado da atmosfera de entusiasmo que tomava o país antes daquela final. O presidente Jacques Chirac, deixando de lado a circunspecção presidencial, cantava, agitava os braços e gritava os nomes dos jogadores.

A vitória foi comemorada por 1 milhão de pessoas nos Champs Elysées, a mesma avenida parisiense que um dia depois, na data nacional, 14 de julho (queda da Bastilha), recebeu apenas 150 mil, ainda assim o dobro de público do ano anterior. O futebol substituía a política. Ele se tornava sinônimo da nação. A vitória futebolística recriou a unidade nacional, a chamada França BBB (*blancs, blacks et beurs*), dos brancos, negros e árabes, a França multiétnica de franceses de origem antiga (Fabien Barthez, Laurent Blanc, Didier Deschamps, Emmanuel Petit), de ascendência basca (Bixente Lizarazu), portuguesa (Robert Pires), armênia (Yuri Djorkaeff), senegalesa (Patrick Vieira), ganense (Marcel Desailly), polinésia (Christian Karambeu), argelina (Zinedine Zidane). O editorial do *Times Magazine* mostrou-se admirado com o poder do futebol em unir aquele país que nos Estados Unidos é sinônimo de "greves e divisões".

Talvez devido à sua própria intensidade, a globalização não minimizou a força das manifestações grupais no futebol. Pelo contrário, é como se a visibilidade mundial de certos eventos servisse ao mesmo tempo de espelho para a própria comunidade (clubística ou nacional) se reconhecer e de vitrine para ela se valorizar aos olhos dos outros. É o que exemplifica claramente o prestígio crescente da Copa do Mundo, da Champions League, da Libertadores da América, do Mundial Interclubes.

5.2 MERCANTILIZAÇÃO E GLOBALIZAÇÃO

É inegável que neste começo do século XXI o esporte em geral tornou-se segmento economicamente significativo. Ele representa 3% do PIB europeu, e parcela importante desse valor é constituída pelo futebol. João Havelange afirmou certa feita que a FIFA é a maior empresa multinacional do mundo, pois segundo seus cálculos o futebol emprega direta e indiretamente 450 milhões de pessoas. Se a cada uma delas estiver ligada uma família de cinco membros, isso representa 2 bilhões de pessoas ou quase um terço da população mundial vivendo do futebol. Ele movimenta grandes capitais, algo em torno de 180 bilhões de dólares em 1999, 200 bilhões em 2000, 250 bilhões em 2005. Além do volume financeiro que gravita anualmente em torno do futebol, há outro fenômeno notável a cada quatro anos, certo crescimento econômico adicional no país que vence a Copa do Mundo. O estudo Soccerconomics 2006, elaborado pelo banco holandês ABN Amro, estimou em 0,7% a taxa suplementar de crescimento no país que ganhasse o Mundial daquele ano, em função de maior consumo de bebidas, comidas, material esportivo e suvenires, mas sobretudo devido ao aumento da autoestima nacional, que leva a população a investir e consumir mais.

Esses dados fazem do futebol a maior indústria do planeta. E, como é comum na economia globalizada, há larga distância entre países produtores e países consumidores. Por isso no plano esportivo a participação brasileira é admirável — habitualmente ocupa a primeira posição no ranking da FIFA — mas no plano econômico é pálida, apenas 2% do total mundial movimentado pelo setor. O futebol *do* Brasil, de tão bons resultados internacionais com a seleção e com clubes, apresenta *no* país resultados lamentáveis. Exportação dos grandes craques, estádios desconfortáveis, insegurança, excessivo poder corporativo (tribunal esportivo pouco criterioso, horário inconveniente de jogo devido à televisão), baixo poder aquisitivo são fatores que afastam o público. O autodenominado "país do futebol" teve no campeonato nacional de 2005 a média de 13 mil pessoas por partida, contra 33 mil na Inglaterra. Cada grande clube brasileiro vende cerca de 100 mil camisas oficiais por ano, o Manchester United mais de 2 milhões, o conjunto dos clubes europeus 40 milhões. Na temporada 2005-6, o Real Madrid passou a ser o clube de maior faturamento, com a expressiva marca de 292 milhões de euros (cerca de 760 milhões de reais). Para efeito comparativo, o maior faturamento brasileiro naquele ano, o do São Paulo FC, foi de 112 milhões de reais. Quase sete vezes menos que o do clube espanhol, o que corresponde, grosso modo, à diferença entre o salário mínimo nos dois países. No entanto, em teoria, o mercado consumidor é maior para o clube brasileiro: a capital paulista é quatro vezes mais populosa que a espanhola, o Brasil quatro vezes mais que a Espanha.

Nítido sintoma da internacionalização do futebol é o fato de 194 países, dos cinco continentes, terem disputado vagas para a Copa na Alemanha em 2006. Nela, oito países estiveram pela primeira vez presentes a um Mundial. Ou seja, um quarto dos 32 participantes, o que representa significativa expansão da geopolítica do futebol. Não se chegou a essa situação sem hesitações, contudo. Todos os países passaram por uma fase, com duração variada, de debates ideológicos sobre o profissionalismo. Houve resistência a ele na passagem do século XIX ao XX (itens 1.2, 1.3 e 2.1). Houve resistência à decisão Bosman na transição do XX ao XXI (item 3.4). Mas o futebol não poderia ficar imune ao contexto capitalista em que nasceu e cresceu. Sobretudo nas últimas décadas, com a participação crescente da televisão. Foi ela que confirmou o futebol como importante produto da sociedade de consumo e modificou a realidade financeira do setor.

Ao contrário do receio inicial dos dirigentes, comprovou-se que o televisionamento não necessariamente afasta torcedores dos estádios. É pelo menos o que sugerem os dados relativos ao Paris Saint-Germain. Na temporada 1992-3 ele teve 21 partidas transmitidas ao vivo e 26 704 pessoas em média a cada encontro no Parc des Princes; em 1993-4, dezesseis transmissões e 28 370 torcedores presentes; em 1994-5, respectivamente 23 e 34 700; em 1995-6, vinte e 37 353. Em 1996-7 ocorreu um salto para 47 transmissões e o público praticamente se manteve (35 582). Em 1997-8 passaram 52 partidas do PSG na tevê e ainda assim a média no estádio cresceu para 36 723 espectadores. Na mesma época, em clima de entusiasmo pelo futebol graças ao tetracampeonato mundial do Brasil no ano anterior, no campeonato paulista de 1995 o Corinthians teve média por partida de 14 794 pagantes, o São Paulo 13 094 e o Palmeiras 7 559, ou seja, os três maiores clubes do maior centro futebolístico nacional somaram 35 447 espectadores por partida, quase o mesmo número que em Paris, cuja população é um sexto da da capital paulista.

Os valores pagos pela televisão passaram a ter peso cada vez maior no orçamento dos clubes, alcançando cerca de um terço no caso das grandes agremiações europeias. Conforme os dados fornecidos por Jean-François Bourg e Jean-Jacques Gouguet, os contratos de direitos televisivos para o campeonato nacional da Alemanha foram de 300 milhões de euros por ano no período 2004-6; na Inglaterra,

596 milhões anuais entre 2004 e 2007; na França, 603 milhões cada ano entre 2005 e 2008. Além disso, a exposição das marcas permite aos clubes de maior prestígio comercializar grande variedade de produtos, de barbeadores a toalhas, de pirulitos a canetas, de chocolates a almofadas. O Manchester United tem uma centena de lojas pelo mundo vendendo 1200 diferentes objetos com sua logomarca. O Real Madrid, em 2005, comercializou fora da Espanha mais da metade de seus oitocentos tipos de produtos licenciados, mostrando penetração de empresa efetivamente multinacional. Porque as receitas devem ser diversificadas, o novo estádio do Arsenal, inaugurado no segundo semestre de 2006, tem quatro restaurantes, 250 pontos de venda de bebidas e lanches, uma loja de mil metros quadrados. Em dia de jogo as vendas complementares são tão importantes quanto a de entradas. Em toda a Inglaterra, as receitas geradas pelas vendas complementares são tão importantes quanto a das entradas: na média, 45 euros por torcedor por partida.

Mas se o futebol pôde ser adaptado ao capitalismo atual pela televisão, é porque seus traços essenciais permitem isso. O futebol tem profundos e inegáveis aspectos antropológicos, religiosos e psicológicos (capítulos 6, 7 e 8), que para serem comunicados fizeram dele uma linguagem (capítulo 9). Na essência, ele é espetáculo. E muito antes de a televisão colocá-lo ao alcance de milhões de pessoas. As finais da Copa da Inglaterra, jogadas em Londres, primeiro no Crystal Palace, depois em Wembley, nunca tiveram ao longo das décadas de 1900, 1910 e 1920 menos de 100 mil espectadores. Em Glasgow, no Hampden Park, em 1937, a partida Celtic versus Aberdeen foi vista por 146 433 pessoas. Mesmo os pequenos estádios fora da Grã-Bretanha recebiam com frequência mais gente do que comportavam. Grande demanda significa na lógica capitalista aumento da oferta, para o que novos e maiores estádios foram construídos (item 1.3). Mesmo hoje em dia: a poucas centenas de metros do mítico Highbury, levantado em 1913, o Arsenal ergueu novo estádio, maior e mais confortável, para 60 mil torcedores, e só pelo aluguel do nome (Emirates Stadium, em referência à Fly Emirates, companhia aérea dos Emirados Árabes Unidos) por quinze anos o clube recebeu 150 milhões de euros, ou mais de um quarto do custo de construção (576 milhões).

A força social e econômica do espetáculo futebolístico fica patente quando grandes dramas não interrompem a apresentação. Em abril de 1902, parte da arquibancada cedeu no Ibrox Park, de Glasgow, matando 26 pessoas, o que não impediu que a partida entre Escócia e Inglaterra prosseguisse. Em maio de 1949, o avião que levava o time do Torino bateu na cúpula de uma igreja e matou todos os jogadores, o que não interrompeu o campeonato, embora aquele clube já fosse campeão italiano e a competição não tivesse mais sentido. Em 1958, o avião que levava o time do Manchester United da Iugoslávia para a Inglaterra, ao fazer uma escala em Munique espatifou-se na pista e oito jogadores morreram. No estádio do clube foi colocado um relógio marcando local, data e hora do desastre, mas dias depois o time jogou a final da Copa da Inglaterra. Em 1985, uma hora antes da decisão da Copa dos Campeões, uma briga entre torcedores ingleses e italianos matou e feriu muita gente (item 5.3) e assim mesmo a partida aconteceu.

A valorização do espetáculo futebolístico levou naturalmente, ao longo do tempo, à valorização de seus atores. Em 1930, o meia--armador Jack passou do Bolton para o Arsenal pela cifra de 11 mil libras; algumas décadas depois, clubes médios pagam fortunas para contratar certos jogadores, caso dos 33 milhões de dólares que o Betis deu pelo brasileiro Denílson em 1998, dos 35 milhões que o PSG gastou em 2000 com o francês Anelka, dos 28 milhões que a Lazio despendeu pelo argentino Lopez em 2000. Isso sem falar das grandes transferências entre grandes clubes, como os 56 milhões de dólares que o Real Madrid pagou ao Barcelona por Figo ou os 41 milhões entregues ao Manchester United por Beckham. A multiplicação de valores algumas vezes é estrondosa. O passe de Zidane valeu menos de 5 milhões em 1996, quando foi do Bordeaux para a Juventus; quatro anos depois, o Real Madrid pagou 64 milhões por ele. Na Inglaterra, ao longo do último meio século, a cada cinco anos dobraram os valores de transferências de jogadores.

O poder de atração dessas cifras, conjugado ao fim da velha lei do passe graças ao veredicto Bosman, aumentou bastante a exportação de mão de obra futebolística dos países mais pobres. Do Brasil tinham saído 223 jogadores em 1995, a partir da lei Bosman foram 360 em 1996, 553 em 1997, 665 em 2002, 858 em 2003, 857 em 2004; o total em 2006 era de cerca de 2 mil atuando no exterior. Na Copa de 2006, nove brasileiros participaram por outras seleções, cinco jogadores naturalizados e quatro treinadores. A Liga dos Campeões de 2005 teve a participação de 66 brasileiros, a de 2006 somou 88. Em curioso prolongamento do modelo colonial dos séculos XVI-XVIII, o Brasil exporta seus futebolistas sobretudo para Portugal. Apenas em 2001 foram para lá 171, mais do que a soma de todos os outros destinos europeus. Da Argentina, outra grande exportadora (6 mil jogadores deixaram o país entre 1980 e 2005), vai-se especialmente para a Espanha. A sangria ocorre mesmo em países pequenos: 760 jogadores deixaram o Uruguai entre 1997 e 2003, do Paraguai saíram 120 somente no ano de 2004. A troca de clubes ocorre em ritmo acelerado, segundo a própria lógica capitalista de circulação de mercadorias. Não se espera mais, atualmente, gestos como o de Telê Santana, que depois de doze anos de Fluminense (é o terceiro que mais partidas jogou pelo clube e também o terceiro artilheiro de sua história), em 1963 marcou contra ele um gol sem importância (o único do Madureira, goleado por 5 a 1), e mesmo assim chorou.

O ganho dos grandes jogadores, que atraem público e publicidade, alcançou nos últimos anos patamares inéditos. Na Inglaterra subiu 65% entre 2000 e 2006, considerando os dez mais bem pagos do mundo (*France Football*, 17/4/2007), o total passou de 60,44 milhões de euros em 2000 para 144,6 milhões em 2007. Ou seja, aumento de quase 140%. Como entre o maior rendimento do ano 2000 (Del Piero, 10 milhões) e o maior em 2007 (Ronaldinho Gaúcho, 24 milhões). Entre o décimo colocado em 2007 (Cannavarro, 10,5 milhões) e o décimo em 2000 (Zidane, 4,7 milhões), há diferença de mais de 123%. A publicidade e a televisão têm nisso papel decisivo. Do faturamento anual de Ronaldinho Gaúcho, 9 milhões vêm de salários e prêmios, 15 milhões de contratos publicitários. Do segundo mais bem pago, Beckham, 6,4 e 10,5 milhões respectivamente. A remuneracão de técnicos apresenta outro ritmo, mas também progride: os dez mais bem pagos de 2007 (totalizando 51,8 milhões) ganharam 26% a mais que os de 2005 (41,1 milhões).

Essa escalada das cifras do futebol tem criado dificuldades econômicas mesmo na Europa. O caso mais sério parece ser o da Itália, revelado por um estudo encomendado pela Legacalcio à auditoria Deloitte & Touche e publicado pelo jornal econômico *Il Sole 24 Ore* (18/8/2005): dezoito equipes acumulam dívida de 1,5 bilhão de euros. A análise dos dados deve, contudo, ser mais histórica do que contábil. E na verdade é simples. Enquanto a economia italiana crescia, o futebol podia contar com investimentos abundantes de conglomerados interessados na popularidade do esporte. As chamadas *sette sorelle* — Fiat na Juventus, Fininvest no Milan, Moratti na Inter, Sensi na Roma, Cirio na Lazio, Cecchi Gori na Fiorentina, Parmalat no Parma — acabaram por inflacionar o futebol peninsular, e com o recuo da economia italiana perderam a capacidade de manter o investimento anterior. Alguns daqueles grupos faliram. Sobrevivem três das irmãs, as que sustentam Juventus, Milan e Internazionale. Assim, entre 2001 e 2005 o mercado de transferência de jogadores caiu 67,4%. Os salários, no entanto, mantiveram-se altos. Dos 579 jogadores da série A, 139 receberam em 2003-4 mais de 1 milhão de euros por ano (sem contar premiações); em 2004-5 eram 142 nessa situação. Na faixa abaixo, daqueles que ganham anualmente entre meio milhão e 1 milhão, o número de jogadores passou de 115 em 2003-4 para 129 em 2004-5. No total, os salários absorvem 85% da receita gerada pelo futebol italiano.

Além das consequências propriamente financeiras que acabamos de lembrar, os altos investimentos no futebol criam importantes contradições que no longo prazo podem comprometer a atratividade do esporte. De um lado, aqueles investimentos geram espetáculos mais pomposos e reforçam a marca dos clubes que contam com recursos abundantes, provocando desequilíbrios entre essa elite e os demais clubes, mesmo que tradicionais. Enquanto a Juventus teve orçamento equilibrado em 2005, a Roma acumulou 224 milhões de euros de prejuízo. O clube de Turim (cidade de 1 milhão de habitantes) possui 14 milhões de torcedores no país, o de Roma (cidade com população de 3 milhões), 2 milhões. De outro lado, os grandes clubes desfiguram suas raízes locais ao formarem verdadeiras seleções multinacionais. Em partida da Liga dos Campeões de 2005, contra a Artmedia Bratislava, a Internazionale de Milão escalou cinco argentinos, dois brasileiros, um colombiano, um uruguaio, um português e um camaronês. O time fez jus ao nome do clube, porém provocou protestos dos nacionalistas. O jornal da Liga do Norte, partido populista e separatista, colocou como manchete "A vergonha da Inter", e justificou-a dizendo que "a torre de Babel do futebol significa o fim do esporte" (*Padania*, 24/11/2005). Mostrando que a equação extrema direita = neoliberalismo é simplista, tem outras variáveis, um alto dirigente da Aliança Nacional, partido que junto com a Liga do Norte participava da coalizão governamental, respondeu que "para ganhar um *scudetto* estou pronto a aceitar uma equipe formada por onze imigrantes clandestinos".

Até na Inglaterra, berço do futebol e por longo tempo adepta do isolacionismo, a situação mudou bastante desde os anos 1990. O francês Eric Cantona foi eleito em 1994 por todos os profissionais de futebol o melhor jogador em atuação no país, e em 2001, quatro anos depois de aposentado, foi escolhido pelos torcedores o maior jogador da história do Manchester United. O Arsenal voltou a ser campeão depois de seis anos, em 1998, graças ao francês Arsène Wenger dirigindo uma equipe com vários estrangeiros, um dos quais, Thierry Henry, viria a se tornar o maior artilheiro da história do clube. Na partida final da Liga dos Campeões de 2006, o clube utilizou treze jogadores, dos quais onze eram estrangeiros. Em 2005, meio século após seu até então único título de campeão nacional, o Chelsea venceu com jogadores de várias nacionalidades orientados pelo técnico português José Mourinho. O Liverpool voltou a conquistar o título europeu em 2005, vinte anos depois do anterior, com time formado quase somente por estrangeiros e comandado pelo espanhol Rafa Benítez. Mesmo na Copa do Mundo a tendência é clara: em 2006, das 32 seleções, dezessete foram dirigidas por estrangeiros; todos os convocados pelas seleções da Costa do Marfim e de Togo jogavam em clubes do exterior; dos 23 jogadores da seleção brasileira, vinte trabalhavam no exterior (contra apenas dez na Copa anterior).

A globalização do futebol expressa o poder de atração dele, em grande parte decorrente da imprevisibilidade de seus resultados. Esta foi quantificada por pesquisa dirigida por Eli Ben-Naim no Laboratório Nacional de Los Alamos (Novo México, EUA). Comparando um corpus de 300 mil partidas em cinco esportes coletivos, os estudiosos contabilizaram a vitória do mais fraco em 45% das vezes no futebol (o campo de observação foi a Liga Inglesa durante mais de um século), 44% no beisebol, 41,5% no hóquei, 37% no futebol americano. A significativa diferença de 8% a mais de imprevisibilidade no futebol em relação ao futebol americano ajuda a explicar a diferença de comportamento dos torcedores dos dois esportes. Durante a Copa do Mundo dos Estados Unidos, país sem tradição no futebol, os comerciantes dos estádios tinham expectativa de venda baseada na experiência local. E ficaram surpresos. Em Chicago, a vendagem média de saquinhos de amendoim foi, a cada jogo da Copa, um oitavo daquela nas apresentações do time local de beisebol e um quarto daquela nas do time de futebol americano. Em relação à cerveja, cada espectador consumiu em média metade do que bebe um frequentador do futebol americano. A conclusão de um daqueles comerciantes foi de que "os torcedores do futebol [*soccer*] assistem ao jogo, enquanto os do Bears [time de futebol americano da cidade] estão sempre comprando cerveja em vez de ver a partida".

No entanto a evolução das condições econômicas no mundo futebolístico tende a alterar esse quadro, mesmo que lentamente. Na década de 1940, a probabilidade de ocorrer uma zebra no campeonato inglês era maior do que hoje, estava em 48%. A razão é que foi crescendo a diferença de poder econômico entre uns poucos clubes e a maioria deles. É muito instrutivo comparar a conclusão daquele estudo — a imprevisibilidade como fator de atração popular pelo futebol — com estudos financeiros do meio esportivo. Estes mostram que os campeonatos mais rentáveis são os jogados por pequeno número de atores com chances efetivas de vencer. É o caso da Inglaterra, onde Manchester United e Arsenal dominam a cena há dez anos, sendo a emergência do Chelsea fenômeno muito recente. Ou da Espanha, com Real Madrid e Barcelona partilhando as conquistas, esporadicamente abocanhadas por outra equipe (Valencia em 2002, La Coruña em 2000 ou Atlético de Madrid em 1996). Ou ainda da Itália, onde o título oscila entre Juventus e Milan, e as únicas surpresas na última década foram Lazio em 2000 e Roma em 2001. Na França, com forte alternância entre vários clubes (Auxerre, Bordeaux, Marseille, Mônaco, Nantes) antes do domínio do Lyon nos últimos anos, os resultados financeiros são bem inferiores. Ou seja, no plano financeiro, ao contrário do plano esportivo, os campeonatos mais atrativos para os investidores são aqueles nos quais as manifestações aleatórias são menos frequentes. Essa maior previsibilidade não poderia vir, contudo, a afastar o público dos estádios, das transmissões televisivas, da compra de produtos dos clubes?

A própria natureza do jogo minimiza esse risco. Os resultados inesperados estarão sempre presentes no futebol. Entretanto, o imprevisível algumas vezes é somente certo desconhecimento do adversário ou desconsideração por ele. Foi o caso da Inglaterra derrotada pelos Estados Unidos na Copa de 1950, ou da Itália batida pela Coreia na Copa de 1966. Tampouco o critério de zebra é apenas estatístico, quantas vezes o time *x* venceu o time *y*. Porque nesse caso a vitória do Uruguai sobre o Brasil em 1950 teria sido normal: até então, em trinta partidas entre as duas seleções, começadas em 1916, a superioridade brasileira era muito pequena: treze vitórias contra onze dos uruguaios, 58 gols a favor e 53 contra. O maior placar pertencia aos uruguaios, 6 a 0, em 1920, e menos de três meses antes do famoso *Maracanazo* eles haviam derrotado o Brasil em maio, no Pacaembu (4 a 3). O critério também não é somente histórico; senão, para continuar no mesmo exemplo, o Uruguai deveria ter sido considerado favorito por ser naquela época bicampeão olímpico, campeão mundial e oito vezes ganhador da Copa América, contra apenas três do Brasil. Currículo bem superior ao do Brasil de então. No critério de inesperado deve entrar, é claro, o momento de cada equipe, tanto que ninguém hesitaria em incluir na lista das zebras históricas a da Alemanha sobre a Hungria em 1954. De toda forma, parte da atração do futebol está no fato de ele ser de prognóstico difícil. E assim ele se revela, de um lado, coerente com o capitalismo, sistema baseado no risco (concorrência, Bolsa, flutuação monetária); de outro lado, mecanismo compensatório diante de um mundo cada vez mais globalizado, mecanizado e em vários aspectos previsível.

5.3 VIOLÊNCIA SOCIAL E VIOLÊNCIA FUTEBOLÍSTICA

Na passagem do século XX ao XXI o futebol tornou-se objeto de interesse por parte de autoridades políticas e policiais, de sociólogos, de psicólogos, devido aos muitos incidentes de violência que o cercaram e ainda o cercam. Na Europa, acusam-se grupos neonazistas que se aproveitam da forte midiatização que o futebol recebe para expressarem suas ideias racistas. No Brasil, acusam-se as torcidas uniformizadas de desvirtuar o caráter esportivo do jogo, transformando-o em pretexto para badernas e acertos de contas entre bandos de marginais. Tudo isso é verdade, mas precisa ser nuançado e visto com maior profundidade para que o fenômeno possa ser compreendido apesar dos clichês, não por meio deles. Que os problemas sociais tanto do Primeiro Mundo (forte desemprego para seus padrões, falta de perspectivas para os jovens) quanto do Terceiro (enorme desigualdade social, corrupção crônica da elite política, baixa consciência de cidadania) estimulam essa violência, é inegável. Porém ela é extravasada por outros canais, além do futebol. Nos países pobres é a violência cotidiana, a delinquência onipresente há décadas, principalmente nas grandes cidades. Nos países ricos é a violência de segmentos de segunda categoria que de tempos em tempos vem à tona, como em 2005 por meio de atos terroristas em Londres ou depredações nos subúrbios de Paris.

No futebol o fenômeno não é recente nem restrito a algum país. Mesmo um Estado autoritário como a União Soviética não conseguiu impedir a violência decorrente do futebol. Ou talvez o futebol funcionasse justamente como exutório para sociedade tão reprimida. De qualquer forma, em fins de 1926 uma partida em Odessa, entre a equipe local e uma de Moscou, terminou em enorme tumulto. Em 1937, em Leningrado, houve distúrbios ainda maiores e soldados tiveram de cercar o gramado para impedir a invasão da torcida. Tampouco sociedades de algum grau democrático souberam evitar o problema. Em 1952, na Copa Rio, depois do confronto Peñarol e Corinthians o ônibus uruguaio foi apedrejado, o árbitro teve fratura de crânio. Em 1964, no último minuto de uma partida entre os selecionados do Peru e da Argentina, um tumulto provocou a morte de 318 torcedores, além de quinhentos feridos, na maior tragédia da história do futebol até hoje. Mesmo sociedades efetivamente democráticas tiveram dificuldade em lidar com a questão. Em 1946, durante partida entre Bolton Wanderers e Stoke City, uma briga resultou em 33 mortos e centenas de feridos. Em 1975, torcedores do Leeds saquearam os arredores do estádio em Paris onde se deu a final da Copa dos Campeões, entre seu time e o Bayern de Munique. Em 1977, foi a vez de seguidores do Manchester United provocarem distúrbios em Saint-Étienne, quando de uma partida pela Copa da UEFA. Em 1982, em Roterdã, na final da Copa dos Campeões entre Bayern e Aston Villa, os torcedores deste clube também provocaram problemas. Finalmente, tragédia anunciada, em 29 de maio de 1985, em Bruxelas, no estádio Heysel, na final da Copa dos Campeões entre Juventus e Liverpool, mais de uma hora antes de a partida começar a torcida inglesa atacou a italiana, deixando um saldo de 39 mortos e 270 hospitalizados.

No Brasil, os episódios de violência futebolística parecem, mesmo entre indivíduos isolados, envolver de alguma forma torcidas organizadas. No ambiente delas há um círculo vicioso: todos "pensam que é melhor atacar do que ser atacado. Ou então revidam o ataque de alguém", confessa um ex-integrante da Independente (*O Estado de S. Paulo*, 23/10/2005). Para a Gaviões da Fiel, narra um ex-participante, enfrentar rivais é ritual de iniciação. Todas as organizadas são produtos do mesmo contexto social e têm o mesmo perfil psicológico, daí a semelhança entre seus gritos de guerra. Proclama a Gaviões: "Fraternidade não,/ fraternidade nãooo./ Violência sim, violência sim/ [...] Quero ver arma na mão,/

quero ver porco no chão,/ fraternidade nããoooo". Responde a Mancha Verde: "Violência é nosso lema, a porrada fala alto./ Quando vou para o estádio quero ver sangue no asfalto/ quero ver sangue na mão, quero ver gambá no chão./ Fraternidade não, violência sim". A Tricolor Independente grita: "Fumo maconha, cheiro farinha,/ fico doidão pra dar porrada/ em mancha verde, gavião". A Gaviões reconhece, orgulhosa: "Cheiro farinha, fumo maconha,/ sou corintiano, maloqueiro e sem-vergonha".

O drama de Heysel chocou a Europa, os clubes ingleses foram suspensos por cinco anos das competições internacionais, abriu-se longo debate sobre as razões da violência em torno do futebol. As primeiras explicações foram de caráter socioeconômico. O desemprego decorrente da política neoliberal aplicada na Inglaterra pelo governo de Margaret Thatcher seria o grande vilão. O mesmo se aplicaria a outros países. O fenômeno teria em toda parte o mesmo sentido, expectativas e frustrações vindas à tona por meio do futebol. Eric Dunning concluiu que "é evidente que o problema deve ser tratado fora dos estádios. É um problema social simples e terrivelmente complexo: é preciso dar aos *hooligans* perspectivas tão excitantes quanto uma boa briga, porém socialmente aceitas. Caso se limite a expulsá-los do futebol, sua violência procurará sem dúvida se exprimir em outro lugar. Talvez de forma pior...". Os dados da Holanda parecem confirmar que a origem da violência futebolística é externa ao futebol, pois aos poucos foi se deslocando do árbitro (48,5% dos casos em 1970-5, 10,3% em 1975-80, 2,2% em 1980-7) para a torcida adversária (19,5% em 1970-5, 27,8% em 1975-80, 28,6% em 1980-7). O mesmo indica o fato de os mais violentos torcedores neste início de século XXI serem de países com forte tensão sociopolítica: poloneses, russos e turcos.

Sem dúvida, várias das manifestações violentas no ambiente do futebol devem-se à inadequação social dos envolvidos. Investigando a chamada "batalha do Pacaembu", ocorrida em 1995, a Justiça paulista constatou que tinham antecedentes criminais 30% dos membros da Torcida Independente, do São Paulo, e 35% dos da Mancha Verde, do Palmeiras (*Folha de S.Paulo*, 23/8/1995). A partir de 2004 uma torcida uniformizada do Barcelona, a Boixos Nois, passou a ser investigada por sua ligação com o banditismo e o tráfico de drogas. A explicação pelo perfil social dos envolvidos é, porém, insuficiente. Pesquisas mais longas, menos dominadas pela emoção dos eventos, mostram que na Europa e no Brasil parcela significativa dos participantes das brigas são cidadãos comuns. Não se trata de sociopatas, e sim de pessoas com relações de família, de amor, de amizade, de emprego. No interior desses grupos — sejam *hooligans* na Inglaterra, torcedores neonazistas na Alemanha e na França, *teppisti* na Itália, *barras bravas* na Argentina ou torcedores organizados no Brasil — há hierarquia, sentimento de solidariedade aos companheiros.

Para alguns estudiosos a violência do torcedor é simples resposta às condições concretas com que o tratam. Não por acaso, segundo essa interpretação, o hooliganismo surgiu na Inglaterra, que tinha os estádios mais antiquados da Europa. O levantamento feito em 1985 pelos psicólogos ingleses David Canter, Miriam Comber e David Uzzell com quase mil torcedores de dez clubes britânicos (Celtic Glasgow, Chelsea, Coventry, Fulham, Manchester United, Millwall, Preston, Southampton, Sunderland, Tottenham) mostrou que, das torcidas interrogadas, em oito a maioria das pessoas que assistiam às partidas em pé preferiam ver a vitória do seu clube não importando a forma de ela ser obtida. Inversamente, as que assistiam com mais conforto, sentadas, pensavam que um jogo agradável era mais importante que a vitória. Em sete das dez torcidas, predominava entre os espectadores em pé a aceitação da violência em situações ligadas ao futebol, violência que não aceitariam em situações diferentes. Entre os frequentadores habituais, que compravam carnê para todas as partidas no seu estádio, a maioria das pessoas, nas dez torcidas estudadas, aceitaria pagar mais para ter mais conforto. É sintomático que a violência tenha diminuído quando as grades que separavam as arquibancadas do campo de jogo foram retiradas dos estádios ingleses. A presença das grades transmitia aos torcedores a sensação de eles serem perigosos, precisarem ficar isolados, e isso estimulava a violência que de alguma forma se esperava deles. Ainda hoje, vinte anos depois, o sargento Graham Naughton, especialista em hooliganismo na Football Intelligence Unit, reconhece que, "quando se tratam os torcedores como animais, eles acabam por se comportar como animais" (*So Foot*, junho-julho/2006).

Outra tentativa de compreensão do fenômeno lembra que as sociedades ocidentais contemporâneas perderam o efeito tranquilizante do grupo, dos ritos sociais, do mito. A tecnicidade crescente pode melhorar desempenhos individuais, mas ao preço da diluição do grupo, da perda da segurança afetiva de pertencer a algo maior, e assim se torna fonte de angústia. Para o ser humano o "estar junto afetivo" é sensação sempre reconfortante, e negada quando ele está inserido em conjuntos demasiado amplos e abstratos, como grandes Estados nacionais, megalópoles, empresas multinacionais ou enormes universidades. Daí ser cada vez maior o número de pessoas que recorrem a medicamentos ansiolíticos, que aderem a partidos políticos extremistas ou a seitas religiosas. Esse diagnóstico conclui que a formação de clãs futebolísticos e o poder de atração que eles exercem são soluções espontâneas contra o isolamento. Fazer parte de um desses grupos é dotar-se de nova personalidade, é conseguir nova inserção social, que por se tornar estruturante para o indivíduo pode levá-lo a exageros em nome dela.

Um especialista em comportamento animal e humano, professor da Universidade de Oxford, Desmond Morris, interpretou o futebol como caça simbólica que substitui a caça de sobrevivência dos primitivos, a caça esportiva dos séculos seguintes e a caça sangrenta das arenas antigas. Ele detecta vários elementos comuns àquela caça grupal e ao futebol: a estratégia inicial, a tática durante a atividade, a cooperação necessária, o perigo que correm os participantes, a perseguição ao animal e à bola, a concentração e a energia requeridas, a habilidade específica e a imaginação rápida, o sangue-frio, a visão e a mira, a motivação e a bravura. O futebol, continua Morris, parece uma guerra, mas na verdade nele não se atacam os adversários e sim sua meta, a "presa". Trata-se de "caçada recíproca" na qual cada bando ao mesmo tempo tenta impedir a morte simbólica de sua presa e matar a presa do outro bando. Os espectadores sentem-se coparticipantes dessa atmosfera tribal realizando o esforço físico de gritar, cantar, estimular, sob sol ou chuva, em local agreste, imensa construção feia e pouco confortável com um gramado no centro onde ocorre a caça ritual. Embora o estudioso não explicite, sugere que a caça ritual pode em certas circunstâncias tornar-se caça concreta ao adversário, transformado em inimigo, em presa.

Pensou-se ainda na explicação psicológica, considerando que a vigorosa energia psíquica colocada na tarefa de torcer por um clube provoca aquilo que Gustave Le Bon chamou de fenômeno de contágio, fenômeno que ocorre em todo grupo no qual o vínculo emocional entre seus membros deriva ou é sustentado pelo vínculo emocional entre o grupo e o líder. Ora, justamente porque "o homem é animal de horda mais do que animal gregário" (Freud), aquele raciocínio parece se aplicar ao futebol de forma paroxística: o torcedor faz parte de uma horda cujo líder é a própria coletividade torcedora. Assim, ocorrem duas formas desiguais de contágio. Uma vertical, entre torcedores e jogadores, outra horizontal, apenas entre torcedores. Ambas iniciam reação em cadeia que muitas vezes desperta a agressividade que etólogos, biólogos, neurologistas, psicólogos reconhecem ser inerente ao ser humano. Logo, mais do que violência do futebol ou no futebol, existiria violência latente que se manifesta por intermédio do futebol. E que acaba por atingir a imagem social do esporte. Como notou o psicanalista inglês Donald Winnicott, "os instintos constituem a principal ameaça ao jogo, assim como ao Eu".

O jornalista americano Bill Buford realizou abordagem promissora, porque feita de dentro, sem hipóteses e metodologias apriorísticas. Ele, que nunca se interessara pelo futebol, atraído profissionalmente pelo tema conviveu quatro anos com *hooligans* ingleses, e acabou em certos momentos por ficar contagiado pela violência deles. Buford mostra como em quadro social e cultural difícil a violência latente aflora com facilidade. A cultura jovem é tão "desprovida de mistério, tão exangue que se utiliza da violência para despertar a si própria". A análise sociológica e culturalista, entretanto, não dá conta do fenômeno, porque ao contrário do que se pensou nas primeiras vagas de hooliganismo, na década de 1970, aqueles indivíduos quase nunca eram meros desempregados ou marginais. Eram pessoas cujo mal-estar existencial buscava compensação nos dias de jogo de futebol. E descobriram que a violência possui uma "sensual intensidade", "representa uma das experiências vividas com mais intensidade e, para aqueles capazes de se entregar a ela, um dos mais intensos prazeres". É "experiência de absoluta plenitude". Um *hooligan* confessou a Buford que todos eles esperavam ansiosamente o dia de jogo e, portanto, a prática da violência, "a coisa mais importante das nossas vidas. É uma religião, na verdade. O sábado [dia de jogo na Inglaterra] é nosso dia de culto".

Nada de estranho nesse relato, porque a violência é uma das formas mais difundidas de se atingir o sagrado (item 7.1). É realidade psicológica (item 8.3). Essas sensações ficam potencializadas em grupo, razão pela qual as lideranças formais e informais das torcidas uniformizadas nem sempre têm controle sobre seus membros. Aliás, o poder do grupo e sobre o grupo decorre em última análise dele mesmo, daí no Brasil se falar em "nação" flamenguista, corintiana, são-paulina, vascaína etc. Ou, na Itália, em *popolo bianconero*, *rossonero*, *nerazzurro* etc. Enfim, trata-se de autocontágio, de manifestações (cantos, vaias, ofensas, aplausos) que surgem espontaneamente em vários locais do estádio ao mesmo tempo, passando a ser seguidas ou contestadas pelos demais torcedores. E que podem derrapar para atos de violência. Mesmo o comportamento fora de campo de jogadores ou técnicos famosos pode contribuir para o clima de violência do futebol. As celebridades que se envolvem com drogas, provocam acidentes automobilísticos, desrespeitam autoridades ou simples normas de civilidade geram nos torcedores a fantasia de fazer tudo isso com a mesma relativa impunidade. O futebol desenvolve-se em ambiente transgressor. A essência do jogo não é enganar o outro?

É o que ocorre nos gramados seguindo (pelo menos em teoria) as regras, é o que ocorre (mais?) nos bastidores à revelia de qualquer regra. Foi o que mostrou às vésperas da Copa de 2006 o escândalo que veio à tona na Itália. O onipotente diretor-geral da Juventus por doze anos, Luciano Moggi, havia montado extensa rede de corrupção de árbitros que incluía o chefe da comissão nacional de arbitragem. E, de fato, havia anos circulava pela Itália do futebol uma ilustrativa piada: "Quando jogava na Internazionale [1997-2002], Ronaldo costumava rezar à Virgem. Um dia ela lhe apareceu e propôs atender um pedido. 'Eu gostaria de uma estrada entre Milão e o Brasil.' A Virgem respondeu: 'O pedido é exagerado. Reflita melhor, volto amanhã'. No dia seguinte, Ronaldo lhe disse: 'Como vamos jogar contra a Juventus, gostaria de um árbitro imparcial'. Então a Virgem, embaraçada, retorquiu: 'Bem, com quantas pistas você quer a sua estrada?'".

Assim como o esquema Moggiopoli foi desmascarado graças a escutas telefônicas, em 1997 a Rede Globo revelou uma série de telefonemas do então chefe da comissão brasileira de arbitragem havia nove anos, Ives Mendes. Ele pedia dinheiro a dirigentes de clubes teoricamente como contribuição para a campanha política de que iria participar. A maior diferença com o caso italiano foi o tratamento dado aos culpados. Ali a Juventus foi rebaixada para a série B na temporada 2006-7, Fiorentina, Lazio e Milan começaram com vários pontos negativos na classificação, dificultando a luta pelo *scudetto* e o acesso às copas europeias. Os títulos nacionais de 2005 e 2006 foram retirados da *Vecchia Signora*. Dezesseis dirigentes e árbitros receberam longas suspensões e alguns deles processos criminais. No Brasil, Mendes perdeu o cargo, porém seus principais interlocutores, Alberto Dualib, presidente do Corinthians, e Mário Celso Petraglia, presidente do Atlético Paranaense, foram apenas temporariamente afastados de seus cargos. Nada de rebaixamento dos clubes envolvidos, de retirada de título (o Atlético Paranaense subira para a primeira divisão no ano anterior), nenhum alto dirigente da CBF punido.

À violência social estimulada pela impunidade de políticos corresponde a violência futebolística alimentada pela impunidade dos (ir)responsáveis pelo futebol. Constatação importante se levarmos em conta um dado em geral pouco considerado porque politicamente incorreto, embora essencial — ao lado dos fatores sociais, econômicos e psicológicos do fenômeno, a violência das torcidas decorre da própria essência do futebol. O simples fato de ele ser jogado por meio de pontapés na bola já traz em si certa agressividade, inexistente no trato manual dado à bola no basquete ou no vôlei. Futebol é jogo de caráter mais primitivo. É guerra simbólica (item 6.3) que estimula a guerra concreta de torcedores. O contágio vertical acima referido parece ter peso maior do que o até agora reconhecido. Tanto que, à medida que o futebol foi se integrando mais à lógica capitalista, o mesmo aconteceu com a violência ligada a ele. Porque violência é parte integrante de qualquer concorrência, econômica ou esportiva. É verdade que o esporte desenvolveu-se na sociedade moderna justamente para disciplinar a violência inata no ser humano, porém muitas vezes gera o inverso. E não apenas em partidas intensamente disputadas nas terceiras ou segundas divisões de muitos países. Também em competições de alto nível, envolvendo grandes astros.

Em 1988, quando de um confronto pela Copa dos Campeões entre PSV Eindhoven e Bordeaux, o mais importante jogador deste time foi voluntariamente atingido por um adversário e tal gesto recebeu a cínica aprovação de Ronald Koeman: "Aquele golpe de Gilhaus sobre Tigana foi um trabalho bem-feito. A partida exigia isso. Nós o cumprimentamos depois do jogo. O que Gilhaus fez vale ouro. [...] É preciso atingir os pontos fracos do adversário. Se você sabe que Tigana está contundido no tornozelo, você vai atingi-lo ali. Não digo isso para desacreditar o futebol. Trata-se de opinião generalizada no nosso esporte" (*Libération*, 1/4/1988). Por isso a violência de torcedores não é gratuita, como se diz a partir de uma lógica externa a eles. A constatação do sargento Naughton pode parecer chocante a interpretações românticas e ingênuas, mas é calcada sobre observação longa e direta: "Todos os *hooligans* são verdadeiros torcedores de futebol". São aqueles completamente tomados pela emoção do jogo.

A violência inerente ao futebol era perceptível desde os primeiros tempos do jogo. Antes mesmo, tanto que jogos aparentados tinham sido proibidos devido à violência que despertavam, caso do *football* medieval em 1314 e do *tsu-chu* em 1389. No começo do século XX, o jornalista francês Maurice Pefferkorn observava (*Le Football Association*, 8/11/1919) que "é um milagre que todo o ardor bélico desencadeado por esse esporte, o mais apreciado de todos, não tenha ainda conduzido a um massacre de São Bartolomeu [quando, no século XVI, os protestantes foram trucidados pelos católicos por toda a França]". Poucos anos mais tarde, um articulista brasileiro definia o futebol como "esporte violento por sua própria natureza", não vendo diferença "entre essa luta corporal, por eufemismo chamado de futebol, e aquilo que nos circos romanos se denominava a luta dos gladiadores" (*Correio da Manhã*, 22/1/1923). Sete décadas depois, Canter, Comber e Uzzell reconheceram ser difícil explicar por que a violência não ocorre com mais frequência em partidas de futebol. A pesquisa realizada por eles com torcedores britânicos mostrou que a violência associada ao futebol estava na expectativa das pessoas. Em parte isso decorria, é claro, da própria conjuntura do hooliganismo, mas em parte, igualmente, da estrutura psicológica e simbólica do jogo. É por isso, concluiu aquele estudo, que os frequentadores do universo do futebol aceitam nele atos de violência que em outras circunstâncias seriam criticados.

A resposta da sociedade, diz o criminalista inglês Eugene Trivizas, foi inversamente proporcional: punir mais severamente os indivíduos que provocam desordem no futebol do que aqueles que cometem atos similares em outros contextos. Resposta que não pode tornar-se permanente, mas é válida em períodos de crise aguda, como o da Inglaterra entre 1975 e 1985. É inegável que as tensões interclânicas próprias ao mundo do futebol são potencializadas pelas torcidas organizadas, mas também é verdade que, na Europa e no Brasil, elas funcionam como uma espécie de segunda família para muitos de seus membros. A mesma rede de solidariedade que transborda para a violência leva a rivalidade para ações de cunho social e contribui para amenizar a tensão social global. Solidariedade e rivalidade são sentimentos e comportamentos opostos, e contudo complementares.

5.4 SOLIDARIEDADES E RIVALIDADES

Independentemente de como se organiza a sociedade global, sempre há no seu interior tensões entre os grupos que a compõem, sejam eles tribos, linhagens, castas, estratos, classes, corporações.

Tensões cujos graus variam de acordo com o fundamento básico das diferenças: familiar (linhagens), étnico (tribos), institucional (estratos, corporações), econômico (classes), mítico (clãs), religioso (seitas, castas), psicológico (orgulho, arrogância, humildade, rancor), geográfico (bairros, cidades, regiões, países, continentes). No mundo do futebol todos esses elementos estão presentes e interagem. Mas alguma separação, para efeito de análise, é necessária. Nos próximos capítulos examinaremos vários desses aspectos. De momento, interessam apenas as bases sociais das rivalidades futebolísticas. Rivalidades que se transformam ao sabor das suas trajetórias específicas e da história das sociedades em cujo bojo ocorrem.

A dinâmica da rivalidade aplica-se tanto a seleções nacionais quanto a clubes. No primeiro caso, por exemplo, à medida que o tempo nos afasta de 1950 e o Uruguai deixa de ser potência no futebol, a rivalidade entre brasileiros e uruguaios fica mais fraca. Ao contrário, o fortalecimento futebolístico do México e algumas vitórias dele sobre o Brasil vão aos poucos criando nova rivalidade continental. Os atritos políticos e territoriais ocorridos no passado entre dois países estão sempre alimentando a rivalidade futebolística. É o caso de Escócia e Inglaterra ou Bolívia e Chile. Quanto a clubes, o mecanismo é diferente. Tomemos o caso de Minas Gerais. Dos quinze títulos estaduais do América, dez foram conseguidos nos primeiros anos da disputa: o Atlético venceu a primeira edição, em 1915, depois o América enfileirou dez conquistas, de 1916 a 1925, e era o grande rival do Galo, vice-campeão em 1916, 1917, 1918 e 1921, campeão novamente em 1926 e 1927. Com o surgimento do Cruzeiro (então Palestra Itália), seus seis vice-campeonatos seguidos (1922-7) e seu tricampeonato em 1928-30, a rivalidade foi se deslocando. O América foi ficando para trás e a grande rivalidade local tornou-se Atlético-Cruzeiro.

O futebol é meio de reprodução simbólica do corpo social, da mesma maneira que a guerra nas sociedades tradicionais, nas quais ela está codificada de maneira estrita, visando não perturbar a vida dos grupos envolvidos. Daí haver um calendário para a luta, cujas retomadas periódicas ganham feições lúdicas. A duração desse tipo de guerra é estabelecida pelo costume, algumas vezes é de um só dia. Elas tendem a ser de curta duração devido à limitação dos recursos das sociedades que a praticam, quase sempre baseados na caça e/ou na coleta. Várias vezes são guerras rituais constantes, como as dos danos, população da Nova Guiné. Como tal tipo de guerra se faz no interior de um sistema cultural, envolve grupos restritos que, contudo, se unem diante de inimigo externo. Os guerreiros são homens adultos jovens, escolhidos por sua força física e moral. Essas guerras canalizam para fora da sociedade a impetuosidade dos jovens, permitindo que eles demonstrem sua força. São conflitos limitados, regulamentados e entrecortados por frequentes períodos de trégua, que funcionam como mecanismo de equilíbrio e solidariedade social. Nem por isso, porém, deixam de fazer parte do processo geral de toda guerra, que é desumanizar o Outro.

Ora, tal descrição pode facilmente ser estendida ao futebol. Este é codificado e limitado no espaço (estádios) e no tempo (duração da partida, calendário esportivo) de maneira a não alterar a rotina da sociedade global. A guerra simbólica do futebol (item 6.3) tem como personagens centrais homens jovens e fortes distribuídos em pequenos grupos (times) que se enfrentam, mas que se unem para combater o estrangeiro (seleções nacionais). A desqualificação do rival também é típica do contexto do futebol. Os argentinos chamam os brasileiros de "macaquinhos" desde 1920. O técnico inglês tratou os argentinos de "animais" após a partida contra eles na Copa de 1966, de certa forma expressando a antiga discordância entre os dois países a propósito das ilhas Malvinas (Falklands para os ingleses), o que levaria à guerra 16 anos mais tarde.

Aliás, a evocação militar é frequente ao longo da história do futebol. Na vitoriosa volta ao país após conquistar a Copa do Mundo de 1938, os jogadores italianos, vestindo uniforme militar, foram recebidos na sede oficial do governo por Mussolini, que pretendia assim ressaltar o caráter de soldados da causa nacional que ele atribuía aos esportistas. Tendo percebido o alcance psicológico do jogo, Goebbels escreveu em seu diário que "uma vitória no campo de futebol é mais importante para a população do que a conquista de uma cidade em território inimigo". Na Copa de 1954 o locutor Geraldo José de Almeida conclamou a seleção nacional, antes da partida contra a Hungria, com a épica declaração "Craques do Brasil, vamos vingar hoje os nossos mortos de Pistoia", em referência a um episódio da Segunda Guerra Mundial que nada tinha a ver com os húngaros. A partida evidentemente degenerou. Dois brasileiros foram expulsos, o técnico Zezé Moreira atingiu com uma chuteira o rosto de seu colega Sebes, um conhecido jornalista derrubou um guarda suíço com uma rasteira, depois do jogo os brasileiros invadiram o vestiário húngaro para continuar a briga. O nome dado ao encontro húngaro-brasileiro, Batalha de Berna, não é meramente retórico.

Talvez devido a esse caráter bélico é que o futebol sempre tenha tido feição masculina muito mais pronunciada que o basquete ou o vôlei. Embora em fins do século XIX já se tivesse praticado um futebol de mulheres, ele efetivamente deslanchou graças à Primeira Guerra Mundial, que levou milhões de homens às trincheiras e aos túmulos. O futebol feminino não resistiu, porém, ao progressivo restabelecimento da ordem. Em fins de 1921, a Federação Inglesa de Futebol publicou clara resolução a respeito: "O Conselho se vê na obrigação de afirmar que o futebol não é jogo para mulheres [...] e convida os clubes membros da Football Association a não ceder seus campos para partidas femininas". Após a Segunda Guerra Mundial, o futebol feminino recomeçou a ganhar forças, porém a FIFA, em 1951, recusou-se a cuidar dele, afirmando que se tratava de "questão de biologia e de educação que deve ser deixada a médicos e professores". Somente no começo da década de 1970 as federações da Alemanha Ocidental, Inglaterra e França suspenderam o veto à prática daquele esporte por parte de mulheres. A FIFA ainda demorou alguns anos a reconhecer a modalidade. Em 1988 ela aceitou, afinal, organizar um torneio internacional feminino na China, país que em 1991 sediaria a primeira Copa do Mundo da categoria.

De forma geral, seja no caso de países ou de clubes, a rivalidade é tanto mais intensa quanto mais próximos geograficamente são os grupos. A rivalidade entre os clubes de uma mesma cidade tende a ser maior do que entre clubes de cidades diferentes. Quando só há dois grandes clubes na mesma cidade o antagonismo tende a ser ainda mais agudo. A menos que o prolongado enfraquecimento de um deles desloque a inimizade principal para outra cidade ou região, caso de Lisboa (onde a oposição Benfica-Sporting foi em parte desviada contra o Porto), Madri (onde o Atlético concorre menos com o Real do que com o Barcelona) ou Turim (onde o Torino ficou menos importante para a Juventus que o Milan). O grau de rivalidade depende da frequência com que ocorrem os confrontos. Comunidades que se enfrentam apenas de tempos em tempos sentem-se menos adversárias do que aquelas que se cruzam periodicamente. Daí por que seleções nacionais despertam menos emoção do que clubes.

Às vezes o torcedor vaia um jogador da seleção nacional porque ele é do time rival. Outras vezes assiste à equipe nacional, mesmo durante uma Copa do Mundo, com camisa ou bandeira do clã clubístico. Em certos casos o campeonato nacional desperta muito mais interesse do que a seleção nacional, como ocorreu na Argentina por muitas décadas e ainda ocorre na Espanha. Na Itália, muitas vezes as rivalidades locais superaram a solidariedade nacional. Em fevereiro de 1986, quando do dérbi local, a torcida do Torino respondeu a uma provocação da torcida da

Juventus gritando "Animais, Bruxelas foi muito boa com vocês", alusão ao episódio de Heysel no qual, meses antes, seguidores da *Vecchia Signora* tinham sido mortos. Em julho de 1990, em Nápoles, quando da partida pela Copa do Mundo entre Itália e Argentina, o público apoiou mais a seleção estrangeira, na qual jogava o ídolo da equipe local, Maradona.

Na França, em 1994, uma facção de torcedores do Olympique de Marseille, os Winners, queimou a bandeira francesa em partida na capital para provocar a Boulogne Boys, torcida nacionalista do Paris Saint-Germain, e ainda abriu uma faixa com "Obrigado, Israel", referindo-se à recente derrota francesa para aquela seleção nas eliminatórias do Mundial de 1994. Na Argentina, em setembro de 2005 o Corinthians foi enfrentar o River Plate pela Copa Sul--Americana e Maradona foi à concentração do time brasileiro para estimular seu compatriota Tevez: "Vamos acabar com eles". O espírito de clã dos dois ex-jogadores do Boca Juniors era mobilizado ("vamos") contra o rival local ("eles"), cuja derrota importava muito mais do que o sucesso de uma equipe do país contra uma brasileira. Mesmo em clima de Copa do Mundo, a rivalidade clubística mantém-se forte: em vez de se solidarizarem com a boa campanha da Argentina na primeira fase da Copa da Alemanha, treze torcedores do Boca Juniors e seis do Independiente enfrentaram-se em um hotel perto de Frankfurt.

Nossa sondagem sobre o perfil do torcedor brasileiro indicou que perto de 57% deles sentem mais as alegrias e as tristezas vindas de seus clubes do que da seleção nacional. Esta é mais importante — dado significativo — para quase 64% das mulheres, contra 37% dos homens. Tais números não revelam, é claro, o nível de compromisso patriótico, e sim a solidariedade mais palpável que os clubes despertam nos homens. Estes discutem futebol com muito mais frequência que as mulheres. Eles vão regularmente ao estádio bem mais que elas (11% contra 1,5% em números redondos) e também acompanham mais o time pelo rádio ou pela televisão (54% contra 19%). Elas demonstram mais interesse pelo jogo em época de Copa do Mundo. Para os torcedores masculinos, a rivalidade e a solidariedade são alimentadas pelo fato de os clubes jogarem uma ou duas vezes por semana, estarem no noticiário todos os dias, fazerem assim parte da sua vida pessoal. A adesão a um clube ajuda a compor a própria personalidade do indivíduo, diferencia-o de muitos outros. Quase um quinto dos entrevistados escolheu seu clube por oposição a parentes próximos ou amigos que tinham outro clube. Quase 35% encontram a alegria da conquista de um título no fato de poder zombar de seus conhecidos que torcem por clubes diferentes.

A conjuntura é, portanto, diferente em competição de seleções nacionais, cujos rivais, mais do que pessoas concretas, próximas, são abstrações como "argentinos" ou "italianos". A dor ou a felicidade pelos resultados da seleção é de todos, não demarca, não distingue uma pessoa de outras. De certa maneira a despersonaliza (item 8.2). A solidariedade total é impedida pela falta de rivalidade. Se fosse possível — para tomar apenas dois exemplos de desamores históricos — pôr todos os holandeses diante de todos os alemães ou todos os espanhóis diante de todos os portugueses, a rivalidade alimentaria a solidariedade de cada um desses grupos nacionais. Porque tais situações imaginárias são absurdas, a paixão do futebol está justamente na oposição de solidariedades. Torcer por um clube gera sentimento de pertencer a uma grande família anônima que o indivíduo escolheu por razões variáveis, não é a família nacional que lhe foi imposta pelo destino. O simples fato de ver na rua, em situação cotidiana, longe do estádio, alguém vestindo a camisa do seu clube dá a mais de 29% dos entrevistados a sensação de pertencer a essa grande família. É muito interessante que nos locais onde existem várias famílias futebolísticas importantes (Rio de Janeiro e São Paulo) esse percentual seja menor do que nas cidades cujas torcidas dividem-se em apenas dois grandes grupos. Em Belo Horizonte o percentual passa de 59%, em Porto Alegre é de 50%, em Salvador de 40%. Comprovando o espírito clânico (item 6.1) e guerreiro (item 6.3) do futebol, o sentimento de grande família está presente em 35% dos homens contra apenas um pouco mais de 13% entre as mulheres.

A lógica de todo clube, como de toda sociedade, é seu reconhecimento por parte dos congêneres, é a afirmação e difusão de seu poder. As vitórias esportivas, em certo sentido, não são os objetivos últimos, e sim os instrumentos privilegiados para o fortalecimento clânico. É o que mostra o projeto de clubes como o Manchester United e o Real Madrid, de ganhar seguidores em várias partes do mundo. Há nisso motivação econômica, contudo ela própria parece mais meio do que fim. A obtenção de recursos visa contratar grandes estrelas e dessa forma aumentar o renome do clube. No mesmo sentido, dias depois da conquista do tricampeonato mundial de clubes, em 2005, a diretoria do São Paulo FC lançou projeto que almeja, em dez anos, passar da terceira para a primeira posição dentre as torcidas brasileiras. A existência de todo clube de futebol, como de todo clã, está baseada em autoimagem megalômana. É para alimentá-la que toda comunidade clubística mantém atualizada sua "contabilidade de guerra": quantos títulos na história e na temporada, quantas vitórias sobre os principais rivais, quantos torcedores possui, quanto de público leva aos estádios e à frente dos aparelhos de televisão.

As rivalidades são dinâmicas, podem flutuar de intensidade conforme a trajetória esportiva dos envolvidos, todavia raramente deixam de ser rivalidades, ao menos por razões históricas, como reconhecem 63% dos torcedores. As solidariedades, por sua vez, têm ritmo mais acelerado, mudam bastante com o tempo, porém as imagens associadas pelos rivais a cada uma delas permanecem as mesmas. Explicando melhor. O perfil de qualquer clube nos seus primeiros tempos, ou em certo momento marcante, tende a ser transformado em estereótipo pelos rivais, passa a ser rótulo negativo atribuído pelo Outro. E assim fica no imaginário dos torcedores. Em Milão, em princípios do século XX o Milan era clube popular e a Internazionale aristocrática, definições hoje quase sem sentido. Dados de 1992, fornecidos por Alessandro Dal Lago e Roberto Moscati, comprovam mesmo certa inversão daquela situação original. Os trabalhadores braçais constituem 43,5% da torcida da Internazionale e 28% da do Milan; os funcionários, respectivamente 30,5% e 39,4%; os comerciantes, 9,1% e 16%; os profissionais liberais, 11% e 10,3%; os empresários, 3,9% e 1,7%; outras ocupações, 2% e 4,6%. Na Espanha, o Real Madrid manteve relações ambíguas com o Estado franquista, bem menos amistosas do que geralmente se diz — nada conquistou nos anos de maior autoritarismo, entre 1940 e 1952 —, o que não impediu que recebesse dos rivais o rótulo de "clube do regime" (item 3.2).

Em relação ao Rio de Janeiro, as informações da pesquisa realizada pelo IBOPE em março de 1993 e publicada pela revista *Placar* de outubro daquele ano permitem algumas constatações interessantes. O Flamengo, por ter a maior torcida do Brasil, sempre foi visto como clube das massas, isto é, de gente de baixa condição socioeconômica, enquanto a pesquisa mostra que 44,3% das classes A-B da cidade apoiavam o clube (e 42% da C, 40,2% das D-E). O Vasco da Gama, associado no imaginário à rica colônia portuguesa carioca, apresentava gráfico exatamente inverso a tal imagem: 14,6% das classes A-B, 17,7% da C e 21,6% das D-E. O Botafogo, considerado clube de classe média, possuía quase tantos seguidores nas classes D-E quanto nas A-B, e o segmento menor era justamente o C (classe média baixa). O único clube carioca cujo perfil de torcida coincidia com a imagem a ele atribuída era o Fluminense, que tinha nas classes A-B a maior fatia de seus seguidores.

Quanto mais próximas geograficamente e mais afastadas na

imagem social que reciprocamente se atribuem, mais as torcidas tendem a conviver com dificuldade. Quando o segundo fator é amenizado pela ausência do primeiro, a rivalidade não enfraquece, porém minimiza as chances de violência física. É o caso de Real Madrid e Barcelona. O conceito que cada uma dessas torcidas tem da outra é bastante negativo (com implicações históricas, políticas, culturais, linguísticas), entretanto existem mais de seiscentos quilômetros separando as duas cidades e, portanto, a maior parte de seus torcedores. Esse anteparo não existe para Boca Juniors e River Plate, que sintetizam algumas contradições da sociedade argentina, como revelam os respectivos apelidos, *bosteros* e *millonarios.* Nada estranho, então, que no instável contexto político-social de 1968 uma briga entre eles tenha deixado 74 mortos e 113 feridos.

Nenhuma rivalidade, todavia, parece superar a de Celtic e Rangers. Fortemente separados por um conjunto de fatores inconciliáveis (item 6.1), os confrontos entre eles são bastante acirrados no campo e nas arquibancadas. Em razão do ambiente muito polarizado em Glasgow, os torcedores do Celtic — tanto os de posição socioeconômica superior quanto os de posição inferior — aceitam atos de violência no futebol, como mostrou a pesquisa de Canter, Comber e Uzzell. O mesmo estudo revelou que larga maioria (65%) de seguidores daquele clube recorria a cantos de caráter racista, dos quais discordavam apenas 25% deles. Bem de acordo com a lógica das alianças entre clãs, a rivalidade só é momentaneamente esquecida diante de outra rivalidade ainda maior. Em abril de 1909, os seguidores do Rangers e os do Celtic discordaram da decisão dos dirigentes de não jogar uma prorrogação que desempatasse o campeonato: os torcedores de ambos os clubes invadiram o campo, derrubaram as traves, incendiaram as bilheterias, impediram os bombeiros de realizar seu trabalho, atacaram policiais. Na semifinal da Copa dos Campeões de 1970, o Celtic enfrentou o Leeds diante de 134 mil espectadores, recorde de público até hoje na competição, e entre a massa alviverde escocesa houve faixas azuis do Rangers. Um jornal local não deixou de observar no dia seguinte que "nossos colegas ingleses fizeram uma cara que dava prazer de ver" (*Scottish Daily Express*, 23/4/1970).

A identidade do indivíduo enquanto torcedor acompanha-o sempre, é parte importante da própria personalidade, ou ao menos funciona como significativo reforço dela. No limite, todo torcedor pode repetir, com Nelson Rodrigues, "eu não gosto de futebol, gosto do meu clube". Vinicius de Moraes afirmou certa vez que, "no Rio, a formação da identidade passa, também, pela eleição de um time de futebol. O poeta, fiel à sua infância, escolhe o Botafogo de Futebol e Regatas. Não frequenta os estádios. Não lê o noticiário esportivo. Não ouve as transmissões pelo rádio. Mas, se perguntam seu time, afirma: 'Botafogo'. Não se trata de uma paixão, mas de uma senha para a cidadania". Esse traço não é importante apenas para o Rio de Janeiro, vale para toda cidade onde há dois ou mais clubes atraindo e repelindo as pessoas, seja Barcelona, Belo Horizonte, Buenos Aires, Campinas, Curitiba, Florianópolis, Fortaleza, Glasgow, Hamburgo, Lisboa, Liverpool, Londres, Madri, Manchester, Milão, Munique, Porto, Porto Alegre, Recife, Roma, Salvador, São Paulo ou Turim.

O objeto do torcedor é simultaneamente o seu clube e o outro. É ele mesmo e o torcedor rival. Segundo o levantamento de Canter, Comber e Uzzell, parcela significativa de britânicos assiste às partidas do maior concorrente: 9% da torcida do Chelsea acompanha os também londrinos Tottenham e Fulham; 14% da deste último, o vizinho Chelsea, e 8%, o Arsenal; 9% da do Millwall, o Arsenal e o Tottenham; 7% da do Manchester United, o Manchester City; 16% da do Celtic, o Rangers. Nessa relação, o torcedor frequentemente passa para o outro lado do espelho e fica prisioneiro da própria imagem. O cientista social Antonio Negri dá interessante testemunho nesse sentido (*Folha de S.Paulo*, 26/10/1997). Colocado por suas posições políticas numa prisão da capital italiana, ele ali encontra torcedores apenas da Lazio ou da Roma, que, se o respeitam enquanto intelectual, desprezam-no por sua condição de torcedor do Milan. E ele se pergunta: "Por que fui me entregar de volta ao cárcere logo num período em que o Milan está perdendo? Como podia imaginar sair vitorioso numa batalha política, na ausência do suporte de um poderoso time de futebol?". Ele mesmo responde: "Do futebol a gente não se livra. Então sabem o que vou fazer? Vou pedir transferência para o cárcere de Milão. Ali, pelo menos, nós, milanistas, seremos maioria". Diante daquela situação, "às vezes, num ímpeto de revolta extremista, ouso pensar que o próprio futebol deveria ser eliminado porque é, em todo lugar, uma prisão; e que as prisões deveriam ser destruídas porque, em todo lugar, estão invadidas pelo futebol".

6. Metáfora antropológica

Um olhar atento sobre o futebol pode revelar diversas realidades antropológicas interessantes. Ou seja, sob forma moderna e esportiva, práticas culturais arraigadas no ser humano independentemente de seus ambientes históricos específicos. Mais do que atento, porém, tal olhar deve estar despido de preconceitos, de valores externos ao futebol. Com essa condição será possível perceber que as pessoas que chutam a bola em direção ao gol fazem-no de forma ritual, isto é, de forma regrada e tradicional, que confere sentido preciso àqueles gestos. É justamente por se tratar de rito que toda partida de futebol decorre em ambiente fortemente emocional para os que a realizam e os que a assistem.

Embora rito e mito constituam um todo complementar e reciprocamente explicativo (está superado o antigo debate antropológico sobre a primazia do rito sobre o mito, ou vice-versa), no caso do futebol o segundo elemento parece sobrepujar o primeiro. Discutem-se jogadores que não se viu atuar: foi melhor Friedenreich ou Sindelar? Puskas ou Di Stéfano? Pelé ou Maradona? Platini ou Zidane? Discutem-se jogadas das quais só se ouviu falar: o gol de Leônidas sem chuteira, os dribles de Canhoteiro, o gol de placa de Pelé contra o Fluminense em março de 1961, no Maracanã. Discutem-se partidas inteiras que mesmo sem (ou com pouco) registro visual estão na memória dos torcedores: a derrota brasileira na final da Copa de 1950, a goleada húngara sobre a Inglaterra em Wembley, em 1953, a vitória corintiana sobre o Santos em 1968, pondo fim ao tabu de onze anos.

Toda a rica mitologia do futebol parece, de maneira paradoxal, colocar em segundo plano o próprio rito. Na verdade, contudo, ao contrário de outras situações mítico-rituais, no futebol cada repetição do rito (partida) permite infinitas variantes e assim gera ou reforça vários mitos (a eficiência de certo jogador, a garra de outro, o erro do árbitro, o comportamento da torcida etc.). Futebol é rito e mitologia de flexibilidade incomparável no mundo industrial. É fresta de liberdade em sociedades crescentemente regulamentadas. Nisso, talvez, é que reside o enorme fascínio do futebol.

6.1 O ESPÍRITO CLÂNICO

O sucesso da democracia nas sociedades industriais trouxe inegáveis benefícios a amplos setores antes excluídos da tomada de decisões; contudo, provocou também a perda de identidades grupais que tinham sido essenciais nos séculos anteriores. A consciência de pertencer a determinada comunidade camponesa, ou família tradicional e poderosa, ou confraria, ou cidade, ficou esmagada pelo conceito de cidadania que homogeneíza todos os indivíduos. Novos recortes surgiram — partido político, condição econômica, seita religiosa etc. — mas tão maleáveis e mutáveis que não substituíram todas as funções sociais e psicológicas do velho sentimento grupal. O futebol inseriu-se exatamente nessa brecha aberta pela industrialização ao destruir os paradigmas anteriores.

O antropólogo inglês Desmond Morris vai mais adiante e propõe que se veja no mundo do futebol um mundo de tribos. Sem dúvida o sentimento tribal é muito forte, acompanha o indivíduo por toda vida e mesmo além dela. É o que mostra no Brasil a prática de alguns serem sepultados em caixão com o símbolo do clube na tampa. É o que mostra na Inglaterra o hábito de espalhar as cinzas do defunto no gramado do estádio de seu clube do coração, ou mesmo de enterrá-lo nas laterais do campo, como aconteceu com vários indivíduos em Highbury, o estádio do Arsenal desativado em maio de 2006. É o que mostra na Espanha o caso contado pelo jornalista Paco Aguilar, de um indivíduo que deixou toda a fortuna ao filho sob duas condições: que ele continuasse a pagar a mensalidade de sócio do Betis, conservando portanto o lugar habitual do falecido no estádio Benito Villamarín (hoje batizado de Manuel Ruiz de Lopera); que ele levasse as cinzas do pai a todas as partidas do clube, tanto as jogadas em casa quanto aquelas em outros estádios (*France Football*, 21/11/1995). A atuação do torcedor no rito do futebol não é em essência muito diferente da atitude das populações tribais que, por meio de pinturas corporais, cantos e gritos, participam no rito das danças guerreiras.

Não é descabido, portanto, falar em tribo no futebol, porém não parece a melhor opção. Tribo é grupo étnico com certo caráter territorial, o que não se aplica ao futebol, cujos torcedores são de diferentes origens e estão espalhados por vários locais. Tribo é sociedade sem Estado, e o futebol moderno desenvolve-se obviamente nos quadros de Estados nacionais. Talvez seja preferível falar em clã. Deixando de lado o debate técnico sobre tal conceito, tomemos uma definição mínima: clã é um grupo que acredita descender de um ancestral comum, mais mítico que histórico, contudo vivo na memória coletiva. Ainda que todo clube de futebol tenha origem concreta e mais ou menos bem documentada, com o tempo ela tende a ganhar ares de lenda, que prevalece no conhecimento do torcedor comum sobre os dados históricos. É nessa lenda, enriquecida por feitos esportivos igualmente transformados em lenda, que todos os membros do clã orgulhosamente se reconhecem. O hino do Barcelona ilustra bem essa realidade antropológica do futebol: "*tot el camp/ és un clam/ som la gent blau grana/* [...] *una bandera ens agermana/* [...] *jugadors/ seguidors/ tots units fem força*". O clã tem base territorial, mas quando precisa mudar de espaço (jogar em outro estádio) não se descaracteriza. Em qualquer lugar, os membros do clã se reconhecem, dizia o grande sociólogo e antropólogo Marcel Mauss, pelo nome, brasão e totem.

O primeiro elemento é fundamental na vida social, já que o nome do clã identifica os indivíduos e permite comportamento diferenciado entre os que fazem parte dele. O nome de todo clube, como de todo clã, pretende em si mesmo ser significativo, revelar pretensa superioridade em relação aos outros, justificar a razão da adesão a ele. Adesão por sentimento a um continente, caso dos vários América — de Belo Horizonte, Caaporã (PB), Cali, Manaus, México, Natal, Rio de Janeiro, São José do Rio Preto (SP). Ou afeição a um país (Mônaco), a uma região (Bahia, Betis, Lazio etc.), cidade (Auxerre, Barcelona, Bruges, Coritiba, Lausanne, Leeds, Maastricht, Parma, Porto, Stuttgart etc.) ou bairro (Benfica, Boca Juniors, Botafogo, Chelsea, Chievo, Jabaquara, Peñarol, Ponte Preta, Rayo Vallecano, St. Pauli, Tottenham etc.). Ou a uma atividade profissional, como Arsenal, Ferroviária (Araraquara, SP), Ferroviário (Fortaleza, CE), Lokomotiv (Moscou). Ou filiação a certa origem nacional: Celta de Vigo, Celtic de Glasgow, Galícia (BA), Palestra Itália (atuais Palmeiras e Cruzeiro), Portuguesa de Desportos, Portuguesa da Ilha do Governador (RJ), Portuguesa Santista, Unión Española do Chile, Vasco da Gama. Ou sugerir preferência política: Real Espanyol, Real Madrid, Real Sociedad, Real Valladolid, Real Zaragoza.

Ou reproduzir o nome de clube famoso: Arsenal (Buenos Aires), Arsenal (Sorriso, MT), Botafogo da Paraíba, Colo-Colo (Ilhéus, BA), Corinthians Paulista, Corinthians Alagoano, Cruzeiro de Porto Velho (RO), Flamengo do Piauí, Fluminense de Feira de Santana (BA), Juventus de São Paulo, Palmeiras Nordeste (Feira de Santana, BA), Racing de Buenos Aires, Santos FC de Macapá (AP), São Paulo FC de Macapá, Vasco da Gama de Rio Branco (AC), Wanderers (Montevidéu). Ou exaltar uma camada etária: Argentinos Juniors, Chacarita Juniors, Juventude (de Caxias do Sul, RS), Juventus (de Turim). Ou sugerir destino superior: Vitória (da Bahia, de Guimarães, de Setúbal), Osasuna (em basco, "força", "vigor"). Ou indicar dado toponímico, como Serrano (Serra Redonda, PB) ou Beira-Mar (Aveiro, Portugal). Ou dado antroponímico, seja de personagens históricos como Bolívar (o libertador da Bolívia), Colo-Colo (cacique que enfrentou os espanhóis no século XVI), Colón (grafia castelhana de Colombo, time de Santa Fé, Argentina) e Gil Vicente (Barcelos, Portugal), seja de personagens míticos como Ajax (herói grego da Guerra de Troia) ou Atalanta (heroína descendente do deus grego Zeus). Ou juntar elemento toponímico e antroponímico: Sampdoria vem da abreviação do bairro popular genovês de Sampierdarena e do nome do célebre almirante local do século XVI, Andrea Doria.

O brasão ou escudo dos clubes de futebol constitui seu símbolo (no sentido etimológico de "sinal de reconhecimento") maior, usado na camisa dos jogadores, na bandeira, no papel timbrado de seus documentos oficiais, nos produtos que vende. O escudo é praticamente a síntese material do clube, sua corporificação, daí a atenção e tensão de que é cercado. É para demonstrar profunda identificação (verdadeira ou simulada) com o clã que defende que se tornou comum o jogador beijar o escudo da camisa após marcar um gol ou conquistar um título. Ou bater a mão no peito, em cima ou próximo do escudo clubístico, quase a incorporá-lo, introduzi-lo no próprio corpo. Aliás, não é casual que na maioria das vezes o escudo esteja localizado no lado esquerdo da camisa, acima do coração do jogador e do torcedor que a veste.

Os clubes europeus têm emblemas com elementos tipicamente heráldicos, como os utilizados na Idade Média e no Antigo Regime — mesmo que em alguns casos eles tenham sido mais tarde simplificados e transformados em logomarcas modernas. Leão (o símbolo heráldico por excelência, o "rei dos animais" desde o século XII) aparece no brasão do Ajaccio, Aston Villa, Bayern Leverkusen, Brescia, Chelsea, Farense, Gueugnon, Lyon, Middlesbrough, Munique 1860, Sporting Lisboa e Zaragoza; castelo ou torreão no do Athletic de Bilbao, Braga, Everton, Farense, Lens, Newcastle, Notts County, Vitória de Setúbal e West Ham United; coroa no do Betis, La Coruña, Espanyol, Huelva, Mônaco, Nice, Osasuna, Las Palmas, Racing Santander, Real Madrid, Real Sociedad, Valladolid, Villareal e Zaragoza; cruz de diferentes tipos no do Auxerre, Belenenses, Celta de Vigo, Metz, Milan, Parma e Toulouse; dragão no do Cannes, Metz e Perugia; rosa no do Blackburn; guerreiro medieval no do Chievo, Doncaster Rovers, Notts County, Port Vale e Vitória de Guimarães; flor-de-lis no da Fiorentina; grifo no do Venezia.

Qualquer que seja o uso dado ao brasão dos clãs futebolísticos, no seu processo de formação, como no dos brasões das sociedades arcaicas, as cores desempenham papel central. De um lado, por definir a identidade comunitária para si mesma, como ilustra o caso de dois clubes de uma mesma cidade, o Everton e o Liverpool. O primeiro, fundado em 1878, tinha como cor o azul, porém algum tempo depois mudou para o vermelho. Quando um grupo de jogadores deixou o clube para fundar o Liverpool, em 1892, adotou então o azul. Mas em 1896 o Everton voltou à cor original e o rival passou ao vermelho, que acabaria por identificá-lo de tal forma que se tornou o apelido do time (Reds). Essa mesma oposição cromática, também com conotação sociológica, aparece nos diferentes tons de vermelho do Milan, do Torino e da Roma para sugerir clãs do proletariado urbano, e nos tons de azul da Internazionale e da Lazio para apontar, respectivamente, clãs da burguesia urbana e da aristocracia fundiária. Também é por razão ideológica que a seleção holandesa não adotou as cores nacionais (bandeira vermelha, branca e azul em faixas horizontais), e sim o laranja da dinastia Orange, que no século XVI libertou o país da ocupação espanhola. A seleção italiana igualmente não recorre às cores da bandeira (verde, branco e vermelho em listras verticais), e sim, desde 1912, ao azul da dinastia de Savoia, que governava o país, daí seu apelido futebolístico (Azzurra).

De outro lado, a escolha das cores serve para cada clube construir a imagem que deseja ter para as outras comunidades. É o que mostra o caso do Milan, de acordo com um dos fundadores do clube, Herbert Kelpin: optemos pelo "vermelho porque somos diabos. Coloquemos um pouco de preto para dar medo a todos". Pela mesma lógica, os jogadores do Manchester United, devido à cor de sua camisa, são chamados de Red Devils, os do Independiente de Diablos Rojos, os da seleção belga de Diables Rouges (sua camisa adota apenas essa cor da bandeira nacional, que tem preto, amarelo e vermelho em faixas verticais). É curioso como a percepção intuitiva do vermelho foi de certa forma confirmada por pesquisa da Universidade de Durham, na Inglaterra, noticiada pela revista portuguesa *Sábado* (25/5/2005). Tal cor está associada a maior nível de testosterona, portanto de agressividade e capacidade física, como indicaram os resultados de quatro esportes de combate nos Jogos Olímpicos de 2004. Se confirmado esse estudo inicial, não seria então por casualidade que até 2007, inclusive, 42% dos títulos da Liga dos Campeões foram arrebatados por clubes cuja camisa é totalmente vermelha ou tem importante presença daquela cor.[1] Na Taça Libertadores ocorre fenômeno comparável: mais de 36% dos vencedores.

No Brasil, país de identidade nacional ainda em construção quando da introdução do futebol, a questão das cores não poderia ser menos importante. É bem conhecido que a própria seleção abandonaria a camisa branca usada até 1950, inclusive, para adotar a desde então clássica amarela com punhos e colarinho verdes, baseada na bandeira nacional. Em certas comunidades clubísticas a escolha das cores revestiu-se de enorme peso simbólico. Às vezes a pressão do contexto histórico foi determinante. Dois clubes de colônia, o Palestra Itália de São Paulo (1914) e o Palestra Itália de Belo Horizonte (1921), para expressar orgulho por sua origem adotaram símbolos nacionais italianos. A primeira camisa do clube paulista era branca com o escudo da dinastia reinante de Savoia em vermelho. Logo se tornou verde com punhos e colarinho brancos e vermelho no monograma do escudo, isto é, as cores nacionais italianas. O uniforme do Palestra mineiro também tinha essas três cores. No entanto, devido à posição brasileira na Segunda Guerra Mundial, ambos precisaram se distanciar de suas raízes estrangeiras, mudando de nome e de cores. O clube paulista adotou rótulo bem brasileiro, já utilizado anteriormente por outras equipes — Palmeiras — e guardou como cor básica o verde da bandeira italiana e daquela árvore. O clube mineiro seguiu o mesmo procedimento e assumiu nome brasileiro já empregado por outros

1. Nesse cálculo entrou apenas a camisa usada nas decisões. Por exemplo, as conquistas do Bayern de Munique de 1974 e 1976, com camisa com pouco vermelho, não foram computadas, e sim as de 1975 e 2001, com uniforme inteiramente daquela cor. O Milan venceu uma única vez com a camisa rubro-negra (1969); das outras usava o uniforme reserva, apenas com filetes vermelhos (1963, 1989, 1990, 1994, 2003 e 2007). Mas como a competição não é constituída apenas pela partida final, se computadas todas as conquistas de clubes com camisa principal chega-se a quase 60%.

clubes do estado — Cruzeiro. A camisa tornou-se inteiramente azul, como o céu onde resplandece a constelação daquele nome, e também como a da seleção italiana.

O terceiro elemento citado por Mauss é importante sem ser indispensável, pois há "clãs sem totem, mas não totem sem clã". A palavra totem, vinda do vocabulário dos índios norte-americanos ojibwa com o significado de "sinal", "marca", "família", indica objeto que serve ao mesmo tempo de identificador de pertencimento à comunidade e de cimentador dessa identidade coletiva. É representação de animal (às vezes de vegetal, mais raramente de objeto) considerado ancestral e protetor do grupo. Sem entrar na discussão muito técnica, que não interessa aqui, do significado do totemismo, quer dizer, da organização social centrada no totem, lembremos apenas a antiga definição do antropólogo norte-americano Alexander Goldenweiser: "socialização de objetos e símbolos de valor emocional". Ora, como a imagem de um clube de futebol inegavelmente é objeto de alto valor emocional compartilhado por seus seguidores — que chamam a camisa com as cores e o brasão de "manto sagrado" — pode-se dizer que eles compõem uma sociedade totêmica.

O animal-totem é associado a clubes de futebol por meio de diferentes mecanismos. Algumas vezes por iniciativa da própria instituição, outras vezes da torcida, outras ainda de uma torcida adversária. A conexão em certos casos baseia-se em dado concreto, outras vezes é imaginária. De qualquer forma, tanto no politeísmo do futebol (item 7.1) quanto no dos gregos antigos, não é raro uma divindade assumir forma animal. Assim como Posídon é cavalo e Hécate cadela, o Brasiliense é jacaré, o Cosmos de Nova York coelho, o Grasshopp-Club Zürich gafanhoto, o Lille cão de guarda, o Napoli asno, a Ponte Preta macaca, o Santos peixe, o Sedan javali, o Sport do Recife leão, o Taubaté burro, o Universidad do México puma, o Valencia morcego etc. Animais variados, como mostram os exemplos de Minas Gerais: o Atlético é galo, o América coelho, o Cruzeiro raposa, o Democrata jacaré, o Nacional elefante, o Siderúrgica tartaruga, o Uberaba zebu, o Uberlândia periquito, o Valeriodoce araponga, o Vila Nova leão. O fenômeno é comum no mundo do futebol. Limitando-nos a dois grandes países boleiros — Inglaterra e Itália —, os animais podem ser selvagens (tigre do Hull City, raposa do Leicester City, zebra da Juventus, leão do Millwall, loba da Roma, lobo do Wolverhampton), domésticos (cão do Blackburn Rovers, vira-lata do Barnsley, gato preto do Sunderland, cavalo trotador do Bolton Wanderers, carneiro do Derby County, touro do Torino), aves (galo anão do Bradford City, pintarroxo do Bristol City, pássaro azul do Cardiff City, canário do Norwich City, tordo do West Brom), insetos (abelha do Brentford, vespa do Watford) ou répteis (serpente da Internazionale).

Um mesmo animal pode estar associado a mais de um deus. Na mitologia, o lobo era o totem de Apolo e de Ares, o touro de Zeus, Dioniso e Posídon, a serpente de Apolo, Atená e Hermes. No futebol, a águia é totem do Benfica, do Crystal Palace e da Lazio, o cervo do Mansfield Town e do São Paulo, a coruja do Oldham Athletic e do Sheffield Wednesday, o galo do Atlético Mineiro, do Paulista de Jundiaí e do Treze de Campina Grande (PB), o pega (tipo de corvo) do Newcastle United e do Notts County, a raposa do Freiburg e do Cruzeiro de Belo Horizonte. Acontece de vários animais serem associados a um mesmo deus, como a águia, o touro e o cisne a Zeus; a serpente, o tigre, o lince e a pantera a Dioniso; o tigre, o leão e a serpente a Tétis; o gambá e o gavião ao Corinthians; o periquito e o porco ao Palmeiras. Às vezes a rivalidade entre os deuses é expressa pela rivalidade entre seus animais, como o abutre de Ares e a coruja de Atená (que lutaram em campos opostos na célebre Guerra de Troia), ou o galo do Atlético Mineiro e a raposa do Cruzeiro. Às vezes recorre-se a algum animal fantástico, como o leão azul do Remo (Belém do Pará), o grifo do Genoa, o dragão vermelho do

Wrexham (País de Gales), o unicórnio do Amiens, a mítica Liver Bird, mescla de águia e alcatraz, símbolo da cidade de Liverpool e do clube de mesmo nome. Ou a mítica ave fênix renascendo das próprias cinzas, que o Manchester United usou de maneira excepcional na camisa da final da Copa da Inglaterra de 1958, semanas depois de um acidente aéreo ter matado boa parte do time.

Se em todo fenômeno humano existe "uma representação da sociedade por ela mesma", segundo a expressão do historiador Roger Chartier, talvez a mais totalizante das representações seja o futebol. E nele os enfrentamentos entre clubes ao mesmo tempo próximos e diferentes. É significativo que se tenha guardado para designar tais confrontos o termo dérbi, que na origem referia-se à partida do futebol pré-moderno jogado na Terça-Feira Gorda entre duas paróquias da cidade inglesa de Derby e desde 1909 às partidas entre times de uma mesma localidade. De toda forma, os dérbis atualizam rivalidades ancestrais, oposições (reais ou imaginárias) políticas, religiosas, étnicas. Fla-Flu, Corinthians-Palmeiras, Ponte Preta-Guarani, River-Boca, Internazionale-Milan são exemplos bem conhecidos. Todavia, nenhum supera a intensidade das partidas entre os dois grandes clubes de Glasgow, na Escócia, país onde surgiu, aliás, por volta de 1425, a própria palavra *clan*.

O Glasgow Rangers, fundado em 1872 por protestantes e unionistas (favoráveis ao Reino Unido, à manutenção da união política com a Inglaterra), tem as mesmas cores — branca, azul e vermelha — da bandeira inglesa. Sectário, o clube não aceitava católicos mesmo como simples empregados. Quando 117 anos depois da fundação do clube pela primeira vez foi contratado, em 1989, um jogador católico (Mo Johnston), torcedores inconformados colocaram uma coroa fúnebre no estádio, discordando da decisão dos dirigentes. Um técnico católico foi contratado pela primeira vez em 2006. O sectarismo da sua torcida é tão grande que mesmo uma revista inglesa dedicou-lhe extensa matéria, com o título "Por que

1. Futebol no século XVIII.

2. Inauguração de Wembley.

3. Os onze participantes da reunião de 1863.

4. O futebol na frente de guerra.

5. Seleção alemã com suástica.

6. Arquibancada privativa do Fluminense.

7. O time do Vasco de 1923.

8. Metáfora futebolística da política nacional.

9. Maracanã na final de 1950.

10. O chute decisivo da Copa de 1954.

11. Saudação fascista do Athletic Aviación Club, futuro Atlético de Madrid.

12. Comemorações da Copa de 1958.

13. O presidente Médici, sem a farda de general, cabeceia uma bola em comemoracão à vitória do Brasil.

14. Gaviões da Fiel e faixa pela anistia.

15. O mundo do futebol no comício das Diretas.

16. Saudação fascista dos árbitros em 1934.

17. Preconceito uruguaio contra o Brasil em 1950.

18. Futebol feminino no início do século XX.

19. Relógio de Old Trafford.

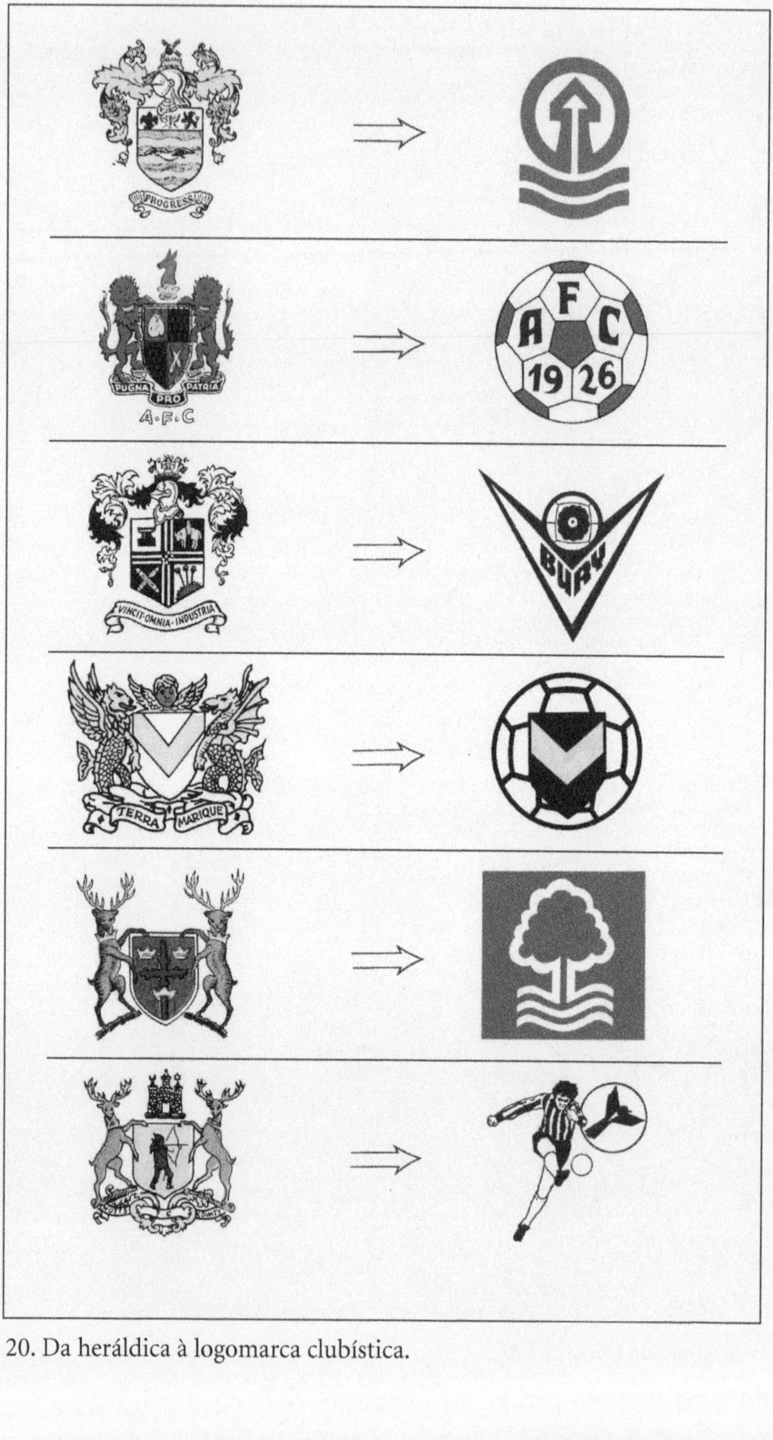

20. Da heráldica à logomarca clubística.

21. O deus clubístico na pele do herói.

22. Final da Olimpíada de 1920.

23. Organização piramidal revelada pela foto do time.

24. O sistema diagonal.

25. O sistema WM.

26. O 4-2-4 húngaro.

27. "Futebol é religião".

28. Torcedor idolatra Bill Shankly.

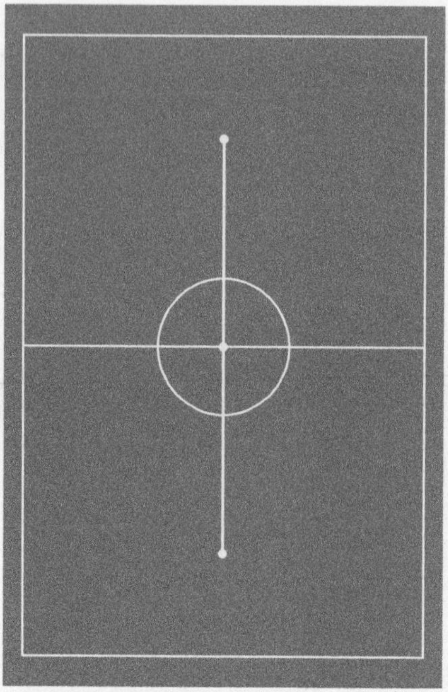

29. Esquema da cruz inscrita no campo.

30. Claustro de Le Puy.

31. Flamengo pede bênção.

32. Rogério Ceni abraça árbitro.

33. Caixão do Leeds.

34. Caixão do Cruzeiro.

35. Voleio de Zidane na final de 2002.

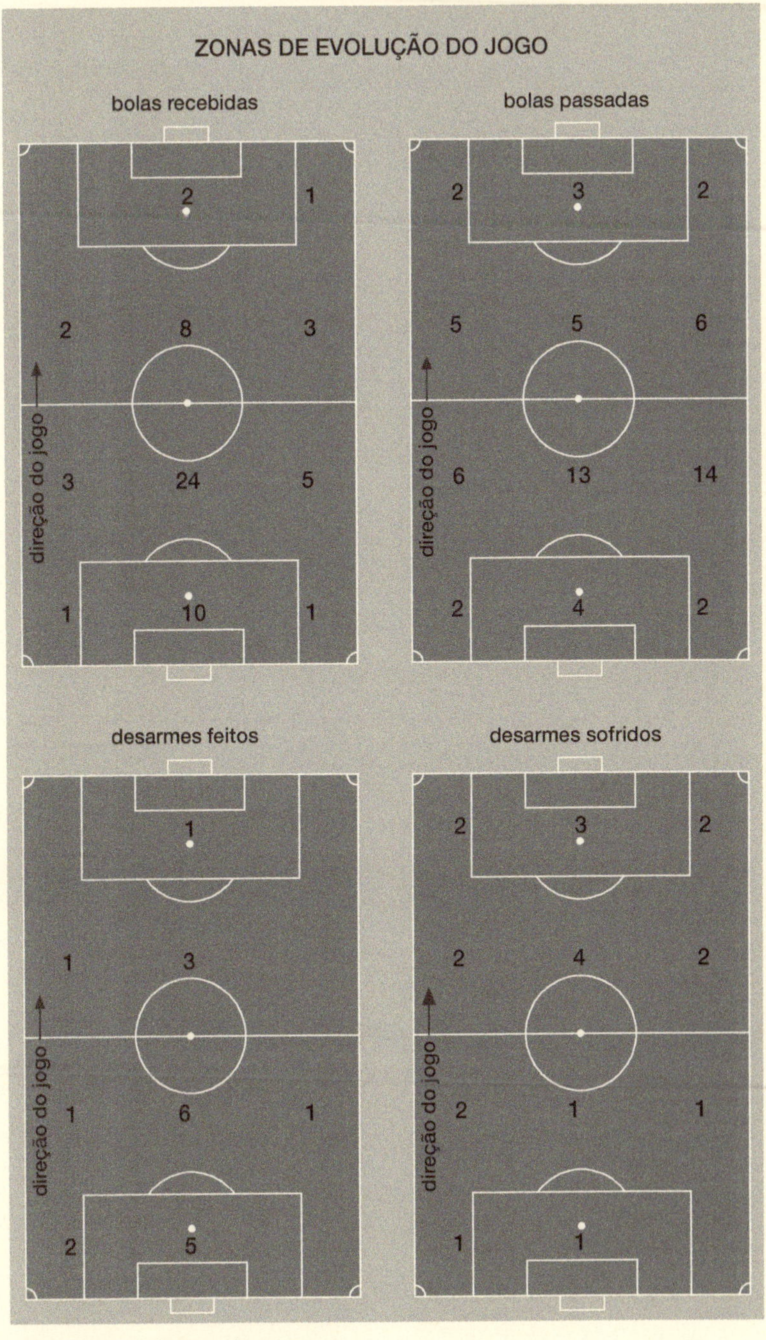

36. Esquema de jogo de Sammer.

Analysis of the World Cup Match between Argentina and France

FIRST HALF

The 1978 World Cup encounter between Argentina and France. (Argentina played in striped shirts of white and pale silvery-blue, with dark shorts and white socks; France played in plain shirts of bright blue, with white shorts and red socks. In order to provide maximum contrast in the chart above, Argentina are shown as *blue*, and France as *red*.) Every spot in the chart represents a single ball-contact, as shown in the key.

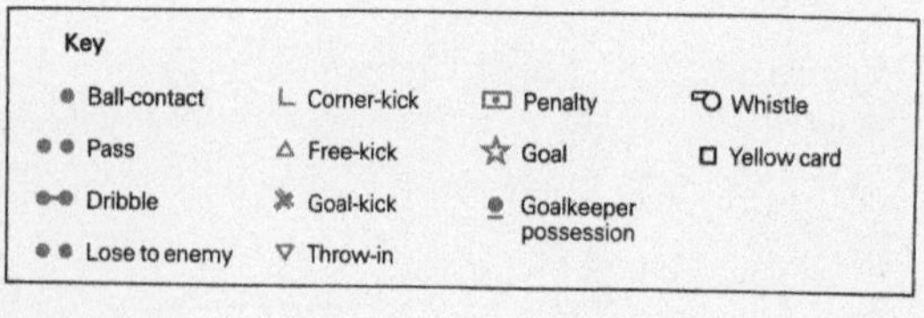

96 THE CENTRAL RITUAL

37. "Diálogo" Argentina-França de 1978.

SECOND HALF

FULL TIME

38. Roda da Fortuna.

odiamos todos os Rangers" (*Total Football*, novembro/1995). O Celtic Glasgow surgiu em 1888 por iniciativa de católicos, associou-se ao processo de autonomia irlandesa, adotou o verde e o trevo emblemáticos da Irlanda. Seu fundador foi o arcebispo local, e o jornal católico da cidade assinalou "enxames de padres" assistindo às primeiras partidas do clube (*Glasgow Observer*, 2/6/1888). Os apelidos desses clãs sintetizam sua incompatibilidade. Uns são o Pope's Eleven, o time do papa. Os outros são os Billy Boys, referência a William III, o rei inglês protestante que em 1690 reconquistou a Irlanda; aliás, em algumas partidas do Rangers a torcida leva uma grande faixa em que está escrito "Remember 1690". A oposição político-religiosa tem conotação étnica, já que os adeptos do Celtic consideram-se de origem celta, o povo que habitava as ilhas britânicas antes da invasão dos anglo-saxões, no século V, dos quais os seguidores do Rangers se veem como descendentes.

Diante de todas as considerações anteriores, não é absurdo ver o futebol como criador da rede de relações que os antropólogos chamam de parentesco artificial. Para que o indivíduo se integre nessa rede e se torne efetivamente membro do clã, há sempre algum rito de passagem, cerimônia que assinala socialmente uma mudança de condição, de idade ou de lugar. Mais do que isso, é cerimônia que humaniza o indivíduo do ponto de vista do clã, quer dizer, atribui a ele imagem positiva segundo o sistema de valores da comunidade. Às vezes isso é feito através de ato único, como ficar uma noite na floresta ou numa gruta, ou participar de certo tipo de festa. Outras vezes é a repetição de um gesto por algum tempo que marca a passagem, como portar determinada vestimenta ou adereço.

No futebol isso se revela de várias formas. Um jogador reconhecido e recém-contratado posará para jornalistas e torcedores vestindo a camisa do novo clube, quer dizer, portando o brasão do clã do qual passa a fazer parte. Na Inglaterra, os jovens jogadores, segundo um costume antigo e ainda em vigor, limpam e engraxam as chuteiras dos profissionais. No Brasil, em certas torcidas uniformizadas os novatos levam pancadas nos dedos e na cabeça, ou recebem na boca cusparadas dos mais antigos, ou ficam algum tempo presos em porta-malas de ônibus. Menos agressivo fisicamente, porém com o mesmo sentido de introdução visível no clã, está o hábito de certos pais vestirem o filho recém-nascido com o uniforme do clube. A unidade e a lealdade clânicas são fundamentais, por isso estão indicadas em inscrição na porta do estádio de Anfield Road, do Liverpool (*You never walk alone*), na divisa do Benfica (*Et pluribus unum*), na faixa que os seguidores do Milan frequentemente estendem "*ti seguirò ovunqual tu sarà*", no hino do Grêmio Porto Alegrense ("até a pé nós iremos/ [...] com o Grêmio onde o Grêmio estiver"), dentre outros exemplos possíveis. O sentimento de pertencer ao clã transcende a vida do indivíduo. Quando o Manchester United venceu a Copa dos Campeões depois de 31 anos, o técnico Alex Ferguson associou à vitória o técnico da primeira conquista: "Acho que no dia de seu nonagésimo aniversário sir Matt Busby, lá do alto, também chutou aquela bola na prorrogação".

6.2 A DANÇA SAGRADA

Entre dança e jogo, afirma Huizinga, há relação "quase de identidade essencial"; ela "é uma forma especialmente perfeita do próprio jogo". É verdade, porém aquela que nos interessa aqui não é uma dança neutra, executada por mera diversão, e sim por razões funcionais. É a dança ritual praticada por quase todas as sociedades ao longo da história como manifestação do espírito clânico. Dança propiciatória que estimula as forças benfazejas da natureza, que cimenta laços sociais, que expressa a força e a habilidade do grupo, que reescreve idealizadamente a história da comunidade, que reaproxima o mundo humano do mundo sagrado. Danças sagradas existiram no Egito faraônico, em Israel, nas culturas da Ásia central, na Índia, na China, no Japão. Sem incorporá-los na liturgia oficial, as religiões judaica e muçulmana permitem ritos dançados. O cristianismo primitivo praticava-os como forma de honrar a Deus, seguindo o exemplo do povo hebreu após a travessia do mar Vermelho e do rei Davi diante da Arca da Aliança. Na Europa medieval, em certos momentos do calendário litúrgico havia danças inclusive no interior das igrejas. Como a hierarquia eclesiástica temia, contudo, que a sensação algo hipnótica dos movimentos rítmicos levasse ao estado de transe e assim à comunicação direta com Deus, a partir do século XVI a dança passou a ser reprimida. Contudo, ainda no século XVII, na catedral Saint-Étienne de Auxerre, na Borgonha, os cônegos realizavam uma dança processual durante a qual jogavam uma bola no capuz do colega que o precedia. A longo prazo, a supressão de danças sagradas contribuiu para a crise espiritual do Ocidente no século XIX, como Nietzsche percebeu. Não se poderia, então, formular a hipótese ousada, mas talvez fecunda, de que se o futebol surgiu naquele momento foi como resposta espontânea àquela falta?

É possível, porque dança é liturgia com os pés. É significativo que, enquanto a dança de outros ambientes culturais (como a Ásia ou a Grécia antiga) valorizava os braços, a do Ocidente, a partir do século XVI, está centrada nas pernas. O futebol parece ser o sucedâneo moderno desse tipo de dança, concorrencial e sacrificial, daí a imagem de dança ter acompanhado aquele jogo ao longo do tempo. Para descrever a incrível vitória húngara sobre a Inglaterra em Wembley, por 6 a 3, o *France Soir* (26/11/1953) falou em "magistral balé de futebol de admirável pureza". Para descrever os dribles de Raymond Kopa, o grande jogador francês do começo da década de 1950, a revista *Miroir-Sprint* afirmou que, "a rigor, ele dança". O técnico da Colômbia nas Copas de 1990 e 1994, Francisco Maturana, disse certa feita que "o futebol é música, é uma questão de suingue. Vi treinadores que no momento de recrutar jovens em primeiro lugar pediam-lhes para dançar. Eles pensavam que aqueles que dançassem melhor exprimiriam maior habilidade, e acho que tinham razão". É compreensível, então, que no mundo do futebol a performance muito superior de um time sobre outro seja chamada de "baile". Mas há muitas formas de bailar, pois, como o antropólogo inglês Edward Evans-Pritchard propôs há muito tempo, toda dança é representação da organização social. Trazendo essa ideia para o mundo do futebol, talvez se possa dizer que ao tango e seus passos firmes, suas viravoltas bruscas, sua alternância de ritmo, ora rápido, ora lânguido, corresponde o futebol argentino de muitos passes e fintas curtas. Ao samba, com seus movimentos livres, suas gingas e seu ritmo acelerado, corresponde o futebol brasileiro de muita improvisação e dribles. Às várias danças tribais dos africanos, muito atléticas e plásticas, corresponde o futebol feito de imaginação e força que as nações negras, apesar de grande diversificação, praticam.

A dança do futebol é constituída de gestos técnicos, precisos, não aleatórios, de controle do espaço, do tempo e do Outro. Como o jogo com bola que, na *Odisseia*, o poeta grego Homero considera uma dança, embora profana. E de fato, no futebol como em toda dança, o corpo é instrumento de comunicação, de dominação, de excitação, de sublimação. E também de entrega, de autoabandono, de cooperação — o que nos primeiros tempos do futebol causou estranheza aos praticantes de outros esportes. Mário Filho lembra que no Rio de Janeiro o futebol "tinha, para o remador, uma delicadeza de balé. Jogadores correndo atrás de uma bola, levantando a perna, dando saltinhos". E contudo, tanto quanto no remo, o ritmo é fundamental no futebol. Seja mais cadenciado, à imagem daquele imposto pelo maestro Ademir da Guia no grande Palmeiras dos anos 1960-70, conhecido por isso como Academia, seja mais dinâmico como o do poderoso São Paulo de Telê Santana, que nas temporadas de 1992-3 trocava dezessete passes por minuto com 85% de acerto.

O futebol enquanto dança competitiva não é somente figura de linguagem, como alguém indiferente a ele poderia julgar. Para Gilberto Freyre, os brasileiros transformaram o jogo britânico "bem ordenado" em "dança cheia de surpresas irracionais e de variações dionisíacas". Muitos jogadores no Brasil dos anos 1930 e 1940 ficaram famosos por serem grandes bailarinos também fora de campo. Dentro do gramado o epíteto foi aplicado a muita gente. Por ser grande driblador, um médio do Fluminense da segunda metade da década de 1940, depois do São Paulo na primeira metade da de 1950, ficou conhecido por Pé de Valsa. Para Nelson Rodrigues, "numa simples ginga de Didi, há toda uma nostalgia de gafieiras eternas". Joãozinho, hábil ponta do Cruzeiro dos anos 1970, era chamado de Bailarino da Toca. E a associação futebol-dança não é exclusividade brasileira. Para o craque do Real Madrid dos anos 1950 Alfredo di Stéfano, "futebol e balé têm muitos pontos comuns. A habilidade, o equilíbrio e a imaginação são os fundamentos do jogo". Para Cruyff, ao definir o famoso carrossel holandês ao jornalista Alberto Helena Jr., "nós, os holandeses, cultivamos o círculo como uma forma perfeita, quase mágica. Nosso futebol não poderia ser diferente. Transferimos para o campo a espontaneidade e a tradição do nosso dia a dia. Por isso, podemos jogar com tanta fluência individual e tanta solidariedade. É como se estivéssemos dançando nossas danças, cantando nossas canções, cumprindo, enfim, nosso destino como nação" (*Folha de S.Paulo*, 9/5/1994).

Como a fronteira entre técnica e magia é sempre sutil e subjetiva, depende do conjunto de referenciais culturais do observador, a dança do futebol quando bem executada tende a ser considerada mágica. Ela parece desafiar as leis da natureza, como a dança da chuva dos indígenas norte-americanos. É o caso do chute de certos jogadores que fazem a bola descrever curvas inesperadas, que ludibriam barreiras e goleiros. Um exemplo é a famosa folha-seca, que se atribui a Didi. A magia futebolística feita com a bola hipnotiza o público. Ela pode ser produto de lance coletivo, da contribuição de vários feiticeiros para o resultado final. No entanto, impressiona mais quando resulta da atuação de um único indivíduo — os "atos mágicos" de Pelé ou Maradona, por exemplo, cuja lembrança é contudo dispensável aqui pela sua proximidade cultural e cronológica.

Tal forma de adjetivar certos lances ou jogadores é bem anterior. Na Copa de 1938, após o eletrizante Brasil 6 × 5 Polônia, em *A Gazeta* o conhecido jornalista Thomás Mazzoni definiu a atuação de Leônidas da Silva como "arte de bruxaria". Exagero tipicamente brasileiro? Os ingleses apelidaram o ponta-direita Stanley Matthews de The Wizard of Dribble, o mágico do drible. O circunspecto jornal londrino *The Times* de 4 de maio de 1953 saudou a excepcional partida do jogador de 38 anos na conquista da Copa da Inglaterra no dia anterior, pelo Blackpool, afirmando que "ele pode subitamente transformar ratos em cavalos". O jornal parisiense *L'Équipe* resumiu a apresentação da Seleção de Ouro húngara em Wembley como "deslumbrante magia" (26/11/1953). Alguns técnicos, pela sua capacidade de aumentar bastante a eficácia da dança futebolística, ficaram conhecidos como Mago (caso tanto do retranqueiro Helenio Herrera quanto do ofensivo Arrigo Sacchi), Bruxo (Fleitas Solich, da seleção paraguaia e do Flamengo) ou Feiticeiro (Raymond Goethals, da seleção belga, Anderlecht e Marseille).

O caráter sagrado da dança é com frequência reforçado por cantos e encantos. As canções e os gritos lançados pela torcida reforçam a identificação clânica e o espírito guerreiro dela própria e dos seus jogadores. "Foi o ruído da multidão que bateu a Inglaterra": assim Stanley Matthews explicou a derrota da seleção inglesa para a Escócia em 1937, no Hampden Park, diante de quase 150 mil entusiasmados escoceses. À dança bonita e eficiente no campo corresponde a dança nas arquibancadas. A famosa ola criada no

México, na Copa de 1986, difundiu-se por todo universo do futebol por sua plasticidade. As torcidas organizadas, na Europa e na América Latina, têm suas coreografias. Podem deslocar-se horizontalmente, bater os pés de forma acelerada, movimentar os braços acima da cabeça. Ou, hábito argentino adotado recentemente pelos torcedores do Grêmio Porto Alegrense, descer rapidamente, todos juntos, dos degraus superiores da arquibancada até a mureta que a separa do campo; é a chamada avalanche. No gramado, o sucesso na dança ritual, isto é, o gol, tem nos últimos anos gerado às vezes danças comemorativas específicas por parte do goleador e alguns companheiros. Até mesmo treinadores sisudos e vestidos de terno e gravata não resistem em certas circunstâncias a uma dança de júbilo, como fez o holandês Louis van Gall quando da vitória do seu Ajax de Amsterdã na final da Liga dos Campeões, após 22 anos de jejum na competição.

O uso de amuletos, objetos-fetiche, acompanha igualmente as danças sagradas. Seja nas sociedades arcaicas, seja no futebol, onde jogadores, treinadores e torcedores têm esses objetos supostamente favorecedores da correta execução da dança. E não se trata, como muitos pensam, apenas de hábitos irracionais praticados por indivíduos de baixo nível cultural. Um exemplo é Vittorio Pozzo, dirigente, jornalista e técnico da seleção italiana por muitos anos. Na viagem de volta de Budapeste, onde a Azzurra ganhara em 1927 a primeira Copa Internacional, antepassada da Eurocopa, Pozzo deixou cair o troféu conquistado e um pequeno fragmento dele se soltou. Esse pedacinho de metal tornou-se o amuleto que o acompanharia durante a Copa do Mundo de 1934, a Olimpíada de 1936 e a Copa de 1938. Como toda superstição, aquela era projeção sobre um objeto de sentimentos que o indivíduo não quer reconhecer em si. Apenas muitos anos mais tarde ele admitiu: "Eu tinha necessidade de acreditar em algo". Décadas depois seu colega Gérard Houllier (Liverpool, Lyon, seleção francesa) definiu bem esse sentimento: "Superstição é o medo". O recurso a amuletos, assumidos enquanto tal ou disfarçados sob a forma de objetos modernos, é realidade antropológica inquestionável. E no mundo do futebol, que depende muito do aleatório, não poderia ser diferente.

Um tipo particular de amuleto, inscrito no próprio corpo, era comum em certas sociedades tradicionais para marcar o pertencimento ao clã e aumentar a eficiência mágica da dança. Na cultura judaico-cristã, contudo, a tatuagem foi por muitos séculos considerada degradação do templo da alma que é o corpo humano, daí sua proibição no Levítico e seu uso em escravos e prisioneiros de campos de concentração. Entretanto, com o surgimento de novas formas de religiosidade no Ocidente, marcar o próprio corpo passou a ser sinal positivo de autoentrega a determinado grupo cultural. O futebol, talvez a mais importante das religiosidades laicas (capítulo 7), não ficou imune a essa tendência. Torcedores ardorosos tatuam o nome e/ou o escudo do clube. Ou, variação menos agressiva, pintam o rosto com as cores do clube ou da seleção nacional, como foi feito oficialmente no sorteio das chaves da Copa da Alemanha com representantes de todos os países participantes. Jogadores bem identificados com um clube e seu significado cultural fazem o mesmo. Cristiano Lucarelli (artilheiro italiano em 2004-5), por exemplo, desde criança torcedor da AS Livorno, clube-símbolo dos trabalhadores portuários daquela cidade onde foi fundado o Partido Comunista Italiano, criou em 1999 uma torcida organizada e tatuou no antebraço o símbolo do clube que viria a defender somente mais tarde. O centroavante brasileiro Adriano preparou-se para a guerra simbólica de um dérbi milanês em fins de 2005 mandando tatuar no braço direito um versículo bíblico. O ato de se fazer tatuar é típico rito de passagem que o indivíduo realiza na esperança de ser levado a outro plano de relação com a divindade clubística.

Todo o ambiente da dança sagrada — dançarinos, espectadores, amuletos, instrumentos — caracteriza-se por profusão de cores. Estas não são mero elemento decorativo, e sim constitutivo da própria sacralidade da cerimônia. Na dança sagrada da contemporaneidade que é o futebol, acontece o mesmo. Mas, como em qualquer cultura, a escolha de cores responde a certas condições históricas. E ela deve ser tomada em conta na análise antropológica do futebol. Nos seus primeiros tempos, por exemplo, décadas finais do século XIX e iniciais do XX, apenas duas cores eram consideradas moralmente aceitáveis para todos os personagens do jogo. Tudo que tocava o corpo deveria ser puro, quer dizer, branco, tudo que o recobria externamente deveria ser digno, isto é, escuro. Daí o surgimento naquela época de várias equipes de camisas alvinegras, dentre elas o Notts County (1862), a Acadêmica de Coimbra (1876), o Grimsby Town (1878), o Newcastle (1882), a Udinese (1896), a Juventus (1897), o Ascoli (1898), o Borussia Mönchengladbach (1900), o Olimpia do Paraguai (1902), o Wanderers de Montevidéu (1902), o Freiburg (1904), o Siena (1904), o Botafogo do Rio (1904), o Atlético Mineiro (1908), o Corinthians (1910) e o Santos (1912) nas suas camisas reservas, o Tupi de Juiz de Fora (1912), o XV de Novembro de Piracicaba (1913), a Internacional de Limeira (1913), o Rio Branco de Americana (1913), o Santa Cruz do Rio Grande do Sul (1913), a União Barbarense (1914), o Ceará (1914), o ABC do Rio Grande do Norte (1915), o Central de Caruaru (CE, 1919), o Figueirense (1921).

Outra cor sóbria, considerada aparentada ao preto, o azul também foi bastante usado pelos clubes mais antigos. Um bom exemplo da superposição simbólica dessas duas cores está no Wanderers de Montevidéu, cuja primeira camisa, de 1902, era em listras verticais brancas e azuis e a partir de 1903 em listras brancas e negras. Às vezes o azul foi associado ao próprio preto, caso da camisa do Atalanta (1907) e da Internazionale (1908). Mais frequentemente na sua função de sucedâneo do negro, o azul aparece junto ao branco, como no uniforme do Sheffield Wednesday (1867), do West Brom (1878), do Porto (1893), do Alianza de Lima (Peru, 1901), do Racing de Buenos Aires (1903), do São José de Porto Alegre (1913), do Talleres de Córdoba (Argentina, 1913), do São Raimundo (Manaus, 1918), do Esportivo de Bento Gonçalves (RS, 1919), do Avaí (Florianópolis, SC, 1923). Na maior parte dos casos, as duas cores (sejam elas branco e preto ou branco e azul) apareceram nas camisas de clubes de futebol em listras verticais. Tratava-se de recuperação valorativa recente. Baseada em determinação bíblica (*Levítico, 19,19*), a sociedade cristã ocidental, pelo menos entre os séculos XII e XVIII, tinha considerado tecidos listrados uma marca diabólica. A partir do século XIX, porém, as mudanças sociais e culturais inverteram essa apreciação e atribuíram às listras, e suas variantes, valor positivo. Algumas vezes faixa diagonal, caso do Vasco da Gama (1898) e da Ponte Preta (1900). Outras vezes a divisão vertical da camisa em duas metades, opção do Blackburn Rovers (1875) e do Pachuca do México (1910). Outras ainda em quatro grandes quadrados, escolha do Bristol Rovers (1883) e do Boa Vista de Portugal (1903). Raramente listras horizontais, caso do Reading (1871) e do Queen's Park Rangers (1882).

Se equipes tradicionais como o Benfica (1904) adotaram outra cor (no caso, vermelha), é porque Lisboa já tinha um time com uniforme de listras alvinegras, o Clube Internacional de Futebol (pouco conhecido porque não aderiria mais tarde ao profissionalismo), fundado em 1902. No futebol inglês de fins do século XIX, era comum uma equipe toda vestida de branco e outra de calção preto e camisa de faixas verticais brancas e pretas. Mesmo seleções nacionais jogavam assim, independentemente das cores de suas bandeiras. É o que mostram na final da Olimpíada de 1920 a Tchecoslováquia, com listras verticais brancas e pretas, e a Bélgica, com uniforme totalmente negro. Na América Latina a diversificação era maior, por ser região menos tocada pela Reforma Protestante e pela Revolução Industrial, matrizes daquela hierarquia cromática, e por influência de sua própria herança cultural indígena e africana. Ainda assim, o puritanismo cromático estava ali presente. O primeiro uniforme do Fluminense, de 1903, tinha camisa dividida em duas metades verticais, branca e cinza. Ao uniforme alvinegro, o Botafogo do Rio juntou meias cinza. O América carioca, nascido em 1904, tinha uniforme todo negro antes de adotar, em 1908, o atual, vermelho. Foi graças às mudanças culturais provocadas pela Segunda Guerra e pelo maior contato com as Américas que a partir da década de 1950 a policromia desenvolveu-se no futebol europeu.

De acordo com a mesma lógica cromática, por décadas o árbitro vestiu-se apenas de negro, cor da autoridade, como faziam o juiz e o policial (cujo atributo era naquela época o mesmo do árbitro — o apito). Quando ele passou a usar cartões para punir certas jogadas, as cores escolhidas respondiam naturalmente às necessidades do futebol enquanto espetáculo. Não por acaso foi em 1970, na primeira Copa do Mundo televisionada em cores, que os cartões surgiram. Ademais, eles prolongavam antigo simbolismo cromático. O vermelho era desde a Idade Média cor do pecado, por associação com a maçã indevidamente comida no Paraíso, e cor do crime, por associação com o sangue derramado. Por muito tempo foi cor dos condenados e das prostitutas, ainda hoje é cor da proibição, como na sinalização de trânsito. E na exclusão de um futebolista de campo. O amarelo veio a se tornar com o tempo um vermelho degradado, um passo anterior a ele, como nos semáforos e no cartão de advertência a um jogador. Daí, aliás, alguns clubes de camisa vermelha, como o Arsenal, ou grená, como o Barcelona, terem o segundo uniforme em amarelo.

Em muitas sociedades arcaicas a principal dança sagrada é uma dança de guerra. Algumas vezes, dança por meio da qual a comunidade agradece aos deuses pela vitória. Na maioria das vezes, dança que antecede e prepara o combate. O deus grego da guerra, Ares, antes dançava, depois lutava. Zeus, o chefe do panteão, tinha seus dançarinos guerreiros. As danças de combate constituem-se em fenômeno muito difundido, limítrofe entre o natural e o cultural. No reino animal, os gansos praticam agressão ritualizada, como demonstrou o etólogo austríaco e Prêmio Nobel Konrad Lorenz. Originalmente, o grasnar hostil dos machos da espécie era para impressionar as fêmeas, porém com o tempo acabou por se tornar uma espécie de jogo que desvia a agressividade para inimigos externos ao grupo. Em razão disso, gansos domesticados apresentam comportamento patológico, e Lorenz sugeriu que algo semelhante ocorre com humanos, já que a civilização não oferece escoadouros suficientes para nossa agressividade natural. Talvez por isso muitas sociedades tradicionais tenham guerras lúdicas, caso da chamada "pequena guerra" dos indígenas do Sudeste dos Estados Unidos, dos torneios de lutas entre aldeias da África, da competição perpétua entre dois grupos de povoados de uma ilha da Oceania, Rotuma, na qual a única vantagem do vencedor era poder guardar uma mascote.

O certo é que para muitas civilizações a dança era guerreira por ser sagrada e sagrada por ser guerreira. Se pelos valores atuais a guerra é atividade moralmente condenável, ela foi exaltada ao longo da história por muitas religiões fundadas sobre a ideia de sacrifício. Na judaica, Iavé é essencialmente guerreiro, como ele próprio reconhece: "Minhas flechas se embriagarão de sangue, minha espada se alimentará de carne" (*Deuteronômio, 32, 42*). Na grega, a guerra é ato fundador, os deuses do Olimpo ganharam poder graças à titanomaquia, a luta contra os titãs ou deuses da geração anterior. O Ocidente não negaria sua dupla maternidade cultural, e ainda no século XIX o comandante prussiano Helmuth von Moltke dizia que "a guerra põe em jogo as mais belas virtudes do homem: coragem e renúncia, fidelidade ao dever e abnegação que não recua perante o sacrifício da própria vida. Sem a guerra, o mundo atolar-se-ia no materialismo". Um século depois, seu conterrâneo Udo Lattek, treinador do Barcelona, parece ter concordado e estimulou seus jogadores a praticar um futebol violento quando da final da Copa das Copas de 1982, dizendo-lhes que "isso será guerra, e nós ganharemos". Testemunha e analista da Primeira Guerra Mundial, o psicólogo norte-americano George Partridge observou que a guerra responde às mesmas necessidades emocionais que "o amor, a religião, a embriaguez, a arte". Nada estranho, portanto, que a guerra desperte sempre entusiasmo e um sentimento que é menos de ódio e mais de algo elevado, quase sagrado. Como no futebol.

6.3 A GUERRA SIMBÓLICA

Toda sociedade consente alguma forma de violência considerada legítima (prisão, tortura, execução, sacrifício) para controlar violências ilegítimas (roubo, coação, assassinato). Se muitas culturas aceitaram ou aceitam a ideia de sacrifício ritual de alguns indivíduos, todas concordam explícita ou implicitamente com a ideia da guerra como sacrifício coletivo. A morte de certo número de pessoas, oferecidas aos deuses ou à sociedade, significa a sobrevivência das outras. A guerra é síntese e ápice dessa crença. Se a guerra, conforme a célebre definição de Carl von Clausewitz, é "continuação da política por outros meios", o futebol pode ser considerado continuação — ou prevenção — da guerra por outros meios. Talvez não seja casual que nas culturas hindu, islâmica e judaica, que aceitam o sacrifício ritual, o futebol não tenha a mesma difusão que no Ocidente cristão.

Futebol é guerra simbólica. Seu caráter guerreiro transparece em diversos indícios. A linguagem usada nele tem expressões significativas, como "matar a bola", "matar a jogada" ou "matar o jogo". O jogador encarregado de fazer a maior parte dos gols da equipe é o "artilheiro", o "matador", o carrasco dos adversários. O representante do time junto ao árbitro é conhecido por uma patente militar, "capitão". Certos futebolistas, devido à disposição mostrada durante as partidas, ganham o apelido de "guerreiro", outros em razão de sua força física são chamados de "tanque". Vavá, o centroavante brasileiro nas Copas de 1958 e 1962, era Peito de Aço. A própria partida é "confronto", "duelo", "embate", "encontro", "peleja". Na década de 1940, comparando as seguidas vitórias do Exército alemão com as do São Paulo de Leônidas e do Internacional de Tesourinha, a imprensa brasileira chamou os dois times de Rolo Compressor.

Ainda hoje times ingleses guardam apelidos de conotação guerreira, como Canhoneiro (Arsenal), Martelo (West Ham), Pirata (Bristol Rovers), Valente (Port Vale), Ferro (Scunthorpe United), Lâmina (Sheffield United). Seus escudos têm motivos militares: um cavaleiro com armadura e lança em riste no do Port Vale (fundado em 1876), um guerreiro com capacete e espada no do Doncaster Rovers (1879), um canhão no do Arsenal (1886), dois sabres cruzados no do Sheffield United (1889), uma mão segurando uma espada no do Charlton Athletic (1905). Mesmo em contextos mais recentes e mais calmos as metáforas bélicas continuam válidas. O cântico da torcida do Arsenal ainda chama o time de "exército vermelho e branco". Em 2005 a imprensa espanhola apelidou o Barcelona de Ronaldinho Gaúcho de "alegre máquina de guerra". Durante os preparativos para ela, o técnico Carlos Alberto Parreira afirmou que "Copa é guerra" (*Placar*, fevereiro/2006).

É inegável que o futebol nasceu e continua clânico. A importância das manifestações nacionais é relativamente recente, resulta dos progressos nos meios de transporte e de comunicação, bem como dos interesses econômicos de grandes corporações multinacionais, dentre elas a própria FIFA. Na sua terra de origem o futebol sempre foi em essência clubístico. Ainda na segunda metade da década de 1970, o secretário da Liga Inglesa declarou que o público estava mais interessado no eventual rebaixamento do Manchester United e na provável ascensão do Peterborough United do que na participação da seleção nacional na Copa do Mundo do ano seguinte. Guardiola, campeão europeu de 1992 pelo Barcelona, reconheceu recentemente que na Espanha os clubes são mais importantes que a seleção. E os números confirmam: em 2006, tomando por base os dez anos anteriores, o futebol espanhol de seleção ocupava o sétimo lugar na classificação europeia, o futebol espanhol de clubes o primeiro lugar (*France Football*, 25/7/2006). Maradona reconheceu em 1987 que "o *scudetto* ganho com o Napoli é mais grandioso que o título mundial conquistado no ano anterior com a Argentina". Os historiadores Antonio Papa e Guido Panico citam um torcedor napolitano que, logo após a Argentina de Maradona ter desclassificado a Azzurra em 1990, confessou: "É verdade que eu gostaria que a Itália vencesse, mas isso é nada em comparação com as vitórias do Napoli de Diego". Zico admitiu que "não trocaria nenhum título que ganhei pelo Flamengo por uma Copa do Mundo". Anos mais tarde, afirmou que na Copa de 2006 muitos flamenguistas torceriam pelo Japão, do qual ele era técnico, contra o Brasil, "pois o clube importa mais para muita gente". Logo depois, Tevez declarou que os corintianos torceriam um pouco pela Argentina por causa dele.

Seja na sua face cotidiana clânica, seja na sua expressão nacional de tempos em tempos, o jogo apresenta ambientação de claro sentido militar. A arena onde se desenrola é cercada por escudos, bandeiras, hinos e "gritos de guerra" das torcidas. Muitas organizadas têm nomes associados à violência: Brigatte Rossonere e Feddayin (ambas do Milan), Commando (Napoli), Dragões da Real

(São Paulo), Granata Korps (Torino), Máfia Azul e Falange Azul (Cruzeiro), North Yankee Army (Marseille), Kop (PSG), Red Army (Manchester United) etc. Ou nomes que indicam entrega total ao time, caso da Drughi ("drogados") da Juventus. A localização delas no estádio, atrás de uma das metas, é escolha estratégica para numa etapa da partida estimular seus atacantes e na outra etapa intimidar os atacantes adversários. Esse local, em vários países europeus, é conhecido por *kop*, nome de uma batalha da Guerra dos Bôeres na qual morreram muitos nativos de Liverpool, que os torcedores mais exaltados deste clube adotaram para indicar a zona do estádio na qual se instalam.

Não surpreende que um dos técnicos mais vencedores do futebol brasileiro, Rubens Minelli, tenha revelado que "sou fascinado pelas batalhas da Segunda Guerra Mundial. Os conceitos em relação a uma batalha do marechal alemão Rommel, a Raposa do Deserto, encaixam-se no futebol. Faz parte da estratégia explorar os pontos vulneráveis do adversário e fortalecer as fragilidades que você tem" (*Placar*, 15/4/1988). Tampouco é estranho que, durante os treinamentos para o Mundial de 2002, a leitura básica de Luiz Felipe Scolari tenha sido um antigo manual militar chinês do século IV a.C., *A arte da guerra*, de Sun Tzu. Na guerra simbólica que é o futebol, da mesma forma que nas guerras concretas, inicialmente não havia comandantes. Os primeiros surgiram em 1874, Tom Rawthorne no Bolton Wanderers e Tom Slaney no Stoke City. No Brasil, foi o inglês Jack Hamilton, contratado pelo CA Paulistano em 1907. Desde então a figura do técnico tornou-se crescentemente importante. Antes ele acompanhava as partidas a distância, com pouca possibilidade de intervenção imediata; a partir de 1922 generalizou-se o uso de um banco para ele na lateral do campo, inovação de Donald Colman no Aberdeen FC da Escócia.

É o treinador que, como um general, mantém a tropa em boas condições de vencer. É ele que determina as regras internas ao grupo, quase sempre enfatizando as virtudes militares da camaradagem e da disciplina, mantendo a equipe unida na concentração (termo de sentido militar). Não por acaso, os mais rígidos na aplicação desses princípios são conhecidos no meio futebolístico como "sargentões". O criador do carrossel holandês, Rinus Michels, devido aos conhecimentos táticos ficou conhecido por "general". Antes do aparecimento, na década de 1950, da figura de um especialista, era o treinador que comandava os exercícios físicos. É ele que cuida do moral do grupo, que lhe infunde confiança cotidianamente e sobretudo às vésperas da luta (partida), em especial pouco antes (preleção) de se entrar no campo (de batalha). É ele que durante o confronto instiga seus jogadores a se dedicar ao máximo, a ter "garra" e "raça", termos que remetem a uma espécie de nacionalismo exaltado.

E por fim, evidentemente, o treinador, da mesma forma que o general, é quem define a tática a ser empregada. É aquele que escolhe a disposição de seus homens no terreno de jogo e as ações conjuntas que eles devem executar para melhor defender e atacar (mais uma vez, vocábulos militares). O técnico brasileiro no Mundial de 1938, Ademar Pimenta, dizia que "a tática deve ser aplicada de acordo com o adversário que se enfrenta. Como na guerra. As táticas se modificam de acordo com o terreno, com a sua topografia, com o valor material do inimigo, e com outros elementos que devem ser levados em conta". No princípio da história do futebol, como na da guerra, a tática não era muito elaborada. Atacava-se de forma pouco organizada, pesavam mais o empenho e a qualidade de cada participante do que um plano coletivo e equilibrado entre defesa e ataque.

Na formulação mais elementar, futebol é jogo no qual quem está com a bola ataca, quem não está defende. O dado fundamental é a ocupação dos espaços. A história da tática estará centrada nesse ponto. O aumento da capacidade atlética dos jogadores foi tornando o espaço menos disponível (e o tempo para cada ação também). Calcula-se que a partir da década de 1970 a distância percorrida durante uma partida tenha aumentado entre 20% e 30%. A tendência de longo prazo foi a diminuição constante da quantidade de atacantes fixos, que deixavam enorme vazio entre eles e sua defesa. De nove atacantes no primitivo sistema inglês, passou-se a seis no esquema escocês; cinco no sistema piramidal, que prevaleceu de 1876 a 1924 e trinta anos mais na sua variante latino-americana, chamada de diagonal; três no WM, aplicado de 1925 a 1960, e no ferrolho suíço criado em 1938 pelo austríaco Karl Rappan (1-1-3-2-3); dois nas formações da década de 1960, o 4-4-2 inglês, os italianos 3-5-2 e 1-4-3-2 (*catenaccio*); um no carrossel holandês de 1974 e na cunha (4-3-2-1) da França de Aimé Jacquet, em 1998. Em relação à parte defensiva, a tendência foi a constituição de várias linhas que se protegem mutuamente. Do único *back* do esquema primitivo (o inglês 1-9), passou-se para uma linha de dois zagueiros, de início protegida por outra igual (o escocês 2-2-6) e depois por uma de três homens (2-3-5 do sistema piramidal). O WM propôs três linhas defensivas (3-2-2-3). A retranca suíça, quatro linhas e a novidade de um jogador sem obrigação de marcar um adversário específico e encarregado de ser a última cobertura. Este jogador foi chamado de líbero por outro sistema de quatro linhas defensivas, o *catenaccio*.

Na montagem inicial do WM, Chapman pretendia equilibrar sua equipe, que contava com bom ataque, porém defesa deficiente. Ele desenhou geometria rigorosa na circulação da bola, insistiu na manutenção da distância entre as linhas defensiva, média e atacante, impôs ritmo na troca de passes à espera do melhor momento de jogar em profundidade. O espaço não era dado fixo a ser preenchido conforme as circunstâncias de jogo, e sim variável, pois cada jogador acompanha um adversário por toda parte (marcação individual). O centromédio do sistema piramidal (aquele que viria a ser o número 5) foi recuado para se posicionar entre os únicos dois zagueiros então existentes, criando a figura do zagueiro central (que se transformaria no clássico número 3 e mais tarde, em certas formações, no líbero). Os outros dois médios ganharam função predominantemente defensiva, de proteção aos espaços vazios entre os zagueiros, transformando-se nos volantes que nenhum dos esquemas posteriores dispensou. Com isso a função dos antigos médios, de alimentação do ataque, passou a ser realizada por dois atacantes recuados, um de cada lado, os modernos meias (números 8 e 10). Como decorrência, a conclusão passou a caber essencialmente ao centroavante, municiado pelos meias e por dois pontas bem abertos.

No Brasil, o sistema foi introduzido em 1937 sem grande sucesso, pois prevalecia o sistema diagonal usado na América Latina pelo menos desde a equipe uruguaia campeã olímpica em 1924. Como o nome indica, os jogadores de meio de campo, linha média na linguagem da época, não se posicionavam em paralelo à linha que corta o terreno. Um deles ficava mais ou menos no centro do meio círculo defensivo, funcionando como eixo para outro na sua diagonal defensiva e outro na sua diagonal ofensiva. Conforme a situação de jogo, esse pêndulo oscilava e o médio esquerdo podia recuar e o direito avançar, e vice-versa. Os grandes times brasileiros da década de 1940 dependiam essencialmente da qualidade dessa linha média — Bauer, Ruy e Noronha no São Paulo FC, Jorge, Danilo e Eli no Vasco da Gama. O uso desse método estava tão arraigado que a mudança durante a Copa de 1950 foi decisiva para o insucesso final, segundo Zizinho reconheceria mais tarde: "Os últimos quatro jogos da Copa do Mundo foram a primeira vez na minha vida em que joguei com o WM. Perdemos porque jogamos no WM". Este predominou, contudo, na maioria dos países europeus até meados da década de 1950 e dez anos mais na Inglaterra, onde ganhou ares de típico produto nacional e ficou conhecido simplesmente por "sistema".

Durante três anos uma variação do WM fez sucesso com o esquema que Hugo Meisl (anteriormente jogador, árbitro e secretário da federação) implantou na seleção austríaca, conhecida por *Wunderteam*. Entre maio de 1931 (vitória sobre a Escócia por 5 a 0) e abril de 1933 (derrota para a Tchecoslováquia por 1 a 0), foram dezesseis partidas com doze vitórias, 63 gols a favor e vinte contra, com goleadas contra Alemanha (6 a 0 em Berlim, 5 a 0 em Viena), Suíça (8 a 1 na Basileia), Hungria (8 a 2 em Viena), Bélgica (6 a 1 em Bruxelas), França (4 a 0 em Paris). O plano tático austríaco empurrou um homem da linha de zaga para o meio-campo defensivo (ganhando assim um pouco mais de criatividade sem perder muita proteção) e puxou um atacante para o meio-campo ofensivo (tornando aquela zona mais consistente sem perder poder de fogo), estabelecendo portanto uma disposição em 2-3-3-2. Esse desenho tático, chamado de MW — ou "método" — propunha movimentação mais flexível, que valorizava a bola rasteira e o poder do drible, ao contrário do rígido posicionamento do WM. Outra variação vitoriosa do WM foi a de Vittorio Pozzo (que conhecera o sistema inglês no Manchester United treinado por Charlie Roberts) na seleção italiana que conquistou a Copa de 1934. Ele simplesmente compactou mais os homens de meio-campo, transformando o 3-2-2-3 em 3-4-3, e aproximou o ataque desse quadrado, criando espaço para receber lançamentos longos, como era o hábito italiano.

Para vários observadores, a matriz tática de todas as inovações posteriores foi o WM. Entretanto, ele seria superado no começo dos anos 1950 por uma concepção bem diferente, o sistema húngaro ou 4-2-4. Comparando-os, percebe-se que as divergências são significativas, estruturais, não de simples variação. Defensivamente, o 4-2-4 propunha soluções mais eficientes:

quatro zagueiros em vez de três, marcação por zona, goleiro com liberdade e habilidade para sair da área e atuar como líbero em certas situações do jogo. Se do ponto de vista estático o sistema defensivo do WM era numericamente igual (3 + 2 contra 4 + 1 no esquema húngaro), na dinâmica da ocupação dos espaços ele se mostrou inferior. As distâncias entre os três zagueiros (as cabeças do W) deixavam vazios insuficientemente cobertos pelos dois jogadores das bases do W. O sistema húngaro aproximou os zagueiros entre eles, numa linha sinuosa na qual se inseriu mais um elemento, chamado por isso de quarto-zagueiro, que além da função defensiva prioritária também deveria ser importante alternativa para a saída de bola. À frente dessa zaga, dando-lhe proteção flutuante, ficava um dos meio-campistas.

Ofensivamente, o ponto de partida, "nossa obra-prima", como definiu Puskas, foi o recuo do centroavante, tirando-o da marcação individual que sofria no WM e assim desorganizando o sistema defensivo adversário. Vindo de trás, com a bola dominada, esse jogador (no caso da Seleção de Ouro, o número 9, Hidegkuti) tinha melhor visão de todo o campo de ataque, e nesse momento, para que os espaços de manobra não ficassem congestionados, Puskas recuava. Outras vezes o ponta de lança Kocsis caía para os lados e o médio Bozsik entrava nesse vazio. Ou o ponta-direita Budai fechava para o meio e o lateral direito Buzanszky ocupava seu espaço, fato raro naquela época. Depois da célebre vitória em Wembley (6 a 3), um jornal descreveu a movimentação do time húngaro como sendo "de fascinante beleza na concepção e na execução" (*The Times*, 26/11/1953). Outro jornal inglês, o *Daily Telegraph*, afirmou que se os húngaros tivessem marcado o dobro de gols não teria sido surpreendente. O *Daily Express*, por sua vez, avaliou que Puskas, Kocsis e Bozsik "deram aos ingleses a feição de jogadores de segunda ordem".

Meses depois, com a revanche e a derrota por 7 a 1 em Budapeste, o goleiro inglês comentou surpreso que os pontas húngaros driblavam bem e contudo tinham feito apenas um cruzamento em todo o jogo. Tratava-se, percebeu o jornalista do *The Times*, de "uma nova concepção de futebol", bem diferente do praticado na Inglaterra. O goleiro no sistema húngaro ganhava novas funções, não exclusivamente defensivas. Ele iniciava o ataque repondo a bola com passes, e não chutões aleatórios, como se fazia no sistema inglês. Essa jogada foi muito treinada pelo húngaro Bela Guttmann no São Paulo FC, onde o esquema foi introduzido no Brasil, em 1957. O goleiro Poy procurava mandar a bola para certo ponto do círculo central, de onde o centroavante Gino a desviava de cabeça em direção à meia direita, para a entrada em diagonal e em velocidade do ponta-direita Maurinho. O pim-pam-pum, como Guttmann resumia a jogada, baseava-se em três novidades nos três movimentos da jogada: goleiro lançando, centroavante recuado municiando o ataque, ponta-direita fechando para o meio e concluindo. Foi ali que Vicente Feola, seu auxiliar, conheceu o 4-2-4 que — com variações para um 4-3-3 com o recuo eventual do ponta-esquerda Zagallo — implantou na seleção brasileira campeã mundial de 1958.

O 4-2-4 foi criado por Gustav Sebes, que reconheceu a influência do italiano Vittorio Pozzo, do austríaco Hugo Meisl e do inglês Jimmy Hogan. O êxito do 4-2-4, comprovado no Brasil pelo Santos FC e na Europa pelo Benfica, levou à criação de um antídoto, o *catenaccio*, com o qual o Milan de Nereo Rocco, em 1963, e a Internazionale de Helenio Herrera, em 1964 e 1965, venceram a Copa dos Campeões Europeus. A reação a tal sistema foi o reforço do meio-campo no 4-4-2, com o qual os ingleses conquistaram a Copa do Mundo de 1966 e a Copa dos Campeões de 1968 com o Manchester United. No ano anterior, um clube britânico já tinha conseguido na decisão da Copa dos Campeões uma vitória histórica do ponto de vista tático. O Celtic bateu a Internazionale de

Herrera (2 a 1) com os pontas Johnstone e Lennox fechando para o meio e levando a marcação individual de Burgnich e Facchetti, o que deixava espaço aberto para a entrada dos laterais Craig e Gemmel (que marcou um dos gols). Segundo estudo do físico inglês Ken Bray, o 4-4-2 é o sistema que oferece aos jogadores a maior combinação possível de passes. Para fazer face à supremacia desse esquema, difundiu-se na Europa a partir de 1989 um que ao mesmo tempo restabelecia o líbero e dava mais vigor ao meio de campo, o 3-5-2. Com ele o Brasil de Sebastião Lazaroni ganhou a Copa América de 1989, mas foi logo eliminado do Mundial de 1990, conquistado por uma equipe que jogava daquela forma, a Alemanha treinada por Beckenbauer. Os brasileiros demoraram a entender tal proposta de jogo, o que começou com o "carrossel caipira" do Mogi Mirim de 1998, treinado por Vadão, o Atlético Paranaense campeão brasileiro de 2001 com Geninho, a seleção pentacampeã mundial em 2002 com Scolari, o São Paulo FC de 2005 campeão paulista com Emerson Leão e campeão da Libertadores e do Mundial Interclubes com Paulo Autuori.

É interessante notar que, tanto ao longo da história da guerra quanto da do futebol, as táticas baseadas em rígida sincronia de movimento coletivo tenderam a ser superadas por outras mais flexíveis. Foi o que aconteceu com a falange macedônica em relação à legião romana e com esta em relação à cavalaria bárbara. E com o WM em relação ao 4-2-4 ou com o *catenaccio* em relação ao 4-4-2. Entretanto, assim como na guerra, também no futebol a evolução mais significativa não se deu no plano tático, e sim no estratégico. Com efeito, estratégia é a forma de mobilização de todos os recursos disponíveis (humanos, naturais, patrimoniais, financeiros, científicos, morais, culturais) de um grupo — nação, tribo, clã, linhagem, partido político, igreja, empresa, clube de futebol — para atingir a médio ou longo prazo determinado fim: conquista de território, expulsão de invasor, obtenção ou manutenção de privilégios, vitória em eleições, ampliação de capital afetivo e moral, crescimento do lucro, obtenção de títulos esportivos. Tática é a ação imediata empreendida na busca daquela meta: arranjo e movimentação das tropas no campo de batalha, passeata de reivindicação, campanha publicitária, reestruturação de preços e salários, organização dos jogadores no campo de jogo. Ela é a parte mais visível da estratégia. Na definição de Sun Tzu, "todos podem ver as táticas empregadas nas minhas conquistas, mas o que ninguém pode ver é a estratégia que as possibilita".

6.4 A FESTA

Se acompanharmos Johan Huizinga, para quem a guerra tem caráter lúdico, e Roger Caillois, que vê muitos pontos comuns entre guerra e festa (desperdício, suspensão das normas morais, exaltação coletiva, redução da sensibilidade física), e aceitarmos que o futebol é representação da guerra, como sugerimos no item anterior, a conclusão é lógica — futebol é festa. Não uma festa qualquer. Festa arcaica, profundamente ritualizada, festa que envolve toda a sociedade, que cumpre o papel de exutório para suas disfunções internas e externas. Daí o clima de tensão que atinge todos os participantes de uma partida de futebol, sem que ela perca seu caráter festivo. Nada de contraditório nessa constatação, pois se trata de festa no sentido mais exato do termo. Isto é, atividade cíclica e excepcional que interrompe de forma efêmera o ritmo da vida cotidiana, estabelece temporalidade quantitativamente restrita (uma noite de Natal, quatro dias de Carnaval etc.) e qualitativamente densa (nos exemplos anteriores, maior religiosidade e licenciosidade). Os códigos sociais e morais são reforçados ou quebrados na festa, quando se come, bebe, veste, fala e se estabelecem laços pessoais diferentemente das situações comuns. Na formulação de Freud, "festa é excesso permitido, violação solene dos interditos".

Violação remete naturalmente a violência, e de fato festa, no sentido antropológico, tem sempre um componente violento. Sobretudo se for festa sagrada, como mostram a autoflagelação de certas procissões cristãs e as frequentes mortes acidentais durante peregrinações de várias religiões. Ou se for festa que metaforiza a guerra, como o futebol. Na Copa de 1970, a vitória da Itália sobre a Alemanha na semifinal foi acompanhada na televisão por quase 18 milhões de italianos, portanto mais de um em cada três, e seguida em muitas cidades do país por agressões a alemães e destruição de automóveis e vitrines. Como o adversário da decisão era o Brasil, em muitos locais ocorreram desfiles com bonecos negros, referência a Pelé, em posturas humilhantes. No mesmo espírito, os torcedores milaneses chamavam os napolitanos de "africanos", devido ao biótipo mediterrâneo destes e à sua condição econômica inferior. E, numa contradição apenas aparente, preferiam os africanos literais aos metafóricos. Na Copa de 1990 os torcedores de Milão apoiaram Camarões contra a Argentina de Maradona, o maior símbolo napolitano de então. Em setembro de 1993, festejando a goleada de 5 a 0 contra a Argentina pelas eliminatórias da Copa do Mundo do ano seguinte, morreram na Colômbia setenta pessoas e cerca de 1,5 mil ficaram feridas. Exemplos de comemorações violentas não são desconhecidos no Brasil (item 8.1). A tensão religiosa, a violência latente, a quebra temporária de determinados tabus, tudo isso faz das festas arcaicas eventos predominantemente masculinos, embora sem excluir a participação feminina. Como no futebol (item 5.3).

De qualquer forma, o caráter festivo do futebol é inegável. O fato de ele ter sido inicialmente praticado apenas no inverno revela o traço cíclico inerente a toda festa. Traço que não desapareceu com a extensão da prática futebolística ao longo de todo o ano. Como toda festa, a do futebol tem calendário próprio. Nele se mesclam momentos emocionalmente fracos (partidas de menor importância) e momentos fortes (clássicos, partidas decisivas). O futebol profissional atual, no qual se busca a vitória acima de tudo, às vezes mesmo por meios pouco éticos, faz esquecer seu sentido profundo de festa. É a isso que se refere Cruyff quando diz que para ele "importante são os atos. Não me importam os títulos" (*France Football*, 22/11/2005). Se, continua ele na mesma entrevista, a Holanda perdeu o Mundial de 1974, "ganhamos com a lembrança que deixamos [de bom futebol]". Assim, ao ficar velho para jogar ele se tornou treinador, para "continuar a ir ao estádio e brincar com a bola no vento, sob o sol. Isso fazia minha verdadeira felicidade, não os resultados". Daí pregar a seus comandados: "Tenham vontade de ganhar, não de não perder".

Comentando a atuação do técnico do Milan na final da Copa dos Campeões de 2005, na qual os italianos terminaram o primeiro tempo vencendo por 3 a 0 e permitiram em seis minutos o empate do Liverpool, o jornalista português Fernando Guerra (*A Bola*, 27/5/2005) recorreu a uma imagem próxima à do futebol enquanto festa. Segundo ele, Carlo Ancelotti é "um técnico mal habituado, ao jeito de uma criança que só recebe prendas caras para estragar como bem entende. Lida mal, por isso, com a imaginação que é preciso ter para recolher o mesmo gozo de brincar com objetos baratos, porventura menos cativantes de início, mas muito mais interessantes depois de trabalhados e embelezados. Ancelotti pensa que tem tudo. Não inova, não arrisca, não surpreende, nem sabe como consegui-lo. Como os brinquedos são melhores, parte do princípio que isso basta para receber as mordomias inerentes a tamanha manifestação de riqueza. Errado, como se viu. Enquanto durou a corda dos seus carrinhos saltou, gesticulou, salpicou-se da arrogância própria de quem não está habituado a ser contrariado e não se dá ao trabalho de medir as consequências negativas de um gesto mal calculado".

Ainda que na cerimônia que é uma partida de futebol o bode expiatório simbólico por excelência seja o goleiro, em certas circunstâncias o árbitro é colocado nesse papel. Mesmo em sociedades democráticas e de alto nível de civilidade a situação deles nem sempre é fácil. Na França, a cada ano 4 mil árbitros desistem da profissão e 150 são agredidos fora do campo de jogo. A federação local, visando despertar vocações, veicula há anos na televisão uma publicidade mostrando dois jogadores e um árbitro com a chamada "Não temos o mesmo uniforme, mas temos a mesma paixão". Em sociedades desiguais e injustas, o árbitro é símbolo de autoridade no sentido negativo, abusivo, do termo. Na Argélia, em maio de 1994 o jogador Mohamed Korti, revoltado por ter sido expulso, deu um soco na têmpora do árbitro, que faleceu instantaneamente. No Brasil, sintomaticamente, os árbitros não entram em campo junto com os times, como na Europa. Eles são expostos às manifestações do público antes de a partida começar, atraindo parte da energia destrutiva que a multidão sempre possui. Enquanto símbolo de autoridade, são identificados com governos autoritários ou corruptos, frequentes na nossa história, e de maneira sistemática são agredidos verbalmente pelas torcidas antes mesmo de começar a trabalhar. De um ponto de vista sociológico, é como partir do pressuposto de que todo árbitro é corrupto. De um ponto de vista antropológico, é como se seu sacrifício prévio garantisse a tranquilidade posterior do rito.

Internamente a cada comunidade, o bode expiatório não ritual, e sim funcional, é geralmente o técnico. Pela mesma lógica que levava certas sociedades arcaicas, como a do Sudão ou da Nigéria, a sacrificar o rei cujas forças declinavam, ou, como na Polinésia, a matar o rei quando as colheitas fracassavam, também no futebol é o chefe do grupo o primeiro a ser eliminado. Às vezes ele assume espontaneamente esse papel, renunciando a seu cargo ou poupando seus jogadores de situações difíceis. No campeonato espanhol de 1950, o técnico do Atlético de Madrid, Helenio Herrera, percebendo o clima tenso antes de uma partida em Sevilha, não deixou seus comandados se aquecerem no gramado, como era habitual, e ele próprio foi para ali. Depois de quinze minutos recebendo vaias e insultos, voltou ao vestiário e disse aos jogadores: "Vocês já podem sair porque eles estão cansados de gritar". Todavia, a forma mais comum de o técnico ser sacrificado é, obviamente, sua demissão diante de insucessos que quase sempre não são apenas dele, e sim de todo o clã.

No Brasil tal prática faz parte da paisagem futebolística. Mesmo diante da simples possibilidade de fracasso. Seis dias depois de sua fundação, em 1930, o São Paulo Futebol Clube demitiu o técnico João Chiavone porque no primeiro treino ele deixou no time reserva os dois grandes astros do novo clube, Arthur Friedenreich e Araken Patuska. Nem o sucesso preserva o técnico se ele pensa diferente dos dirigentes: Gentil Cardoso foi demitido no vestiário enquanto comemorava o título carioca de 1952 pelo Vasco da Gama. O campeonato brasileiro de 2005 exemplifica o ritmo alucinante do "sacrifício" dos técnicos: oito deles tinham sido demitidos após dez rodadas, dezoito com vinte rodadas, 25 com trinta rodadas. Acabada a competição, 32 técnicos haviam perdido o emprego e seis trocado de clubes. Dos vinte clubes participantes, apenas dois haviam começado e terminado com o mesmo técnico!

Em sociedades mais estáveis o fato não é raro, porém muito menos frequente. O francês Guy Roux dirigiu um único clube em toda a sua vida profissional de 43 anos (de 1961 a 2005, com a interrupção de um ano sabático), o Auxerre, que levou da quarta divisão ao título do campeonato nacional e da Copa da França. O escocês Matt Busby foi técnico do Manchester United por 27 anos (entre 1945 e 1971); outro escocês, Alex Ferguson, é técnico do mesmo clube desde 1986, tendo completado em 2004 mil partidas à frente do time, com 564 vitórias, 248 derrotas, 168 empates e vinte títulos. O francês Arsène Wenger foi técnico do Mônaco entre 1987 e 1994 (dirigiu quase 20% do total de partidas da história do clube até então) e é técnico do Arsenal desde 1996. Um levantamento (*France Football*, 19/7/2005) mostrou que nas 9130 partidas do campeonato francês da primeira divisão, entre 1980 e 2005, trabalharam 201 treinadores, o que significa média de 45,52 partidas para cada um. Desse conjunto de técnicos, 61 comandaram suas equipes por mais de cem partidas, dois deles por mais de quinhentas. Em termos de seleção nacional, Vittorio Pozzo (o único da história a vencer duas Copas consecutivas), depois de rápidas passagens à frente da Azzurra nas Olimpíadas de 1912 e 1924, dirigiu-a por dezenove anos seguidos, de dezembro de 1929 a agosto de 1948. Sepp Herberger comandou a seleção alemã por 28 anos, entre 1936 e 1964, e deixou o posto para seu auxiliar, Helmut Schoen, que o ocupou por catorze anos.

Quanto ao goleiro, cada vez que ele é "executado" os fiéis adversários vibram, os de seu grupo lamentam-se. Porque precisa ser morto para que o jogo tenha sentido, o goleiro foi o personagem que mais sofreu modificações ao longo da evolução das regras do futebol. Como vimos (item 1.1), inicialmente ele nem sequer existia. Surgiu em 1871. Desde então o sentido sacrificial desse jogador não deixou de aumentar. A primeira mudança nesse sentido foi, em 1891, a criação do pênalti. A palavra vem do inglês *penalty*, atestada desde 1512 no sentido geral de punição a uma ação que infringe a lei. O vocábulo derivou de *penality*, derivação do francês *pénalité*, vindo do latim *poenalitas* na acepção de "pena", "sofrimento", "dor". Em 1912, outra mudança na regra complicou a vida do goleiro, que passou a não mais poder colocar a mão na bola fora da grande área. Em 1921, para explicitar que ele é o personagem maldito do futebol, foi obrigado a vestir camisa amarela.

Ora, essa cor havia muito tempo era simbolicamente negativa. Desde 807 no mundo muçulmano, por decisão do califa Harun al-Rashid, os judeus foram forçados a usar uma insígnia amarela sobre a roupa. Desde o século XII a arte ocidental representou Judas com roupas amarelas. Em 1215, o Quarto Concílio de Latrão determinou que os judeus usassem na roupa um sinal distintivo amarelo. No século XVIII surgiu a expressão "sorriso amarelo" para indicar um sorriso falso, que dissimula algo. Sendo a cor da traição, no século XIX as caricaturas costumavam mostrar maridos enganados vestidos de amarelo. Na Europa nazista retomou-se em 1940 a velha ideia (abandonada no mundo germânico em 1781, na França em 1789) de obrigar os judeus a usar algo amarelo em sinal de infâmia. Se alguns anos após aquela decisão o goleiro ganhou o direito de escolher a cor de seu uniforme, impôs-se contudo que ela seja diferente da dos demais jogadores. E o caráter negativo do amarelo deslocou-se para outros ingredientes do universo futebolístico. Ele indicará repreensão (cartão amarelo) e covardia ("amarelar").

Os sinais distintivos do goleiro mudaram com o tempo, mas não seu sentido simbólico. Tanto que, diz o provérbio futebolístico, "onde o goleiro pisa não nasce grama". Uma decisão de 1929 obriga-o a ficar imóvel sobre a linha do gol até que a bola seja movimentada quando da cobrança de pênalti. As chances de ele simbolicamente "sobreviver" são, portanto, reduzidas. Em 1965 surge a figura jurídica do sobrepasso, a proibição de o goleiro dar quatro passos consecutivos em sua área segurando ou quicando a bola. A partir de 1992 ele não pode mais pegar com as mãos a bola intencionalmente recuada com os pés por seus companheiros. Em 1997 passa a ser válido o gol advindo do tiro inicial e do tiro de meta. No mesmo ano, proíbe-se que ele segure com as mãos a bola de arremesso lateral de parceiro de equipe. Desde 2000, depois de realizar uma defesa ele tem apenas seis segundos para repor a bola em jogo.

No combate que cada time realiza é fundamental preservar seu goleiro intacto e permitir que o "matador" cumpra sua função em relação ao goleiro adversário. Devido a esses papéis essenciais, eles são os dois jogadores de maior responsabilidade na ótica popular. Contudo, o reconhecimento de que são objeto é desigual. O grande goleador é historicamente mais admirado que o grande goleiro. De certa forma este continua sendo o bode expiatório mesmo depois de encerrada a carreira. Suas falhas são mais lembradas por terem sentido afirmativo, isto é, resultarem em gols adversários, enquanto cada falha do centroavante é negativa, não tem produto, é justamente a falta de um produto, do gol que deveria ter marcado. Quando o Palmeiras perdeu o título mundial diante do Manchester United, em 1999, muito se falou da falha do goleiro Marcos no único gol da partida, porém pouco se disse das chances perdidas pelos atacantes Asprilla, Oséas e Paulo Nunes. Talvez pensando nisso, ele disse numa entrevista, anos depois, que "goleiro sofre muito, e a família do goleiro também. Um goleiro não pode estar mal nunca" (*Placar*, outubro/2005). É significativo que no Brasil, sociedade de alto grau de informalidade, na qual o afeto é com frequência expressado por apelidos, mesmo em relação a homens públicos, inclusive jogadores de futebol, os goleiros sejam quase sempre conhecidos pelo nome ou pelo sobrenome. É como se eles não merecessem a mesma intimidade que o torcedor dedica a jogadores de outras posições, sobretudo de ataque.

O destino do goleiro parece ter algo de trágico, do qual algumas vezes nem os grandes conseguem escapar. Eurico Lara, figura lendária do Grêmio Porto Alegrense nas décadas de 1920 e 1930 (ele é citado no hino do clube), sofria do coração e ainda assim não quis deixar de jogar um Grenal, sentiu-se indisposto no intervalo e morreu alguns dias depois. Carlos Castilho (Fluminense, seleção, bicampeão mundial em 1958-62), conhecido por sua competência e sorte (era apelidado de Leiteria), suicidou-se. Lev Yachin, conhecido por Aranha Negra, um dos maiores da história do futebol, campeão olímpico em 1956, Ballon d'Or de 1963, vice-campeão da Eurocopa de 1964, várias vezes campeão soviético pelo Dínamo de Moscou, teve uma grave doença depois de se aposentar, amputou uma perna e morreu aos 62 anos, em 1991. Gordon Banks, campeão do mundo em 1966, autor da célebre defesa de uma cabeçada de Pelé durante a Copa de 1970, teve sua carreira abreviada por um acidente automobilístico no qual perdeu um olho.

No entanto, o caso mais dramático do ponto de vista psicológico talvez seja o do goleiro brasileiro na Copa de 1950, Barbosa. Embora eleito pelos jornalistas o melhor goleiro da competição, sua vida ficou marcada pelo gol que tomou do ponta-direita Ghiggia na partida final contra o Uruguai. Treze minutos antes, no gol de empate uruguaio, aquele jogador cruzara da direita para um companheiro dar o chute final. Quando, no lance decisivo, o mesmo jogador veio pela mesma posição, Barbosa adiantou-se um passo para cortar o cruzamento, mas ele chutou direto apesar do pouco ângulo, e a bola, que quicou levemente no solo, passou entre a trave e o corpo de Barbosa. A rejeição ao goleiro foi tão ampla que atingiu os colegas de posição. Nas duas décadas seguintes, vários grandes clubes brasileiros contrataram goleiros estrangeiros, sobretudo argentinos e uruguaios. Demoraria meio século para que um goleiro negro reaparecesse na seleção nacional (Dida, em 1999). O estigma de Barbosa foi tão forte e duradouro que ao visitar a seleção brasileira, durante um treino em 1993, proibiram-no de entrar. A alegação de que traria má sorte é semelhante à de muitas sociedades primitivas que evitam contato com parturientes, mulheres menstruadas, homicidas e pessoas que tiveram contato recente com o sagrado. A pungente definição do próprio Barbosa revela um drama humano de enorme intensidade: "A maior pena para um criminoso no Brasil é de trinta anos, mas a minha já foi de cinquenta".

Um evento de alta significação antropológica ocorreu em 1963, na casa de Barbosa. O ex-goleiro convidou amigos para um churrasco cujo fogo era alimentado pelas velhas traves de madeira do Maracanã. O jornalista Roberto Muylaert, que relata o fato, interpreta-o como "liturgia de purificação". É possível, porém lembra mais canibalismo, embora o próprio goleiro diga a Muylaert que somente anos depois pensou que "aquele contrafilé bem temperado com molho de vinagre e cebola que comi poderia simbolizar a perna do Ghiggia". Não se pode esquecer que canibalismo é ato sempre ritual, mesmo quando é real, e real mesmo quando é imaginário. Por meio dele pretende-se ou vingar os membros do próprio grupo que foram devorados por outro, ou incorporar as virtudes do inimigo derrotado que mostrou coragem e habilidade, ou ambas as coisas. Na guerra do futebol, a vitória sobre rivais tradicionais é tão comemorada justamente porque preenche as duas condições. É vingança de derrotas anteriores e exaltação da força do próprio grupo vencedor, que superou inimigo reconhecido como poderoso. No episódio do churrasco de Barbosa houve inversão dos papéis, sem anulação do sentido do rito: inconscientemente, o perdedor esperava absorver as glórias que o destino reservara ao adversário.

Ampliando a reflexão, talvez seja possível formular a hipótese de o futebol ser uma espécie de resgate simbólico das práticas canibais que existiam há 40 mil anos e que a sociedade ocidental abandonara havia muito tempo. O nascimento do futebol na época em que se deu e com as características que tem pode talvez ser associado à redescoberta do canibalismo por parte dos primeiros etnógrafos modernos, viajantes e missionários ingleses na África, na Oceania, no interior da América do Sul. Uma observação de Lévi-Strauss fornece elementos nesse sentido. De acordo com ele, a humanidade é ou antropófaga (forma de absorver e neutralizar indivíduos temíveis) ou antropema (neologismo construído com o grego *émein*, "vomitar", para designar a solução inversa, expulsar do corpo social os indivíduos julgados perigosos). A partir disso, pode-se pensar que as sociedades do segundo tipo sublimaram através de jogos o comportamento do primeiro tipo, considerado imoral por suas religiões e filosofias.

Em alguns desses jogos é preciso "comer" peças do adversário para chegar à vitória, caso do xadrez, cujas regras foram se uniformizando ao longo do século XIX e cujo primeiro torneio internacional teve lugar em Londres, em 1851. Ou seja, no mesmo quadro histórico do nascente futebol. Lévi-Strauss dá ainda outra informação interessante. O canibalismo e a caça às cabeças são, afirma, fenômenos interligados que se manifestam com frequência juntos. Em certas sociedades, apossar-se de cabeças de inimigos é elemento central para as relações sociais e sexuais. Ora, sabemos que havia na China antiga um jogo militar que consistia em chutar crânios de inimigos derrotados em direção a duas estacas fincadas no chão. Sendo o futebol guerra simbólica, é plausível ver nele um tipo específico de canibalismo, o exocanibalismo, no qual as vítimas são exteriores ao grupo, são obtidas por meio de atividade bélica. Se, como pensava o filósofo alemão Karl Groos, jogos são antigos costumes ou instituições que perderam sua utilidade social, não é casual que a bola de futebol tenha o tamanho aproximado de uma cabeça humana.

O futebol é festa que tem periodicamente festas, as comemorações de sucesso. No caso de vitórias nacionais, é todo um país que tende a ficar envolvido pelo clima de euforia e orgulho pátrio, milhões de pessoas festejam por todo o território. Mas o caso de clubes talvez seja mais expressivo. Primeiro porque ocorre em ambiente global não favorável, o conjunto das outras torcidas, que se constituem sempre em maioria. Depois, porque manifesta a força do espírito clânico, qualitativamente tão ou mais intenso do que o espírito nacional. O vigor demonstrado é variável, depende do perfil do próprio clã e do objeto festejado. Quando o Liverpool obteve a Liga dos Campeões de 2005, jogada em Istambul, meio milhão de pessoas recebeu o time na sua volta. Quando o São Paulo FC conquistou naquele mesmo ano o Campeonato Mundial Interclubes, no Japão, o desfile da delegação desde o aeroporto até o Morumbi durou dez horas e parou a cidade.

7. Metáfora religiosa

Nas religiões tradicionais as divindades sempre estiveram diretamente relacionadas às forças da natureza, fosse no Egito faraônico, na Mesopotâmia, na Grécia antiga ou em Roma. As religiões monoteístas não fugiram a essa estrutura, embora sob outro sistema de representação. No judaísmo, Iavé fala com Moisés por meio do trovão. No cristianismo, os ventos e o mar obedecem a Jesus. No islamismo, é Alá que "faz brilhar o relâmpago [...] faz subir as pesadas nuvens" (*Alcorão, 13, 13*). Ora, a sociedade industrial profanou a natureza, submetendo-a a outra lógica, capitalista e científica. O que não apagou a necessidade humana de crer, reconheceu Freud, tão crítico em relação à religião. Nascido na sociedade industrial, nela o futebol exerce diferentes funções, inclusive a de alternativa sagrada. No relativo vazio espiritual do mundo ocidental de hoje, cuja lógica é criar falsas necessidades às quais se deve aderir para contar com respeito social, muita gente parece substituir as antigas divindades por clubes de futebol.

José Ortega y Gasset percebeu que "a religião do século XX é o futebol", Eric Hobsbawm acompanhou-o e definiu o futebol como "religião laica da classe operária". A sugestão do filósofo espanhol e do historiador inglês é preciosa, embora necessite ser dissecada e matizada. É inegável que, da mesma maneira que o futebol expressa o mundo bélico e incorpora sua terminologia (item 6.3), ele o faz em relação à religião. Os jogadores são "ídolos", a camisa e a bandeira do clube, "manto sagrado", os gols aparentemente ilógicos, "espíritas", gestos religiosos (ortodoxos ou não) cercam todo o ambiente futebolístico. As defesas incríveis são "milagrosas" e seus autores "santos". O Maracanã é o "templo sagrado do futebol brasileiro", o velho estádio do Barcelona (Les Corts) era chamado "catedral", como hoje o estádio da Luz, do Benfica. Sintetiza tudo isso um cartaz exibido por um torcedor durante a Copa de 1994: "*USA learn! Soccer is religion*" ("Aprendam, Estados Unidos! Futebol é religião").

7.1 ÍDOLOS INDIVIDUAIS, DIVINDADE COLETIVA

Se futebol é religião, é natural a reverência de que são objeto seus principais personagens, os jogadores, alguns comparados a deuses. Às vezes pela imprensa. Mesmo a europeia, de forma geral mais comedida, não demorou a falar no "deus Pelé", como, por exemplo, o diário esportivo francês *L'Équipe* (29/4/1963). Outras vezes a qualificação vem de colegas empolgados. Maradona, que anos depois seria seu desafeto, afirmou em 1979 que "eu sabia que Pelé era um deus como jogador. Mas agora que o conheci, sei também que ele é um deus como pessoa". Outras vezes ainda, os jogadores são endeusados por eles próprios. Pelé, segundo relatam amigos dele, "acredita ser um deus tanto dentro como fora dos gramados". Em fins de 2005 ele afirmou ter "mais fama que Jesus". É significativo como se refere a si mesmo na terceira pessoa: o cidadão Edson Arantes do Nascimento fala no Pelé não somente como outra pessoa, mas como entidade. Procedimento semelhante foi adotado por outros futebolistas. O exemplo mais famoso da autodivinização de certos jogadores é com certeza a referência de Maradona ao seu gol ilegal contra a Inglaterra, na Copa de 1986, como tendo sido feito "com a mão de Deus".

Com frequência, contudo, são torcedores que endeusam certos jogadores. Ricardo Zamora, goleiro espanhol da década de 1920-30, era conhecido por Divino, como o zagueiro brasileiro das décadas de 1930-40 Domingos da Guia e depois, nos anos 1960-70, seu filho Ademir da Guia. Os adeptos do Napoli, agradecidos pelo primeiro título de sua história, ergueram um altar a Maradona, cujo nome na pronúncia local gerava forte assonância com Maronna, a Virgem no dialeto napolitano. Nos jogos do Real Madrid em seu estádio aparecia uma faixa com o rosto de Zidane e a inscrição "*Eres un dios*". No entanto, esses torcedores avaliavam mal a condição religiosa do craque que admiravam. Depois que ele se aposentou, os mesmos torcedores continuaram e continuarão a ir ao mesmo estádio para assistir às partidas do mesmo clube. É a este que os torcedores cultuam.

O fato de o clube ser algo etéreo, indefinível, que não é a sede social, não é o conjunto de dirigentes, não é o grupo de jogadores, não é a multidão imprecisa de torcedores, é ao mesmo tempo tudo isso e muito mais, dificulta talvez a apreensão do inegável caráter religioso dessa realidade. Porque o objeto de veneração do torcedor é uma abstração, seu sentimento parece estar focalizado em concretudes, as pessoas que mais visivelmente constroem as glórias do clube. Imagens palpáveis dessa abstração, os jogadores são chamados de ídolos no sentido etimológico grego (*eidolon*), quer dizer, "representação material de entidade imaterial". Essa denominação está na origem da confusão referida no parágrafo anterior, pois a mesma palavra tem ainda o sentido de "imagem que representa uma divindade e que incorretamente é adorada como se fosse ela". Amor exagerado e impróprio ("idolatria") porque a rigor, como veremos adiante (item 7.3), os jogadores são sacerdotes cuja comunhão com a divindade (clube) durante o rito (partida) leva os fiéis (torcedores) a confundirem-nos com ela, o que confere a eles a segunda acepção de ídolo.

Os jogadores, do ponto de vista da cultura cristã, na qual o futebol nasceu e mais se desenvolveu, também são às vezes assimilados a santos. Ou seja, humanos que por certas características especiais fazem a intermediação entre os demais homens e a divindade. É o que explicita a torcida do Liverpool ao acolher sua equipe, desde a década de 1960, com o cântico "Quando os santos entram". A torcida do Tottenham Hotspur, por sua vez, canta "Glória, glória, aleluia, os Spurs estão vindo", para receber o time em campo. Esse mesmo espírito explica estátuas, em vida, de jogadores como Eusébio, diante do estádio da Luz, e de Ademir da Guia, no Palestra Itália. A adoração às vezes é direta, como em abril de 2006, quando, durante um Barcelona contra Real Madrid, um torcedor invadiu o gramado do Camp Nou para se ajoelhar diante de Ronaldinho Gaúcho. Até o técnico pode ser objeto de reverência, como mostra nos anos 1960 um torcedor do Liverpool ajoelhado diante de Bill Shankly, que ganharia em 1997 uma estátua na frente do estádio Anfield Road.

Da comparação anterior deriva outra, talvez mais pertinente por não ter conotação moral: em certo momento das ciências religiosas os santos foram vistos como cristianização dos heróis do paganismo, e a estes é que os jogadores corresponderiam. A favor dessa analogia está o sentido etimológico de "herói" — "guardião", "defensor", "protetor", exatamente a função que se espera que o futebolista exerça pelo seu clube. Se adaptarmos ao futebol a classificação dos seres proposta no século v a.C. pelo poeta grego Píndaro — deuses, heróis, humanos — os primeiros seriam os clubes, os segundos os jogadores, os terceiros os torcedores. Na relação complexa e várias vezes contraditória entre esses três tipos de personagens, tanto na mitologia quanto no futebol, os heróis são aqueles que aproximam ou afastam os primeiros dos terceiros. Porque, ao contrário do que diz o senso comum, o herói não é ser unívoco. É alguém que realiza coisas excepcionais, boas ou más. Que é, por isso, objeto de culto e também de rejeição.

Em muitas mitologias há heróis tão antigos e pouco conhecidos que os fiéis hesitam entre a condição histórica e a imaginária de seus feitos. É o caso, no futebol brasileiro, de Arthur Friedenreich, que teria sido igual ou melhor que Pelé, mas cujas façanhas não têm documentação visual e testemunhos vivos. Até o número de gols a ele atribuído apresenta enorme variação, de 1239 na contagem clássica a 556 numa revisão mais recente. Dentre os vários tipos de herói, de especial importância era o herói civilizador, aquele que continuou e solidificou a obra dos deuses, dando à humanidade técnicas, artes, instituições, como fizeram, dentre outros, Gilgamesh, Noé e Prometeu. Vários clubes de futebol têm uma figura correspondente na sua história, jogador ou técnico ao qual se remonta o início das glórias, como Herbert Chapman no Arsenal, Giuseppe Meazza na Internazionale de Milão, Leônidas da Silva no São Paulo FC, Alfredo di Stéfano no Real Madrid, Pelé no Santos FC, Matt Busby no Manchester United. De qualquer forma, o traço mais típico do herói é sua entrega irrestrita à tarefa que deve cumprir, sua bravura incondicional.

Ídolos, santos ou heróis nas religiões tradicionais, futebolistas na maior "religião laica" da atualidade, todos provocam forte mimetismo. Deles se copiam formas de falar e vestir, comportamentos, nomes. O fenômeno é, portanto, anterior e exterior ao futebol, que se trata do campo privilegiado de sua manifestação contemporânea. Nos países latinos tal tendência é forte. Muitos Diegos foram batizados em Nápoles após o primeiro *scudetto* do time local, em 1987, em homenagem a Maradona. Em relação ao

Brasil, o jornalista Alex Bellos cita exemplos interessantes. Em 1970 registrou-se um bebê como Tospericagerja, nome formado pelas primeiras sílabas de Tostão, Pelé, Rivelino, Carlos Alberto, Gérson e Jairzinho. No mesmo ano, em lembrança à conquista definitiva da Taça Jules Rimet, uma criança foi chamada Jules Rimet de Souza Cruz Soares. O sucesso do grande Flamengo dos anos 1980 levou certo indivíduo a batizar um filho de Zicomengo, outro de Flamozer e uma menina de Flamena! Em 1998, graças aos pênaltis defendidos contra a Holanda, o goleiro brasileiro foi homenageado tendo seu nome dado tanto a meninos (como Igor Taffarel Marques, nascido em Belo Horizonte) quanto a meninas (caso de Bruna Taffarel de Carvalho, nascida em Brasília). No dia da vitória na Copa de 2002, um menino nascido no Recife foi chamado de Ronaldo em homenagem ao artilheiro, e outro nascido em Belo Horizonte tornou-se Luiz Felipe em lembrança do técnico pentacampeão.

Em torno a cada divindade futebolística desenvolve-se uma seita. O uso desse conceito é pertinente porque, vista de fora, seita tem conotação pejorativa, é grupo desgarrado da sociedade total (a palavra viria de *secare*, "cortar"). Vista de dentro, como o teólogo alemão Ernst Troeltsch mostrou, é grupo constituído por adesão voluntária de seus membros, para os quais a salvação é assunto pessoal e não de uma instituição que monopoliza a transmissão da graça divina. Para toda seita os sacramentos não concedem graça, apenas testemunham a graça já recebida. Daí porque praticam o sacerdócio universal e o culto espontâneo. Ora, como qualquer seita, toda torcida é negativamente rotulada pelas demais. No seu interior, entretanto, o sentimento é de pertencer ao lado correto da sociedade global. Seus membros reúnem-se espontaneamente no templo (estádio), onde todos têm igual função religiosa (orar pela mesma divindade, isto é, torcer pelo mesmo clube) sem que isso negue as diferenças sociológicas entre eles (alguns vão ao estádio de automóvel e ficam nas numeradas, outros vão de ônibus e ficam nas arquibancadas).

O culto à divindade comum tem evidentemente espaço e tempo privilegiados (o estádio e a partida nos quais o time joga), e também ocorre em qualquer lugar no qual dois ou mais torcedores se reconheçam. Assim como em qualquer religião os fiéis estão unidos por sua história sagrada, feita de personagens e episódios conhecidos por todos, os torcedores de um clube sentem-se unidos por um destino comum repleto de heróis e de vilãos, de momentos épicos e outros trágicos, que, mesmo não tendo sido pessoalmente vividos por todos, fazem parte da vida de cada um. Assim como os ritos religiosos sintetizam, relembram e revivem a história sagrada que os fundamenta, os ritos futebolísticos fazem o mesmo com a história do clube. A cada partida a torcida lembra de outras partidas, de outros jogadores, de outros lances, de outros resultados, recentes ou remotos. Para um torcedor, aderir a um clube é aderir à sua história, da mesma forma que o rei Davi e os israelitas aceitaram Iavé porque ele era "Deus de nossos pais" (*1 Crônicas, 12, 18*). Assim como é raro, por ter algo de sacrílego, um fiel dar o nome da divindade ao próprio filho, o mesmo acontece em relação ao clube. Raro, mas não inexistente. Há indivíduos batizados como Cristo ou Jesus, há os que recebem nome de clube: em 1996 um português emigrado em Londres deu à filha o nome de Chelsea Benfica, lembrando seus times preferidos nos dois países, de adoção e de origem (*Sábado*, 25/5/2005).

É a essa adesão ancestral e irreversível que vários hinos de clubes fazem referência: "O coração atleticano/ estará sempre voltado/ para as festas do presente/ e as glórias do passado" (Atlético Paranaense); "Seu passado é uma bandeira" (Corinthians); "Uma vez Flamengo, sempre Flamengo"; "Salve o querido pavilhão, das três cores que traduzem tradição" (Fluminense); "É teu passado alvirrubro/ motivo de festa em nossos corações" (Internacional); "Oh

Tricolor,/ clube bem-amado,/ as tuas glórias/ vêm do passado" (São Paulo FC); "Eu sou Leão da Barra, tradição/ [...] eu sou um nome na história" (Vitória da Bahia). Cada torcedor é filho simbólico da divindade clubística, com a qual se relaciona de forma muito mais livre do que com o Deus de qualquer religião tradicional. Se a ela se pede menos que a este (saúde, amor, dinheiro estão fora da alçada do clube), o imediatismo da sociedade contemporânea é mais bem atendido por ela (socialização, emoções fortes, consciência da própria identidade). Talvez por ter percebido o sentido religioso do jogo é que o semanário do Vaticano criticou aqueles que "levam o futebol demasiado a sério" (*L'Osservatore della Domenica*, 31/5/1964).

Se a rigor futebol não é religião porque, como observa o etnólogo francês Christian Bromberger, "ele não nos explica nada sobre de onde viemos ou para onde vamos", por outro lado ele "nos mostra quem somos, consagrando e teatralizando os valores fundamentais que moldam nossas sociedades: as identidades que se compartilham e com que se sonha, a competição, a performance, o papel da sorte, da injustiça, da trapaça, numa vida individual e coletiva". E de fato a dupla etimologia de "religião" parece reconhecível no futebol: *relegere*, "recolher", no sentido figurado "ler", lembra tanto o gesto mais primário do jogo (obter a posse de bola) quanto o mais sofisticado (compreender de imediato as intenções do adversário, saber "ler" o jogo); *religere*, "ligar outra vez", "unir", remete à estrutura essencial do jogo (que é coletivo, deve ser praticado em grupo) e ao seu gesto técnico mais importante (o passe, que liga entre si os vários jogadores).

Robert Coles, sociólogo inglês, sugere que se o futebol tem funções sociais que podem ser interpretadas de maneiras diversas, e mesmo contraditórias, é por ser fenômeno semelhante ao fenômeno religioso. Uma dessas funções pode ser deduzida da reflexão do filósofo francês Régis Debray: toda religião une, e contudo, para fazê-lo, ela divide, separa, antagoniza. Todo novo fiel de uma crença é infiel às outras. Daí por que nenhum Deus proclamado universal gerou uma religião universal. Os monoteísmos são excludentes, intolerantes. A universalidade do futebol está exatamente no fato de cada uma de suas divindades não se pretender universal. Do ponto de vista religioso, o mundo do futebol pode ser definido como politeísmo concorrencial, semelhante ao dos greco-romanos, cujas divindades formavam sociedade fechada no seio da qual havia rivalidades, disputas, alianças, traições. De forma aparentemente paradoxal, aliás, mesmo o monoteísmo cristão, menos estrito que o judaico e o islâmico, aceita outras entidades (santos e anjos) que, se do ponto de vista teológico estão submetidas à divindade única, na prática popular muitas vezes a substituem, ou ao menos a colocam em segundo plano. No limite, não seria preciso Deus se não existisse o Diabo. O futebol aceita essa contradição, e faz dela sua peça essencial. Bem de acordo com a lógica capitalista que os viu nascer, os clubes de futebol revelam-se adequados ao espírito da sociedade de concorrência. Concorrência incessante, sem vencedor definitivo, caso contrário estariam extintos o capitalismo e o futebol.

O forte espírito de concorrência que alimenta o futebol e permite sua sobrevivência leva consigo menosprezo sistemático às divindades de seitas rivais. Criam-se apelidos depreciativos que às vezes acabam incorporados pela seita visada, na tentativa de esvaziar o conteúdo insultuoso. Já no primeiro jogo profissional no país, entre Santos e São Paulo, na Vila Belmiro, em março de 1933, a torcida são-paulina tratou de "peixeiros" os rivais, que absorveram o apelido e transformaram o peixe no símbolo do clube. Também de intenção ofensiva dos torcedores do Guarani nasceu o apelido de Macaca para a Ponte Preta. Processo semelhante aconteceu quando os palmeirenses adotaram o porco como símbolo, invertendo o sentido ofensivo que lhe atribuíam os corintianos. Fenômeno comparável, em suma, ao do cristianismo, que transformou em seu símbolo máximo a cruz, que os romanos consideravam insígnia degradante.

A intolerância própria ao mundo do futebol gera a violência que o acompanha e que deve, é claro, ser analisada em termos socioeconômicos (item 5.3) e psicológicos (item 8.3). Mas também em termos religiosos, pois há uma violência inerente ao sagrado, como mostrou o antropólogo René Girard. De forma semelhante aos fiéis de certas religiões, alguns torcedores ficam possuídos no ambiente futebolístico. É o caso de um jovem, 23 anos na época da entrevista, funcionário público, universitário, membro da Mancha Verde, que reconhece sua transformação em dia de jogo: "Viro outro, não consigo me conter". Sua atividade ganha contornos de guerra santa. Enquanto cronistas da Primeira Cruzada, em fins do século XI, descreveram o morticínio que não poupava nem mulheres e crianças, aquele indivíduo conta que "se encontro um cara do time adversário, vou para cima. Sei que tenho duas vidas distintas. A princípio, evito mexer com um tiozinho e bater em mulher, velho ou criança. Mas pode sobrar para qualquer um. Até para mulher grávida". E completa seu relato: "Digo sempre para a minha mãe, se eu morrer em dia de jogo é para ela não se preocupar. Morro feliz porque estou fazendo o que gosto" (*IstoÉ*, 11/11/1998). Como os cruzados, que morriam contentes em combate por acreditar estar indo para o Reino de Deus. Tendo conotação religiosa, a violência no futebol não é de indivíduos, é sempre coletiva, mesmo quando envolve pessoas isoladas.

Algumas tragédias no futebol não se deveram a brigas entre seitas, apenas ao entusiasmo — termo do vocabulário religioso, literalmente "ter um deus dentro de si" — descontrolado que toda religião provoca. Não são episódios estruturalmente diferentes as mortes de peregrinos esmagados e pisoteados na ânsia de entrar em santuários — como acontecia com cristãos na Europa medieval, como acontece hoje com muçulmanos em Meca — e as de torcedores tentando ter acesso a estádios de futebol. Foi o que sucedeu em março de 1946 no Burnden Park, em Bolton, quando o dono da casa recebeu o Stoke pela quarta de final da Copa da Inglaterra e centenas de torcedores forçaram a entrada no estádio já lotado, matando 33 pessoas e ferindo mais de quatrocentas. Foi o que se passou no Hillsborough, em Sheffield, em abril de 1989, quando para ver uma semifinal entre Liverpool e Nottingham Forest milhares de pessoas se empurraram, derrubaram e pisaram, ocasionando a morte de 96 delas e ferimentos sérios em outras quatrocentas.

Outros dramas aconteceram no interior de estádios que não comportaram o excesso de torcedores. No Ibrox Park, em Glasgow, em abril de 1902, uma partida entre a seleção escocesa e a inglesa atraiu tanta gente que a arquibancada improvisada atrás de uma das metas ruiu, matando 26 pessoas e ferindo mais de quinhentas. O mesmo motivo custou a vida a dezessete pessoas e ferimentos a mais de 2 mil no estádio Furiani, em Bastia (Córsega), quando de uma semifinal entre a equipe local e o Olympique de Marseille, em maio de 1992. No Brasil, em São Januário, parte do alambrado desabou diante da pressão dos torcedores e mais de 160 pessoas ficaram feridas na final do campeonato nacional de 2000, entre Vasco da Gama e São Caetano. Em todos esses episódios, e muitos outros semelhantes, criticou-se com razão a ganância dos dirigentes, que foi, porém, a causa imediata e não profunda do evento. Esta foi a motivação de caráter religioso que pode levar pessoas normalmente prudentes a se expor a risco evidente, tomadas pela empolgação que envolve a cerimônia futebolística de forma geral e algumas delas em especial. Os ritos esportivos são, percebeu o antropólogo Marc Augé, de “natureza religiosa”. E em todo fato religioso emoção é o dado central. Deus, qualquer um, é afeto.

Na sociedade atual, de baixo nível de solidariedade, para muita gente o clube de futebol é fonte e destino de afeto. Se o sociólogo

Alain Ehrenberg afirma que não se pode falar em deuses dos estádios, é porque centra sua análise nos jogadores individualmente. Os estádios são palcos de epopeias de homens comuns, ele tem razão, mas homens que representam entidades sociais com frequência sacralizadas. Os clubes, independentemente dos jogadores que o encarnam em cada momento histórico, é que despertam emoção. Da mesma forma que nas religiões tradicionais Deus é perceptível somente através de suas criaturas, no futebol cada clube se materializa no seu time. Aliás, a materialização do sagrado faz parte da história das religiões, pois o ser humano não pode ter contato direto com ele. Como Iavé explicou a Moisés, "mostrar-me-ei a você apenas por indícios. Você não pode contemplar minha Face porque nenhum homem pode me ver e continuar vivo" (*Êxodo, 33, 20*). Diante da inacessibilidade e invisibilidade do sagrado, que se coadunam mal com a mentalidade contemporânea e seu gosto pelo concreto e pelo imagético, o sucedâneo material e humano de divindade que é o clube representa opção viável do ponto de vista da psicologia religiosa. À infinitude e eternidade do sagrado, que escapam à mentalidade quantitativa do homem atual, ele é alternativa ao alcance de sua compreensão. O humano feito à imagem da divindade dá lugar a divindades feitas à imagem do humano, entidades históricas, falíveis, cujos fracassos e sucessos emocionam mais — os clubes.

A necessidade espiritual de materialização explica, portanto, o papel central que desempenham os heróis do futebol. Entretanto, por mais importantes que eles sejam, o torcedor tem consciência de que muitos já passaram, os atuais passarão, novos surgirão. O elo entre os ídolos ou heróis do passado, do presente e do futuro é o clube. Este é a divindade reverenciada. Se torcedores podem em certos momentos se voltar contra os heróis, seu sentimento em relação ao clube de forma geral não se modifica, porém. É mais comum o indivíduo mudar de profissão, de cônjuge, de amigos, de religião, de país, de preferências artísticas ou gastronômicas do que de clube de futebol. A fidelidade que não se tem aos heróis tende a ser irretocável no que concerne ao clube. É possível, frequente mesmo, criticar o time, os dirigentes, as instalações esportivas, outros torcedores do clube, porém o clube em si permanece intocável enquanto projeção de diversos sentimentos (item 8.2). Se, pela definição de Émile Durkheim, toda divindade é "a sociedade transfigurada e pensada simbolicamente", pode-se considerar cada clube a divinização da própria comunidade que o compõe. É o que sugere um enorme cartaz de torcida no clássico Torino e Juventus de fevereiro de 1986: "*Vinci per noi, magico Toro*".

7.2 RITO, TEMPLO, SÍMBOLO

Se o jogo futebol é religião e cada clube divindade, toda partida é rito, como indica a própria origem da palavra, vinda do sânscrito *rita*, "ordem", "regra", "ritmo", isto é, conjunto de atos repetitivos que se supõe estabelecer ou recuperar certa ordenação cósmica ou humana. Com efeito, toda partida de futebol é constituída por gestualidades (passes, dribles, chutes, carrinhos, abraços etc.) e sonoridades (apito, exclamações, gritos, advertências, palmas, vaias, cânticos etc.) próprias que possuem significância para todos os envolvidos. Se os opositores veem nesse esporte apenas um espetáculo vazio de conteúdo, é por não se darem conta de que o rito é ato cuja eficácia (real ou suposta) não resulta de encadeamento empírico de causas e efeitos. O instrumento do rito — a bola — por sua esfericidade é aleatório, é não adestrável, é o próprio mundo em escala reduzida. É Deus, segundo tradição que remonta a Xenófanes (século VI a.C.) e foi seguida por Platão (século V a.C.), Alain de Lille (século XII), Giordano Bruno (século XVI) e Blaise Pascal (século XVII). Sua melhor expressão aparece em texto anônimo do século XII: "Deus é esfera infinita cujo centro se encontra em toda parte e sua circunferência em nenhuma".

O rito futebolístico, como os demais, ocorre em espaço específico, independente de sua condição material. A missa é a mesma na Notre-Dame de Paris ou na igreja paroquial de uma pequena cidade do interior de Honduras — embora, é claro, os objetos litúrgicos utilizados no primeiro caso sejam muito mais ricos que os do segundo. O futebol é o mesmo, jogado no Maracanã ou no campinho de um time amador de qualquer canto do mundo. Ainda que, obviamente, a qualidade dos equipamentos usados pelos jogadores nos dois locais e a diferença técnica entre eles sejam abissais. A dimensão social e estética do rito pode variar sem deixar de ser estruturalmente rito. A eficácia simbólica do rito não depende da qualidade da igreja ou do oficiante. Toda missa é missa, mesmo se não rezada pelo papa. Toda partida de futebol é partida de futebol, mesmo se não jogada por Pelé.

O espaço ritual futebolístico é o estádio, "santuário do mundo industrial", na expressão do historiador inglês John Bale, local onde uma religiosidade arcaica é expressa de acordo com o imaginário atual. Na Europa medieval, a maior construção de qualquer cidade era a igreja, que geralmente comportava a totalidade, ou quase, da população local. Raramente alcançando tais proporções devido a uma densidade demográfica muito maior, o mundo contemporâneo construiu santuários futebolísticos majestosos. Quando o Maracanã foi inaugurado, em 1950, podia receber 10% da população carioca. Quando a pequena ilha mediterrânea de Malta construiu, em 1953, seu estádio, ele podia acolher quase 12% de seus habitantes. Quando o Beira-Rio foi aberto, em 1969, a capacidade dele somada à do já existente estádio Olímpico, de 1954, permitia recepcionar quase 11% da população de Porto Alegre. Mesmo com as recentes determinações da FIFA, que buscando maior segurança e conforto dos torcedores reduziu a capacidade total dos estádios, estes continuam sendo os maiores espaços públicos fechados da atualidade. Nas cidades pequenas o fenômeno chama mais a atenção. Em Mônaco, o estádio Louis II, inaugurado em 1985, comporta até 18 500 pessoas, para uma população na época de 22 mil; em Lens, cidade francesa de atuais 35 mil habitantes, o estádio Bollaerts tem capacidade para 41 mil; no sertão brasileiro, em 1995 a cidade de Brejinho (PE) entregou ao público um estádio que ainda incompleto acolhia 3 mil espectadores e finalizado terá capacidade para 10 mil, enquanto a população estava por volta de 7500 habitantes, segundo o IBGE; em Loulé, no Sul de Portugal, construiu-se para a Eurocopa de 2004 um estádio para 30 mil pessoas, enquanto a população local é de 20 mil.

A forma arredondada dos estádios deve-se, sem dúvida, a razões práticas. Não tendo ângulos, a adoção daquela forma permite melhor visibilidade por parte do público (como no Coliseu da Roma antiga). Não se deve, contudo, minimizar a importância simbólica do estádio. Do ponto de vista da antropologia religiosa, ele é *axis mundi*, eixo que liga os mundos celeste, terreno e subterrâneo. Ali se conhece tanto o Paraíso das grandes vitórias quanto o Inferno das duras derrotas. E a rotina terrestre de vitórias e derrotas cotidianas, de situações purgatoriais do empate que nenhum outro esporte, exceto o xadrez, permite. Da mesma forma que as grandes catedrais têm seus museus, chamados de Tesouro, os santuários do futebol têm ricas salas de troféus, seja o Camp Nou (Barcelona), o Morumbi, o Old Trafford (Manchester United), a Vila Belmiro e outros. Entretanto, o que mais caracteriza o estádio de futebol como santuário moderno é o fato de ele associar, mais que qualquer outro monumento, todas as formas religiosamente significativas.

O círculo, em primeiro lugar, ao qual todas as sociedades atribuíram caráter celeste por ver nele a forma perfeita, sem começo nem fim. No imaginário cristão, por exemplo, o Paraíso tem representação circular com muita frequência. O fato de os estádios serem de maneira geral ovalados não anula, é evidente, a estrutura simbólica de tal identificação. Seja círculo efetivo (Centenário de Montevidéu, Dragão do Porto, Ernst Happel de Viena, antigo Prater Stadion) ou aproximativo (Maracanã, Morumbi, Stade de France), nele está inscrita a segunda figura geométrica mais presente na linguagem religiosa universal — o quadrado. Em todas as sociedades ele é expressão do mundo terreno. O campo de futebol, contudo, parece à primeira vista um retângulo. Na verdade trata-se de dois quadrados colocados frente a frente, cada um deles tendo, nas dimensões mínimas definidas pela regra, 45 metros de comprimento por 45 de largura. São dois espaços idênticos e contíguos concedidos a dois grupos de oficiantes diferentes e rivais. Como, segundo o linguista alemão Walter Ponzig, a percepção do espaço é a origem do pensamento, por ser "o modelo por excelência de todas as relações abstratas", pode-se perguntar se a duração de cada partida não é transposição, consciente ou inconsciente, do espaço ao tempo: duas etapas de 45 minutos, assim como dois campos de 45 metros.

De toda forma, o círculo e o quadrado estão ali intimamente associados. Há uma espécie de quadratura do círculo no fato de esta figura aparecer quatro vezes: um círculo integral no centro, dois outros de igual circunferência, todavia truncados, nas meias-luas das grandes áreas, outro fragmentado nos quartos de círculo do escanteio. Há uma espécie de circularidade do quadrado no fato de cada canto deste ser marcado por um quarto de circunferência, como se quatro pequenos círculos apenas parcialmente visíveis estivessem colocados nos ângulos do terreno. A cruz, que intermedeia as instâncias anteriores, não é símbolo religioso de origem cristã, como muitas vezes se pensa, tendo estado presente em várias civilizações pelo menos desde o século XV a.C. No caso do campo de futebol, ela é formada pela linha imaginária que une os pontos de pênalti e é cortada pela linha central. Trata-se da chamada cruz latina, de braço vertical mais longo que o horizontal, cruz inscrita em um retângulo à maneira, por exemplo, da cruz pavimental do claustro da catedral de Le Puy, no Centro-Sul francês, obra do início do século XII. Algumas vezes acentua essa relação simbólica o formato retangular dos estádios — típico da Grã-Bretanha (como os do Aston Villa, Cardiff, Celtic, Leeds, Liverpool, Manchester United, Nottingham Forest, Rangers Glasgow, West Ham), mas também presente na Alemanha (Colônia, Dortmund, Kaiserlautern, Mönchengladbach), Espanha (Athletic de Bilbao, Betis, Deportivo La Coruña, Rayo Vallecano), França (Lens, Lyon, Marseille), Itália (Atalanta, Reggina, Sampdoria) e Portugal (Boavista, Gil Vicente).

O círculo central do campo manifesta a ideia de totalidade, própria dessa forma geométrica, por unir os dois quadrados, as duas metades do retângulo de jogo. Cada metade quadrada tem metade do círculo central. Este cumpre assim a função de coincidência dos opostos que no século XV o cardeal Nicolau de Cusa atribuía ao símbolo do centro. Neste lugar, dizia, há maior concentração de energia cósmica, dali parte todo movimento do uno para o múltiplo, do interior para o exterior, do eterno para o temporal. A tradução futebolística disso é nítida. O conceito de que o time que ganha o meio de campo ganha o jogo corresponde ao primeiro elemento daquela formulação. Os vários movimentos que o teólogo renascentista descreve também estão presentes na dinâmica do jogo. Passar do uno ao múltiplo é o que acontece com a bola colocada no centro, inicialmente reservada a um único jogador e a seguir disputada por todos; passar do interior para o exterior é fazer com que ela deixe as fronteiras daquele círculo e a partida ocorra sobretudo fora dele; passar do eterno para o temporal é sair da atemporalidade anterior ao apito inicial para entrar no tempo histórico da partida (o círculo, símbolo do tempo desde o século XX a.C., ainda é muito usado em relógios analógicos). No centro do centro há um ponto, isto é, um pequeno círculo, que no plano religioso é o Princípio de tudo (para Dante Alighieri, Deus é "*il punto*", para Nicolau de Cusa "o centro é Deus") e no plano futebolístico também, pois marca o início e os reinícios da partida.

Esse pequeno centro é, em termos religiosos, "umbigo do mundo", o ponto em torno do qual tudo se forma. Por isso na gênese ("início") de cada partida mesmo os oficiantes são obrigados a ficar fora do círculo cosmogônico. Ao lado do ponto de origem, apenas dois celebrantes. Os especialistas no sacrifício. Os encarregados de penetrar na zona sagrada (grande área) do deus rival e executar seu sacerdote especial, seu último defensor (o goleiro). É nessa superfície que se localiza o lugar mais sagrado de todos — o gol, que corresponde perfeitamente à definição etimológica de altar. Ou seja, local "elevado" (a palavra latina *altare* vem de *altus*) tanto no plano moral (*goal* é "objetivo", "meta" a ser atingida) quanto físico (com seus 2,44 metros de altura). O retângulo sagrado da grande área superpõe-se em parte a um círculo das mesmas dimensões que o do centro do campo. Círculo que tem parte visível fora daquele espaço ("meia-lua") e a maior parte invisível dentro, a não ser pelo ponto central desse círculo incompleto — a marca de pênalti. O ponto sacrificial por excelência. É importante notar que, se há espaços privilegiados para o sacrifício, este só se concretiza fora do espaço. A meta está fora do espaço, ela não faz parte do terreno de jogo. Somente quando o instrumento sacrificial, a bola, transpassa inteiramente os limites terrenos (no duplo sentido da palavra) é que ocorre o gol.

Assim, foi uma genial intuição de Pelé assinalar o fim da carreira, na sua última partida pelo Santos FC, contra a Ponte Preta, em outubro de 1974, ajoelhando-se no ponto central do terreno com a bola entre as pernas e os braços em posição de cruz, voltando-se sucessivamente para os quatro lados do campo, os quatro pontos cardeais. Gesto que de certa forma sintetiza o significado religioso do futebol. Este é rito cuja execução começa num ponto inscrito num círculo, por sua vez inscrito numa cruz, inscrita num quadrilátero, inscrito num círculo ou elipse. É representação corporal do universo. É reconstrução periódica do universo. O estádio é *imago mundi*. É microcosmo.

O terreno de jogo constitui-se, sem dúvida, na parte principal desse santuário que é o estádio. Ele é terra santa na qual pisam apenas alguns laicos auxiliares e os oficiantes. E desde que portando paramento litúrgico completo. Assim como um sacerdote cristão não pode oficiar sem as vestes adequadas a cada tipo de cerimônia, um futebolista não pode jogar sem o equipamento prescrito na regra quatro. A sacralidade do campo interdita-o aos fiéis, exceto quando do êxtase coletivo total — uma conquista de título. Nessa ocasião alguns peregrinam ajoelhados de um *sancta sanctorum* (a meta) a outro. De forma comparável à dos devotos medievais dilacerando corpos santos em busca de relíquias, eles arrancam partes das vestes dos jogadores, pedaços da rede, da bandeirinha de escanteio. Após a final da Copa do Mundo de 2006, o gramado do estádio Olímpico de Berlim foi dividido em pedaços e leiloado. Não é incomum mesmo um oficiante ficar com a bola ou arrancar um pequeno tufo de grama, como fez em 1950 um jogador da seleção espanhola, impressionado com o novo santuário do Maracanã, mesmo tendo acabado de ser ali derrotado pelo Brasil por 6 a 1.

Não é irrelevante que estádios de futebol sejam ocasionalmente usados para cerimônias religiosas convencionais. O papa João Paulo II rezou missa em alguns. Em julho de 1980 no Maracanã e no Morumbi, para 160 mil pessoas em cada um; em novembro de 1982 no Camp Nou, para 120 mil pessoas; em outubro de 1991 no Serra Dourada, para 150 mil. Em agosto de 1985 o Morumbi recebeu 163 mil pessoas para um congresso internacional das Testemunhas de Jeová. É verdade que o estádio de futebol é geralmente o maior espaço disponível nas cidades atuais; todavia, também não é possível pensar que a "sacralidade laica" que ele possui favorece, mesmo que inconscientemente, a realização ali dessas cerimônias? Exemplo dessa superposição de religiosidades é o projeto do batizado são-paulino de crianças, cerimônia semanal no Morumbi, onde sob tenda erguida junto ao símbolo do clube os neófitos ouvirão seu hino, trechos do estatuto e receberão um certificado atestando sua nova condição "religiosa" (*Jornal da Tarde*, 27/12/2005).

A distribuição espacial dos fiéis no estádio tende a seguir a distribuição dos grupos sociais nas igrejas do passado: elite dos auxiliares laicos (dirigentes) nos camarotes reservados a ela, elite laica (torcedores de condição social superior) nas numeradas e cadeiras cativas, massa de fiéis (torcedores simples) nas arquibancadas, confrarias (torcidas uniformizadas) reservando-se sempre os mesmos setores. Entretanto tais clivagens não são rígidas. Podemos aplicar aos estádios de futebol a proposta do antropólogo escocês Victor Turner, para quem em toda situação ritual os indivíduos estão em contexto efêmero de "liminalidade", no qual, mais do que se submeter a hierarquias comuns de espaço e tempo, são levados a uma contraestrutura. Alegria ou tristeza extremadas, violência verbal ou física descontrolada, sociabilidade atípica, tudo isso testemunha a condição de contraestrutura do futebol. Em 1987, a comemoração do primeiro título do Napoli fez reaparecer o arcaico costume de comunicação com os mortos, aos quais os *tifosi* se dirigiram com uma grande inscrição no cemitério: "*I che ve site perse!*" ("O que vocês perderam!").

Sendo espaço não cotidiano mesmo para os oficiantes (que treinam em outro local), o surgimento de um estádio de futebol costuma passar por rito próximo ao que preside a fundação de uma igreja cristã. O terreno escolhido deve ser inicialmente abençoado, como fez monsenhor Francisco Bastos no espaço em que seria erguido o estádio do Morumbi. A cerimônia deu-se em 15 de agosto de 1952, dia da Assunção da Virgem. Quando da inauguração —

palavra originalmente do vocabulário religioso: "ato de consultar os áugures", isto é, sacerdotes que prediziam a vontade divina — em outubro de 1960, recebeu a bênção do cardeal d. Carlos Carmelo de Vasconcelos Motta. A estátua da Virgem de Montserrat estava presente no gramado do Camp Nou quando de sua bênção inaugural, em setembro de 1957. Assim como uma igreja profanada ou reformada também deve passar por novo rito de sacralização, algumas vezes o mesmo acontece com estádios de futebol. Foi o caso do Metropolitano, do Atlético de Madrid, cuja ampliação foi celebrada em setembro de 1954 por uma missa rezada no campo de jogo pelo capelão do clube. Mesmo em sociedades não cristãs o caráter sagrado do estádio, em especial do gramado, está presente. Na Índia, devido à concepção religiosa de tempo mais circular que linear, no início de cada temporada futebolística há um ritual para sacralizar novamente o terreno, sobretudo os buracos de fixação das traves e elas próprias.

Diferença de peso entre os templos cristãos tradicionais e os templos futebolísticos é sua definição cardinal. Nos primeiros, o espaço simbólico forte, o altar, encontra-se a leste, local do nascimento da divindade-sol que é o Cristo, daí porque os fiéis entram pelo oeste para caminhar em direção à luz e à Salvação. Nos segundos, devido à existência de dois altares, as duas metas, o eixo geralmente é deslocado para norte-sul. Alguns exemplos: na Alemanha, Westfalenstadion (Dortmund) e AOL Arena (Hamburgo); no Brasil, Beira-Rio, Mineirão, Morumbi e Pacaembu; na Espanha, Santiago Bernabéu e Ramón Sánchez Pizjuán (Sevilla FC); na França, Stade de France e Vélodrome (Olympique de Marseille); na Holanda, Arena e Olímpico, ambos em Amsterdã; na Inglaterra, Boleyn (West Ham) e Emirates (Arsenal); na Itália, Olímpico de Roma e Giuseppe Meazza de Milão; em Portugal, Alvalade (Sporting de Lisboa) e Dragão (Porto). Não é incomum pequena inclinação noroeste-sudeste: Azteca (Cidade do México), Camp Nou

(Barcelona), Ennio Tardini (Parma), Gerland (Lyon), Luz (Benfica), Maracanã, Centenário (Montevidéu), Olímpico de Barcelona, Olímpico de Porto Alegre, Parc des Princes (PSG), São Januário, Stamford Bridge (Chelsea), Vicente Calderón (Atlético de Madrid). Mas é interessante notar que tal inclinação de dois antigos estádios, o das Antas e o de Highbury, foi substituída pelo eixo N-S nas novas construções daqueles clubes, o estádio do Dragão do Porto (inaugurado em 2003) e o Emirates Stadium do Arsenal (em 2006). Menos frequente é a inclinação nordeste-sudoeste, presente no Anfield Road (Liverpool), Mestalla (Valencia), Monumental (River Plate), San Paolo (Nápoles) e Borussia-Park (Mönchengladbach). O eixo cristão leste-oeste é raro: Old Trafford, Olympia Stadion (Berlim), Riazor (Deportivo La Coruña) e Wembley.

Da mesma forma que em templos de religiões tradicionais, os do futebol estão adornados pelo símbolo da sua divindade. Aquilo que externamente ao mundo do futebol é considerado mero emblema (figura acompanhada de nome ou abreviação) ou distintivo (desenho e inscrição que identificam um grupo) é sentido pela comunidade em questão como símbolo. Isto é, significante visual que sintetiza a essência da coisa significada e tem por isso caráter religioso, quer dizer, de evocação do elo que se restabelece (*religere*) entre a divindade representada (clube) e seus fiéis (torcedores). Esse sentido de aproximação, de união, vem da origem da palavra: o grego *sumbolom* designava um objeto cortado em duas partes que quando reunidas permitiam o reconhecimento mútuo de seus possuidores. Logo, toda religião religa homem-divindade, todo símbolo reunifica e portanto ressignifica coisas temporariamente separadas. Símbolo é expressão visível de realidades incorpóreas. Daí o difundido hábito, tanto do fiel tradicional quanto do torcedor de futebol, de se cercar de imagens que o identifiquem enquanto tal e o aproximem da divindade, celeste ou clubística. Ter o símbolo do clube na mesa de trabalho, no chaveiro de uso diário ou no caixão com que se será sepultado é estruturalmente a mesma coisa que ter no automóvel um adesivo da Virgem, portar consigo um pequeno crucifixo ou ser enterrado com uma imagem religiosa tradicional.

No futebol ocorrem muitos episódios sagrados porque ele é da esfera do sagrado. Talvez sem perceber o alcance da sua própria definição, Nelson Rodrigues disse certa feita que "o mistério pertence ao futebol". Ele se referia com isso ao jogo como uma incógnita, um espaço de manifestação do imponderável, o que é verdade (item 8.4), por isso mesmo a formulação mais exata seria que o futebol pertence ao mistério, no sentido religioso do termo. Johan Huizinga, aliás, já havia percebido que por tirar o homem de seu mundo habitual, de sua cotidianidade, os jogos de forma geral cercam-se de mistério, estão na esfera do sagrado. Exatamente como o futebol, atividade frívola para os não iniciados, atividade plena de significado para os adeptos. Mais ainda, assim como um sacerdote de qualquer religião pode, dependendo de seu nível cultural e de seu perfil psicológico, realizar um rito mecanicamente, sem perceber todo seu alcance, é comum que pelas mesmas razões personagens centrais do jogo não alcancem o mistério do futebol.

Quando se está no santuário/estádio, o futebol é sem dúvida atividade sagrada. Fora dele, torna-se atividade literalmente profana: *pro* ("diante de", "no exterior de") e *fanum* ("templo"). Ou seja, excetuados os fanáticos ("pertencentes ao templo"), aqueles cegados pela paixão, o torcedor fora do estádio recupera a consciência individual e racional — sem negar, é claro, sua adesão ao clube do coração — e convive perfeitamente com fiéis de outros clubes. Dentro do estádio, diante de sua divindade, tomados por sentimento potencializado pelos companheiros de fé e polarizado pela presença de infiéis, muitos indivíduos podem ultrapassar as fronteiras da civilidade, da aceitação da diferença (item 8.3). Se a relação entre torcedor e clube é flutuante, oscila entre momentos de amor extremado e outros de indiferença ou mesmo de raiva, não é em função das fases vitoriosas ou não do clube, como se poderia pensar à primeira vista. É porque a ambivalência do sagrado (como Freud mostrou em *Totem e tabu*) ao mesmo tempo fascina e assusta, atrai e repele.

7.3 DOGMAS, OFICIANTES, LAICOS AUXILIARES, FIÉIS

Aceitando o futebol enquanto forma religiosa, os dogmas evidentemente são as regras que regem sua prática. Da mesma forma que não há judeu sem circuncisão, ou cristão sem batismo, ou muçulmano sem a *shahada* ("profissão de fé"), não há futebol oficial sem as dezessete regras aceitas pela FIFA, espécie de Igreja que encabeça toda uma hierarquia de arcebispados (confederações), dioceses (federações), paróquias (federações locais), inquisidores (juízes) e clérigos (jogadores filiados). O rito do futebol é praticado por um número fixo de oficiantes e inquisidores com o apoio de numerosos auxiliares laicos (técnicos, preparadores físicos, médicos, fisioterapeutas, bilheteiros, gandulas, jornalistas etc.) e acompanhado por multidão variável de fiéis (torcedores). Como em todo rito, a atmosfera é carregada de emoção. O encontro no mesmo local de muitas pessoas predispostas a uma experiência emotiva acentua o fenômeno que Gustave Le Bon, e na sua esteira Sigmund Freud, chamou de contágio das emoções. Daí o efeito multiplicador que ganham num estádio as vaias ou aplausos, as ofensas ao árbitro ou a um jogador, as provocações aos torcedores adversários.

Os oficiantes da "religião laica" que é o futebol possuem todo um arsenal de gestos religiosos. Gestos litúrgicos realizados com a bola (controlar, passar, driblar, chutar, cabecear) e cuja ortodoxia é definida pelos dogmas, que interditam o uso da mão pelos jogadores de linha, mesmo pelo goleiro em certas circunstâncias etc. Gestos paralitúrgicos realizados sem a bola. Dentre eles, gestos propiciatórios, dos quais o mais difundido é a entrada em campo acompanhada do sinal da cruz e/ou do fato de pisar o gramado com o pé direito. Ou gestos apotropaicos, sobretudo por parte de goleiros, que com pequenas variantes beijam as traves, rezam sobre a linha do gol, em pé ou ajoelhados, com braços abertos ou não, pedindo a inviolabilidade de sua meta. Ou ainda gestos exorcistas como o sinal da cruz, como se determinado fato negativo tivesse ocorrido por interferência de forças maléficas, para o artilheiro perder um gol (o usuário mais famoso do gesto foi Romário), para o goleiro cometer falha importante (como Marcos na final Intercontinental do Palmeiras contra o Manchester United). Ou também gestos de agradecimento ao mundo divino convencional, como o sinal da cruz, simples (o mais difundido) ou ajoelhado (o tcheco Petras e Jairzinho na Copa de 1970), ou a elevação do olhar e dos dois braços para o alto (feito por exemplo por Del Piero e Kaká). Ou, por fim, gestos jubilatórios à própria divindade futebolística, como beijar a camisa do clube ou bater no peito em uma espécie de comunhão que incorpora o símbolo, portanto o clube, ao próprio corpo.[1]

Do mesmo modo que há especialização de funções no clero cristão — nunca é demais repetir que o futebol nasceu e se desenvolveu em ambiente cultural cristão — com seus bispos, presbíteros, diáconos, acólitos, exorcistas, leitores e ostiários, há no futebol com

1. Existem ainda, é verdade, gestos de inspiração agnóstica na comemoração de gols. Eles podem ser políticos (Reinaldo e Sócrates com o braço elevado e o punho fechado), publicitários (Ronaldo Fenômeno faz sinal de número 1 perto da propaganda de uma marca de cerveja), regionais (jogador mostra camiseta em homenagem ao seu local de nascimento), amorosos (jogador beija aliança, desenha um coração no ar ou mostra camiseta com nome da mulher, da mãe ou dos filhos).

goleiros, laterais, zagueiros, volantes, meias, pontas e centroavantes. Entretanto, ao contrário dos sacerdotes tradicionais, os do futebol não têm estabilidade. Vitórias e derrotas alternam-se na vida de todo jogador, contusões sérias constituem-se em possibilidade concreta, a carreira curta é realidade inegável, a tentação de interesseiros (falsos empresários, amigos de momento, "marias-chuteiras" etc.) é cotidiana, o ostracismo com o fim da carreira pode ser esmagador para quem estava no centro das atenções. Entende-se assim a necessidade do apoio espiritual convencional que muitos buscam, sob uma forma ou outra. O exemplo mais forte é o movimento dos Atletas de Cristo, fundado em 1981 pelo Goleiro de Deus (João Leite, do Atlético Mineiro) e pelo Artilheiro de Deus (Baltazar, do Grêmio e Atlético de Madrid). Desde a origem o grupo ganhou força e atrairia muitos jogadores. Por exemplo, da final do campeonato paulista de 1992, entre São Paulo e Palmeiras, participaram onze Atletas de Cristo. Na seleção campeã do mundo de 1994 eles eram seis (um deles, Muller, depois se tornaria pastor e fundaria sua própria igreja), na de 2006 sete, isto é, mais de 30% do elenco. Estima-se que existam perto de 7 mil deles neste começo de século XXI.

Também por parte dos árbitros o pedido de proteção é comum, geralmente várias persignações seguidas. Alguns casos são mais ostensivos, como o de Edílson Pereira de Carvalho, que antes de começar toda partida elevava ao céu vários santinhos, que segurava com as mãos juntas. A categoria dos laicos auxiliares não escapa a essa atmosfera religiosa, embora com intensidades diferentes. Alguns técnicos, como Zagallo ou Antônio Lopes, ficaram conhecidos por suas superstições. Os massagistas, devido ao contato com o corpo dos jogadores, foram por muito tempo no futebol brasileiro considerados uma espécie de mago, alguém que em função daquilo que os antropólogos chamam de magia de contágio seria capaz de desfazer os feitiços dos adversários que visavam "amarrar" as pernas dos jogadores. O fato de gestos religiosos serem comuns no ambiente futebolístico não o isenta, é claro, de frequentes desvios de conduta. Marcelinho Carioca, apesar de Atleta de Cristo, teve várias expressões de soberba e protagonizou vários lances duros, tendo sido escolhido em pesquisa da revista *Placar* (abril/2000) "o jogador mais odiado do Brasil". O árbitro dos santinhos manipulou por dinheiro partidas do campeonato paulista de 2004 e do campeonato brasileiro de 2005. Enfim, os gestos religiosos realizados pelos personagens do futebol não têm conotação ética, apenas de eficácia simbólica.

Na microssociedade religiosa do futebol os fiéis, já dissemos, são os torcedores. Os não profissionais do rito, aqueles que dele participam sem o executar. Aqueles que se exaltam diante de seus ídolos, discutem, brigam e às vezes matam ou morrem por sua divindade clubística. Aqueles que com entusiasmo cantam o hino do clube, incentivam o time, aplaudem as boas jogadas de seus heróis. Enquanto os oficiantes precisam de entusiasmo dosado para bem cumprir suas funções, os fiéis são entusiastas totais à espera do momento do êxtase (gol) propiciado pela sua divindade por meio dos oficiantes. Êxtase ao mesmo tempo individual e coletivo que reforça a identidade da pessoa (item 8.1) e aumenta a consciência de que ser flamengo, ou galo, ou colorado é dado inerente à sua personalidade, é parte constitutiva de si. Daí a contradição do torcedor, que do ponto de vista racional aceita o profissionalismo do oficiante, enquanto do ponto de vista religioso exige sua fidelidade completa.

A relação entre torcedor e jogador é, com efeito, assimétrica. Um depende do outro, porém ambos sabem que a situação do primeiro é imutável e a do outro, provisória. Ao contrário das religiões convencionais, no futebol de hoje o crente é mais leal e constante em relação à divindade do que os oficiantes. Fato que gera tensão. O torcedor no estádio, concentrado e quase hipnotizado pelos gestos do embate entre o Eu e o Outro, não estaria perto da situação patológica na qual, diz Freud, "a delimitação da fronteira entre o Ego e o mundo exterior torna-se incerta"? O êxtase futebolístico, ao fundir o sujeito num Eu coletivo, momentaneamente o desindividualiza. Ele entra em comunhão com sua divindade pela percepção de que o mesmo processo é vivido pelos demais fiéis de seu grupo (item 8.2). Daí a violência latente no mundo do futebol ser a mesma do mundo religioso, como já lembramos. O indivíduo que sente ter um deus dentro de si tanto pode agredir o torcedor contrário quanto explodir um prédio cheio de inocentes (como fazem os terroristas islâmicos) ou bombardear um país inteiro (como fez George W. Bush no Iraque).

Com métodos diferentes, em momentos variáveis, em locais distintos, em intensidades flutuantes, toda religião leva a certa embriaguez do sagrado, à loucura do sagrado de que falava o apóstolo Paulo. De fato, para encontrar a divindade é preciso ou sair de si mesmo (literalmente, "êxtase") ou buscá-la no mais profundo de si mesmo (literalmente, "entusiasmo"). Tanto num caso quanto no outro há sensação de vertigem, perda momentânea dos referenciais cotidianos, ruptura das censuras culturais. A ânsia pelo sagrado historicamente acompanhou todas as sociedades. Necessidade profunda, ao mesmo tempo natural e anormal (pois supera a repetição do cotidiano), ela pode se exprimir de maneira profana ou sagrada, pode recorrer a componentes químicos ou à concentração psíquica. Mesmo indivíduos em princípio indiferentes à missa, ou ao rito de candomblé, ou a uma partida de futebol não ficam totalmente imunes ao clima de sacralização presente nos locais onde eles são executados. Ao sair da igreja, do terreiro ou do estádio, o descrente pode racionalizar a experiência vivida, porém dificilmente poderá negar que ali havia algo diferente. O próprio espaço do santuário, eclesiástico ou laico, é propício àquela situação afetiva. Não surpreende que em razão das características da sociedade ocidental contemporânea tal busca tenha em parte se deslocado das religiões tradicionais, institucionalizadas, moralizantes, focadas no Além, para manifestações mais adaptadas aos novos tempos, manifestações espontâneas, dionisíacas, focadas no imediato. Como o futebol.

Ao contrário do que se poderia pensar a partir de uma definição estrita e valorativa do sagrado, a violência verbal tão característica do futebol nada tem de irreligiosa. As vulgaridades que se dizem e ouvem nos estádios exprimem na verdade uma faceta do religioso. Elas manifestam a intensidade daquilo que Freud, usando expressão de Romain Rolland, definiu como "sentimento oceânico", isto é, certa energia pulsional e representação de traços mnêmicos de objetos do passado, pois nada que foi alguma vez vivido na psique pode desaparecer. O infinito oceânico está no interior do ser humano, que o percebe apenas, e obscuramente, quando o projeta fora de si. Daí porque, mostrou a pesquisa de campo realizada em 1985 pelos psicólogos ingleses David Canter, Miriam Comber e David Uzzell com 965 torcedores de dez clubes britânicos, perto da metade deles utiliza linguagem obscena durante as partidas. Daí o comportamento do padre Nelson Ramos, de uma paróquia de Araraquara, diretor de futebol do Taquaritinga e empresário de jogadores, que reconhece xingar o árbitro e falar palavrões durante as partidas de seu time (*O Estado de S. Paulo*, 12/8/2005). Enfim, a aplicação do conceito de "sentimento oceânico" ao mundo do futebol ajudaria, talvez, a explicar por que boa parte das manifestações da torcida é de conotação sexual. "Futebol é o mais pornográfico dos esportes", definiu Nelson Rodrigues.

Os torcedores, independentemente de origem social, cumprem com maior ou menor rigor seu papel de fiéis ao rito. Entre eles é usual, nos dias em que sua divindade se manifesta, portar uma mesma peça de roupa ou outro objeto supostamente benéfico, já que assim foi feito no passado em dia de vitória. Ou ter uma mesma rotina (o que comer, como ir ao estádio, na companhia de quem, sentar no mesmo setor do estádio etc.) que supõem atrair bons eflúvios. As promessas por vitórias importantes são comuns. Negativas, como algum tipo de jejum alimentar ou sexual, raspar o cabelo etc. Ou positivas, como fazer algum ato de caridade. Nos dois casos trata-se de certa renúncia, de coisas que se tem ou que se poderia ter. Esse comportamento, é evidente, não está restrito a um ou outro país ou clube. Ele faz parte da psicologia futebolística de todos os locais, assim como da psicologia religiosa de todos os tempos.

Um cabeleireiro de Coimbra, por exemplo, propôs cortar cabelo de graça durante 24 horas ininterruptas caso o Sporting fosse campeão português depois de um jejum de dezoito anos (*A Bola*, 5/5/2000). Mas a atividade por excelência para agradecer um título conquistado são as peregrinações, ligadas a uma religião institucional ou não. Depois do *scudetto* de 1976, 10 mil torcedores do Torino dirigiram-se até a basílica de Superga, local marcado na memória coletiva da comunidade porque lá, em 1949, batera o avião que transportava o grande time da época, matando todos os seus componentes. A troca de favores entre mundo humano e mundo divino é própria de toda religião, e os profissionais do futebol não ficam isentos. Didi, logo após ganhar o campeonato estadual pelo Botafogo em 1957, saiu do Maracanã com o uniforme do jogo e foi a pé até a sede do clube, acompanhado nesses oito quilômetros por cerca de 5 mil torcedores. Campeões nacionais pelo Bordeaux em 1984, Bernard Lacombe e Alain Giresse realizaram uma peregrinação a Lourdes. Em 2002, Luiz Felipe Scolari agradeceu a conquista da Copa do Mundo com a seleção brasileira indo até a basílica de Aparecida, santuário, aliás, visitado com frequência por times e torcedores sagrados — essa acepção da palavra é significativa — campeões.

Permeado de crenças, o universo do futebol possui todo um conjunto de atitudes e comportamentos a serem praticados e outros a serem evitados. Ao contrário do que se poderia à primeira vista pensar, eles não são simples clichês. São valores que têm o peso e o significado de virtudes e de pecados na escala religiosa convencional. Dentre os primeiros estão a humildade em relação ao adversário, o respeito à própria torcida, o empenho na disputa, a fé no resultado positivo. Dentre os segundos estão o desrespeito aos adversários, a provocação à outra torcida, o desinteresse pela partida, a descrença na vitória, a soberba. Tomemos apenas dois exemplos. Do primeiro campo valorativo, a fé; do segundo, a soberba.

Se o futebol fosse comparação contabilizável de organização dos dirigentes, capacidade técnica dos jogadores e incentivo dos torcedores, não precisaria haver disputa alguma. Ou somente poucas partidas entre forças muito semelhantes, cujas diferenças decimais exigiriam comprovação. Não sendo evidentemente o caso, é preciso, a cada partida, confiança na possibilidade de vencer. Os pequenos clubes podem derrotar os grandes, um grande em mau momento pode ganhar do rival em boa fase, um jogador mediano pode muitas vezes se revelar mais eficaz que um craque. Está se falando de autoconfiança (item 8.4), que no universo futebolístico com frequência é transformada em fé. No Brasil, todo time faz uma oração conjunta antes de entrar em campo. Em Goa (Índia), os treinamentos do Sporting Clube local começam com oração da qual participam católicos, muçulmanos, hindus e siques (membros de religião monoteísta indiana que rejeita o hinduísmo).

No meio futebolístico nunca se questiona por que forças superiores favoreceriam um atleta ou um time em detrimento de outros. Como Mário Filho sabia — e todo bom observador sabe — "Com futebol só não se ganha. É preciso acreditar". A razão é simples: futebol é o esporte no qual cada ação apresenta o maior leque de possibilidades, no qual o imponderável está quase sempre presente. Assim, a constatação daquele cronista é correta: "No futebol o milagre é quase cotidiano. A graça divina pode tocar qualquer um". Daí porque os próprios representantes da religião formal não consideram contraditório seu envolvimento com o futebol. O Fluminense foi campeão estadual em 1936, 1937, 1938, 1940 e 1941 graças, acreditava-se, às preces de um sócio do clube, padre Romualdo. O Flamengo, por sua vez, depois de nove anos sem título ganhou o tricampeonato de 1953-4-5 com a intervenção de padre Góes. No São Paulo FC das décadas de 40 e 50, monsenhor Bastos levava os jogadores para se concentrarem no terceiro andar da torre da igreja da Consolação, da qual era vigário. Quando, na segunda metade dos anos 1960, o Cruzeiro formou um time extraordinário, o arcebispo de Belo Horizonte, d. Serafim Fernandes de Araújo, torcedor atleticano, confessou que, "por mais que eu reze, não tem jeito. Esse Tostão é mesmo infernal". Época romântica do futebol brasileiro, superada há décadas? No Vasco da Gama de fins do século XX, antes das partidas o padre Lino abençoava os jogadores, às vezes rezava missa, um técnico pediu-lhe no intervalo de um dia desfavorável que jogasse água benta no gramado. Em 2004, o arcebispo de São Paulo, d. Paulo Evaristo Arns, mesclou religião e futebol escrevendo um livro significativamente chamado *Corintiano graças a Deus*. Em fins de 2005, diante da forte possibilidade de ser rebaixado à segunda divisão, o Flamengo, no dia de São Judas Tadeu, levou jogadores e camisas para serem abençoados pelo arcebispo d. Eusébio Scheidt.

O exemplo arquetípico de soberba talvez seja a final da Copa de 1950, na famosa virada uruguaia sobre o Brasil, que precisava apenas do empate. Muito se discutiu a opção tática do técnico Flávio Costa, uma possível falha do médio-esquerdo Bigode e sobretudo do goleiro Barbosa. Mas, é inquestionável, o Brasil perdeu a Copa nos dias anteriores, tomado pela euforia coletiva provocada pelas goleadas sobre Suécia (7 a 1) e Espanha (6 a 1). Ninguém acreditava que a Copa poderia ser perdida.[2] Os jogadores foram tirados da tranquila concentração de Joá, longe do burburinho do Rio de Janeiro, e levados para as instalações de São Januário. Por ali passou nos dois dias anteriores à partida decisiva uma multidão de políticos interessados em ganhar prestígio para as eleições que ocorreriam pouco depois. Até no dia da partida os jogadores foram acordados às sete horas da manhã para encontro com políticos! O jornal *O Mundo*, horas antes da decisão, estampou em primeira página uma foto da seleção brasileira com a legenda "Estes são os campeões do mundo". O discurso do prefeito carioca diante das duas seleções atingiu o máximo de soberba: "Brasileiros, vós que daqui a alguns minutos sereis campeões do mundo; vós que não tendes rivais em todo o planeta; vós a quem eu já saúdo como vencedores [...]".

Na Copa do Mundo seguinte também houve uma seleção muito superior às outras, e ela passou a ser considerada a campeã que deveria apenas cumprir uma última formalidade: a Hungria, que em etapa anterior da competição goleara por 8 a 3 sua adversária na decisão, a Alemanha. Nessa célebre partida, bastaram poucos minutos para os húngaros fazerem 2 a 0, porém ainda no primeiro tempo cederam o empate e na última etapa permitiram a inimaginável vitória dos alemães. Como o principal jogador húngaro, Puskas, reconheceria, "no final, levamos o que merecemos. Não

2. Pela proximidade dos fatos não há necessidade de lembrar a Copa de 2006, para a qual todos os países designavam o Brasil como virtual vencedor graças à extraordinária geração de jogadores que possuía. Apesar do discurso oficial politicamente correto do "ainda não ganhamos nada", os fatos provaram a presença de forte soberba. O período anterior na Suíça foi mais uma festa aberta (presença de público, treinos recreativos, entrevistas constantes) do que treinamento efetivo e concentração. Como o zagueiro Lúcio observou depois, "reinava ali um ambiente animado e musical, distante de uma preparação séria". Vinda a desclassificação na quarta de final, o técnico Parreira confessou estar arrasado, porque "jamais me preparei para a derrota". É muito tênue a fronteira entre confiança e soberba.

deveríamos nunca ter relaxado depois de estar com dois gols de vantagem; deveríamos ter pressionado e ido atrás do terceiro para liquidar o jogo". O goleiro Grosics concordou, reconhecendo que aquela partida revelou "em nossa equipe uma profunda vaidade, que nunca havia sido percebida antes. Depois que fizemos o segundo gol, no oitavo minuto, pensamos que estava tudo acabado". Vaidade retrospectivamente perceptível. No dia anterior as mulheres dos jogadores húngaros chegaram para ver a final e o reserva Károly Sándor, ao recepcioná-las, garantiu: "Não se preocupem, meninas, ganharemos a partida de olhos fechados". Também na véspera, a embaixada húngara em Berna distribuiu 150 convites para a recepção que ocorreria no dia posterior à decisão, o que deixava implícita a certeza do resultado. Como Mário Filho comentou a propósito da derrota brasileira em 1950 e da húngara em 1954, "a vitória é uma espécie de doença que só a derrota cura".

A soberba futebolística, como todo pecado, tem como consequência a recepção psicológica da falta, seja por parte do próprio sujeito, seja por parte de suas vítimas. No caso do futebol, a soberba de uns alimenta o desejo de superação dos outros. Como os exemplos são inúmeros, lembremos apenas dois. Na disputa do Mundial Interclubes de 1962, entre Santos FC e Benfica, como o clube brasileiro venceu em casa a primeira partida por apenas um gol de diferença, os portugueses acreditaram já ser os campeões, porque a segunda partida e a eventual terceira, de desempate, seriam em Lisboa. Quando os brasileiros ali chegaram, já estavam à venda ingressos para aquela hipotética terceira partida, mesmo antes da realização da segunda. Nas palavras de Pelé, isso motivou ainda mais o Santos, que venceu por 5 a 2, na "melhor partida de minha carreira". Porém ninguém fica isento da soberba no universo futebolístico. Apesar daquele exemplo dos dirigentes do Benfica, os santistas incorreriam no mesmo erro tempos depois. Na Taça Brasil de 1966, o Cruzeiro vencera a primeira partida final no Mineirão por 5 a 0, e na segunda, no Pacaembu, o Santos ganhava por 2 a 0 no intervalo. Então os dirigentes do time paulista foram até o vestiário dos mineiros para combinar o local da partida de desempate. Conta Tostão que "aquilo levantou o moral do nosso time, e viramos o jogo para 3 a 2".

7.4 CRER, TORCER, DISTORCER

Seguir determinado clube é acreditar, mesmo contra evidências racionais, que ele vá vencer. Como o futebol é jogo de muitos erros (sessenta passes errados numa partida é algo comum no Brasil) e pouca pontuação (mais de três gols em uma partida não é frequente), mantém o torcedor em constante expectativa. Impotente na arquibancada, o adepto de um clube crê que sua fé e seu estímulo possam colaborar para que seus ídolos levem a divindade comum à vitória. É significativo em português o uso da palavra "torcer" para designar o ato de manifestar adesão entusiasmada à trajetória esportiva de um clube. Conta-se que a origem da acepção futebolística do termo vem do hábito de moças simpatizantes do Fluminense contorcerem durante as partidas pequenas fitas roxas, semelhantes às usadas na cintura pelo goleiro do clube nos anos 1914-22, Marcos Carneiro de Mendonça. De toda forma, uma das acepções dicionarizadas de "torcer" é "desvirtuar o significado ou a proporção real de algo". No mundo do futebol, é interpretar os fatos segundo a emoção.

Torcer é sempre distorcer, portanto. E não apenas o presente, a partida que se tem diante dos olhos, no estádio ou na televisão. É também adulterar o passado. Até hoje, no gol de desempate na final da Copa do Mundo de 1966 a bola entrou, de acordo com os ingleses, e não entrou, segundo os alemães; na final do campeonato paulista de 1971, o gol de Leivinha foi bem anulado, para são-paulinos, e mal anulado, conforme os palmeirenses. Acima de tudo, torcer é tentar distorcer o futuro, interferir nele. É esperança de "alterar o destino", sentido que a palavra tem na língua portuguesa desde o século XIII. Em fins de 1998, com a aproximação do Mundial Interclubes e a possibilidade de o rival Vasco da Gama conquistá-lo, alguns flamenguistas inconformados (seu clube ganhara aquele título em 1981, e não queriam ser igualados) fundaram uma torcida favorável ao Real Madrid, adversário vascaíno. Ou melhor, fundaram uma antitorcida. Tratava-se, é claro, mais de torcida contra o rival local do que a favor dos distantes espanhóis. Os idealizadores mandaram fazer duzentas camisas da Fla-Madrid e logo venderam 3 mil.

Assim como nos primeiros séculos os cristãos exultavam com os fracassos das divindades pagãs, no futebol torcer contra é tão frequente e importante quanto torcer a favor. Em mais de 34% das vezes, aliás, a própria escolha de um clube ocorre por oposição ao clube de alguém afetivamente próximo, pai, irmão, amigo. No caso do Rio de Janeiro, nossa sondagem sobre o perfil do torcedor indica que o contentamento pela conquista de um título deve-se, para quase 35% dos entrevistados, ao fato de poder tripudiar sobre os rivais. Logo, o inverso é verdadeiro, a perda de um título por parte de um tradicional rival (e 76% dos torcedores têm um rival específico) é fonte de muita alegria. Como o ex-flamenguista Sávio jogava então no Real Madrid, foi feita para ele uma prece: "Oh são Sávio da Gávea! Fazei com que o Flamengo ressurja das cinzas e volte a viver dias de glória. Dai-nos resignação para suportar tanta incompetência e agasalhai os pés de nosso presidente. Fazei-nos esquecer os falsos ídolos de chuteiras. E faça com que o ano da desgraça de 98 acabe logo, abreviando assim o sofrimento da imensa nação rubro-negra. Sem macular ainda mais o nosso manto sagrado, livrai-nos, com sua santa canhota, do vexame. E nos conceda a grande real vitória, impedindo a falsa cruz de conquistar a terra do sol nascente. (Arreda Eurico! *Vade retro*!) O pé-frio tirou o senhor do nosso mundo, mas, neste momento de dor, nós, rubro-negros de fé, te rogamos: afasta de nós estes cálices. O Vasco campeão mundial e o nosso presidente que tenta perpetuar o mal em um povo outrora tão feliz. Amém".

Toda essa energia mental negativa dirigida na época por 22 milhões de flamenguistas contra o Vasco e seus 5 milhões de adeptos (pesquisa *Lance!*, setembro/1998) parece, do ponto de vista dos primeiros, ter contribuído para aquele Real Madrid 2 × 1 Vasco da Gama. Mas anteriormente, no mesmo "ano da desgraça de 98", a torcida contra não impedira que o Vasco ganhasse a Taça Libertadores, igualando-se ao Flamengo nessa competição. Torcer contra ou a favor é enorme dispêndio de energia psíquica, é ato de fé que consome o sujeito. Não por acaso, a etimologia de "torcer" vem do latim *torqueo, torquere*, "torturar", "atormentar", e também "sustentar", "suportar". É este último sentido que prevalece em francês (*supporter*) e inglês (*to support*), vindos do baixo latim *supportare*, "sofrer", "ajudar", "sustentar". Em italiano, o verbo *tifare* deriva de *tifo*, "entusiasmo", "paixão", "fanatismo", todos vocábulos de sentido essencialmente religioso e com forte conotação emotiva, vinda do original grego *thyós*, "furor". Como *tifo* designa também a doença infectocontagiosa do mesmo nome, disseminada na Itália dos anos 1920, o termo estava muito associado ao sentido de sofrimento. Em espanhol, *aficionar* decorre de *afición* (por sua vez do latim *affectionis*, "afeto"), palavra que indica ao mesmo tempo "amor a alguma pessoa ou coisa" e "torcida". Em alemão, o termo escolhido para o aficionado oscila entre o laço social e o laço afetivo: *Anhänger*, "partidário", "adepto", pertence à família lexical do verbo *anhängen* ("ser ligado por afeto", "estar preso a"), dos substantivos *Anhang* ("apêndice", "séquito", "família") e *Anhänglichkeit* ("afeição", "lealdade"), dos adjetivos *anhänglich* ("fiel") e *anhängan* ("afeiçoado a").

Enfim, é possível entrever o significado do futebol para cada povo por meio das palavras que expressam o ato de apoiar o time escolhido. Análise que pode ensinar muitas coisas, desde que não se esqueça que a intensidade do sentimento religioso é muito pessoal, e no caso do futebol proporcional à paixão clubística. Para o fanático fluminense Nelson Rodrigues, "o que nós procuramos no futebol é o sofrimento. As partidas que ficam, que se tornam históricas, são as que mais doem na carne, na alma". É isso que faz algumas vezes a *passio* do fiel ser transferida para o oficiante. É comum, como se sabe, um jogador durante certo tempo encarnar o clube, ser a figura mais representativa dele, por isso adorada, e em outro momento ser rejeitada, vaiada, xingada, fisicamente agredida. Fenômeno semelhante ao da religiosidade popular convencional. A imagem de um santo é reverenciada enquanto o devoto acredita que ela atende seus pedidos, porém é colocada de ponta-cabeça, escondida, quebrada, quando não mais satisfaz as expectativas que se depositam nela. Não são raros os casos de ídolos futebolísticos ameaçados diante de maus resultados. O Corinthians, pela forte paixão que desperta na sua torcida — expressivamente autodenominada Fiel —, foi protagonista de vários exemplos. Contra ídolos como Sócrates, Viola ou Edílson. Contra toda a equipe, como em outubro de 1997 (após uma derrota em Santos, na volta o ônibus do clube sofreu uma emboscada na estrada por parte da Gaviões da Fiel) ou em maio de 2006 (após a eliminação na Libertadores a torcida invadiu o campo, ameaçou dirigentes e provocou quebra-quebra nos arredores do estádio).

Quando ela formou sua própria escola de samba, para participar anualmente do concurso carnavalesco paulista, tornou explícito e potencializado um sentimento presente em todas as torcidas — estas não são apenas espectadoras, coadjuvantes da cerimônia. Se elas cantam, agitam bandeiras, gritam slogans, antes que seus times entrem em campo, é porque se exibem para si mesmas, incentivam a si próprias, tentam intimidar as outras. Não é por impropriedade discursiva que se diz que "meu" time ganhou do "seu", que "meu" Deus é superior a todos os outros. Os pronomes possessivos revelam aí profundo sentimento de identificação, seja com a divindade clubística, seja com a divindade convencional. Em última análise, todo adepto do futebol torce para si próprio devido a uma identificação com o clube tão enraizada quanto a de qualquer outro fiel que encontra no seu Deus a si mesmo. A distorção egocêntrica está presente nos dois casos e pode atingir dimensões paranoicas, dependendo das circunstâncias nas quais tal sentimento é exteriorizado (item 8.2).

Sendo tão penetrado por emoções religiosas, não é casual que o mundo do futebol esteja repleto de práticas rotuladas de supersticiosas. Isto é, consideradas irracionais a partir de uma norma culta. Na Antiguidade pagã, *superstitio* é o oposto de *religio*, é o não cumprimento escrupuloso dos rituais romanos. O cristianismo alargou o fosso conceitual ao identificá-la com sobrevivências das falsas religiões anteriores. Superstição depende, portanto, do referencial ortodoxo de cada religião. Ora, com exceção das dezessete regras o futebol não tem um corpo de ideias rígido que permita o aparecimento de superstições. O que é assim chamado, relativamente ao futebol, são gestos e costumes que pretendem estimular a boa sorte numa atividade que, sendo jogo, depende dela em larga parte. São práticas dirigidas a divindades de religiões institucionalizadas ou a entidades mal definidas e nem por isso menos presentes e eficientes do ponto de vista daqueles que apelam a elas. Todos os personagens do mundo do futebol conhecem e usam tais técnicas. Como se perguntava o personagem de *O jogador*, de Dostoiévski, "será possível pôr os pés numa sala de jogo e não se ver logo assaltado por uma superstição?".

Qual torcedor não tem talismãs e hábitos propiciatórios aos quais recorre antes e durante as partidas? Qual profissional, sempre exposto a contusões, a desempenhos ruins, ao fracasso na carreira, escapa a recursos assim? Isso nada tem a ver com nível cultural ou racional, é manifestação religiosa, mesmo da parte de quem acredita não ter uma religião. De uma abordagem lógica, é idêntico Kaká ter nas linguetas de suas chuteiras a inscrição "Deus é fiel" e Robson (Paysandu) usar a mesma cueca durante toda a temporada para atrair sorte. No entanto, por ser pejorativo, o rótulo "superstição" aplica-se sempre à prática religiosa do Outro. O guineense Titi Camara (Lens, Marseille, West Ham, Liverpool) reconheceu que antes de toda partida colocava lado a lado um rosário e um limão, ressalvando que isso "não é superstição, e sim um meio pelo qual Deus me protege da má sorte" (*France Football*, 31/10/1995). O árbitro Pierluigi Collina negava ser supersticioso, porém carregava consigo sempre a mesma moeda de meio dólar de prata para sortear os lados do campo, e quando a perdeu em certa partida ficou junto com seus auxiliares procurando-a em cada canto do gramado, como "cães farejando trufas".

É bem sabido que superstições estão disseminadas no mundo do futebol. Elas podem estar associadas a gestos, palavras, objetos, cores, locais, pessoas, partes do próprio corpo. Do lado dos jogadores, a intensidade delas acompanha de certa forma a proximidade do evento que se quer favorecer. De acordo com Desmond Morris, no futebol inglês 11% dos atos supersticiosos acontecem na véspera da partida, 7% na manhã dela, 19% a caminho do estádio, 40% no vestiário, 9% no túnel que dá acesso ao gramado, 14% no próprio campo. De forma geral, as práticas mágicas no futebol são regidas pelo que os antropólogos chamam de princípio da similitude. Algumas vezes este é manipulado de forma negativa: o que foi feito e deu errado não mais é repetido. Thierry Henry, embora seja o maior artilheiro da história do Arsenal, não cobra pênalti sofrido por ele mesmo. Mais comumente, a similitude é interpretada de maneira positiva: aquilo que foi feito uma vez e deu certo é repetido. Muitos jogadores não gostam de mudar de lugar no ônibus do clube ou no vestiário. Bobby Moore (West Ham, capitão da Inglaterra campeã mundial de 1966) era sempre o último a vestir o calção antes de subir para o jogo. Zinedine Zidane punha no armário do vestiário um chaveiro em forma de bola de bilhar marcado com o número sete.

Do lado dos torcedores, o leque de práticas mágico-religiosas também é amplo. Conforme nossa amostragem, ir ao estádio com a camisa do clube atrai sorte, acreditam mais de 22% dos torcedores. Levar objetos que se supõe propiciatórios é uso de 10% deles. Repetir os mesmos procedimentos em toda partida, de 8%. Há gestos individuais que pretensamente intervêm no jogo. Alguns acreditam poder transmitir uma força negativa ao adversário e para isso vestem a camisa dele. Outros pensam possuir uma força negativa para seu próprio clube, por isso nem sequer passam perto do estádio no dia em que ele joga. Também diante da televisão o futebol não é vivido como espetáculo neutro. Quase 23% dos entrevistados consideram propiciatório vestir sempre a mesma roupa, sentar na mesma cadeira, assistir ao mesmo canal, ter as mesmas companhias. Há casos particulares interessantes diante da televisão: assistir à partida em pé; praticar macumba; realizar "a dança da vitória"; fazer figa sempre que o time é atacado.

Do lado dos dirigentes, os fundamentos religiosos são os mesmos. Carlito Rocha, presidente do Botafogo nas décadas de 1940-50, assistia às partidas do time sempre com a mesma roupa. Encarregado em 1962 de novamente planejar e chefiar a seleção brasileira que iria à Copa do Mundo, Paulo Machado de Carvalho recorreu não apenas aos princípios gerenciais que tinham dado certo em 1958. Ainda fez questão de usar o mesmo terno marrom que vestira durante a campanha na Suécia. O avião que levou a delegação para o Chile teve de ser o mesmo de quatro anos antes, e o piloto também. Como este tinha cavanhaque naquela oportunidade, foi instado a deixá-lo crescer novamente.

Do lado dos técnicos, é bem conhecida a crença de Zagallo quanto ao caráter benéfico do número treze e de Carlos Alberto Parreira em relação ao sete. E também o hábito de Telê Santana, quando dirigia o São Paulo FC, de sempre vestir camisa vermelha durante as partidas. Antônio Lopes recorria a ampla variedade de gestos mágico-religiosos: segurava um cordão pendurado no pescoço, com crucifixo e medalhas de santos; em momentos de grande tensão beijava esses objetos e o relógio com imagem de Nossa Senhora; colocava na palma direita voltada para cima uma pequena imagem metálica de santo. Superstições não são, claro, exclusividade de brasileiros. Preparando-se para a decisão da Liga dos Campeões de 1995, Fabio Capello fez questão que o Milan jogasse com o uniforme reserva. Argumentou que com ele o clube jamais havia perdido uma final, enquanto com o outro fora derrotado pelo Olympique de Marseille dois anos antes. Explicando a eliminação da Colômbia no começo da Copa de 1998, Francisco Maturana, pessoa de formação técnica, dentista de profissão, atribuiu-a à "bruxaria". Raymond Domenech, técnico da França na Copa da Alemanha, acredita que quando é difícil escolher entre dois jogadores de valor igual, "a astrologia pode ser um recurso".

As práticas supersticiosas do futebol não são atitudes isoladas, individuais. As coletividades não escapam, é claro, a esse ambiente psicológico-religioso. A crença de que há magia exige contramagia. Segundo os protagonistas da partida entre Peru e Camarões no Mundial de 1982, ela terminou sem gols porque os africanos tinham mergulhado fotos dos jogadores adversários em sangue de galinha preta e os peruanos, por sua vez, tinham cortado com espada de aço fotos dos jogadores rivais (*Le Figaro*, 16/7/1982). Quando ia enfrentar o Paris Saint-Germain pela Liga dos Campeões de 1995, o Barcelona resolveu se alojar em determinado hotel porque ele já fora favorável a um dos jogadores do elenco. Tinha sido ali que se hospedara a seleção búlgara que em

1993 vencera a seleção francesa pelas eliminatórias da Copa do Mundo. E o centroavante do clube espanhol, Hristos Stoichkov, fez questão de se instalar no mesmo quarto no qual tinha estado dois anos antes. Porque o Barcelona perdeu a partida e o mesmo ocorreu com o Bayern de Munique depois de ter se hospedado naquele hotel, quando um pouco mais tarde o Milan foi até a capital francesa procurou outro lugar para se concentrar. Em abril de 2006, um feiticeiro do Equador visitou todos os estádios onde seria jogada a Copa da Alemanha para "limpá-los" de más influências à seleção nacional daquele país.

Em todos os países, os envolvidos com o futebol acreditam que além de condição técnica e física ele requer esperança nas forças aleatórias, daí ser esporte incompreensível aos "idiotas da objetividade", na célebre expressão de Nelson Rodrigues. Quando o resultado de uma prática mágica não é aquele esperado, não se duvida dela, atribui-se o fato a uma "falha ritual". Na vez seguinte o rito, pessoal ou coletivo, é refeito com mais cuidado. Momento forte de uma partida, a cobrança de pênalti sempre foi objeto de várias dessas práticas. Fausto, a Maravilha Negra, craque dos anos 1930 (Vasco, Barcelona, Nacional de Montevidéu), cuspia na bola para, pelo princípio do contágio, transmitir sua própria essência e assim ganhar domínio sobre a trajetória dela. O mesmo princípio explica o prolongado hábito de os goleiros cuspirem nas mãos antes de escanteios, faltas e pênaltis. Justificava-se o gesto em nome de maior aderência; entretanto, a adoção de luvas especiais não o eliminou de todo, revelando motivação mágica mais do que razões práticas.

Uma boa ilustração do clima religioso do futebol pode ser um longo e conhecido episódio ocorrido em Pernambuco a partir de 1962. Um jogador do Náutico procurou um pai de santo, pedindo ajuda. Pai Edu realizou um ritual de candomblé e veio o tetracampeonato estadual em 1963-6. Mas, tratando-se do clube da elite local, alguns dirigentes recusaram aceitar a influência do pai de santo, que foi dispensado. Diante das derrotas, pediram-lhe novamente ajuda e foi-lhe prometido um boi em caso de pentacampeonato. Isso aconteceu, mas o boi não foi dado. No ano seguinte, no dia da partida final o animal foi entregue e aconteceu o primeiro hexacampeonato pernambucano. Entretanto era animal castrado, o que teria desagradado os deuses e iniciado longa fase (com trocadilho) de vacas magras. Assim, 31 anos depois o clube decidiu pagar a dívida. Todavia, uma associação invocou a lei que proíbe crueldade com animais e a polícia impediu que o boi fosse sacrificado. Assim mesmo, pai Edu considerou a dívida liquidada e dois anos mais tarde, em 2001, o Náutico voltou a ser campeão.

Fatos semelhantes ocorrem por toda parte. No Rio de Janeiro, Carlito Rocha ficou famoso por suas crendices. Segundo a lógica da magia de contágio, antes de toda partida ele escrevia o nome de cada adversário em pedaços de papel colocados dentro das chuteiras dos jogadores de seu time, que dessa maneira pisavam e portanto, simbolicamente, dominavam os rivais. Conta-se que certa vez ele deu nós nos pingentes das cortinas da sede social do clube para "amarrar" as pernas dos jogadores adversários. No Vasco da Gama, doze anos sem títulos levaram em 1970 o massagista pai Santana a realizar um ritual sincrético no gramado de São Januário, com oferendas de velas, comida e animais, com jogo de búzios, preces e crucifixo enterrado atrás de uma das metas. No futebol paulista, como o Corinthians estava havia 22 anos sem títulos, o presidente Vicente Mateus autorizou no Parque São Jorge um ritual de macumba realizado por vários pais de santo, dentre eles o pai Edu. Já que no ano seguinte, 1977, o time finalmente foi campeão, um dos participantes daquele ritual, pai Nílson, foi depois convidado a trabalhar no clube, onde ficou por dezoito anos cumprindo o papel que ele definiu como de "guardião espiritual".

Em Minas Gerais, em 1968, um grupo de atleticanos prometeu doar ao clube uma imagem de Nossa Senhora das Graças caso acontecesse determinada vitória sobre o Cruzeiro. Anos mais tarde, o manto azul dessa Virgem foi pintado de preto para não lembrar a cor do grande rival local. No entanto, em 2001, a pressão da Igreja levou à restauração da cor original, o que para muita gente explica as péssimas campanhas seguintes (*O Estado de S. Paulo*, 13/11/2005), culminadas no rebaixamento no Brasileirão de 2005. Muitos argentinos explicam a falta de título mundial a uma promessa não cumprida pela sua seleção. Na preparação para a Copa de 1986, o elenco treinou na cidade de Tilcara e na igreja local, diante da imagem da Virgem, prometeu uma peregrinação até lá, com o troféu, caso vencesse. A conquista ocorreu, e com lances inusitados, como a "mão de Deus" de Maradona. No entanto, a promessa não foi paga e por isso, acreditam muitos torcedores, a Argentina desde então fracassa.

As reflexões e exemplos dos parágrafos anteriores mostram que, nas palavras de Bromberger, "o futebol não forma um universo sobrenatural específico e, por assim dizer, autossuficiente, no qual se enraizaria um corpo singular de crenças transcendentes; ele é apenas um campo de aplicação, particularmente fértil, de práticas mágico-religiosas emprestadas de outros horizontes rituais". De fato, futebol não é sistema religioso autônomo e coerente de representações, crenças e práticas, é antes mosaico constituído de peças de variadas procedências. Ele não propõe uma visão transcendental do mundo, um futuro melhor a seus seguidores. Isso é impossível, pois a vitória ininterrupta de um deus provocaria a extinção dos outros e, por conseguinte, a do próprio vencedor. Deseja-se a destruição do rival, mas precisa-se dele para que a existência da própria divindade adotada tenha sentido.

8. Metáfora psicológica

É indiscutível que no mundo contemporâneo o ambiente do futebol é dos mais intensos do ponto de vista psicológico. Nos estádios a concentração é total. Vive-se ali situação de incessante dialética entre o metafórico e o literal, entre o lúdico e o real. O que varia conforme o indivíduo considerado é a passagem de uma condição a outra. Passagem rápida no caso do torcedor, cuja regressão psíquica do lúdico dura algumas horas e funciona como escape para as pressões do cotidiano. Passagem lenta no caso do futebolista profissional, que vive quinze ou vinte anos em ambiente de fantasia, que geralmente torna difícil a inserção na realidade global quando termina a carreira. A solução para muitos é a reconversão em técnico, que os mantém sob os holofotes. Lothar Matthäus, por exemplo, recordista de partidas em Copas do Mundo, com a seleção alemã, Ballon d'Or de 1990, tornou-se técnico porque "na verdade, para mim, o futebol é mais importante do que a família" (*Placar*, março/2006).

Há no futebol uma espécie de tensão de teor religioso dentro e fora do gramado. A atmosfera é altamente emocional. Esse quadro parece estar associado ao fato, sugerido no capítulo anterior (item 7.1), de todo clube desempenhar papel de divindade. Enquanto as grandes crenças tradicionais são autoritárias em nome de um deus exclusivo e único, a sociedade do futebol recorre ao pluralismo para expressar seus sentimentos, dos quais são depositárias as múltiplas divindades. Assim, do ponto de vista psicológico o futebol pode ser entendido como "tela de projeção" (Freud) de variados sentimentos de diferentes sujeitos (torcedores) sobre uma mesma entidade (o clube comum a eles). Como tal entidade tem existência externa àqueles sujeitos (e não somente interna, como no caso das divindades tradicionais), estabelece-se entre ambos intenso jogo de transferência, isto é, de atualização em outro personagem de sentimentos marcantes, positivos ou negativos, anteriormente vividos na história da pessoa. Disso decorre a forte relação entre uma torcida e um time.

8.1 IDENTIDADES INDIVIDUAIS

Sendo esporte coletivo, o futebol tem implicações e significações psicológicas coletivas, porém calcadas, ao menos em parte, nas individualidades que o compõem. O jogo é coletivo, como a vida social, porém num e noutra a atuação de um só indivíduo pode repercutir sobre o todo. Como em qualquer sociedade, na do futebol vive-se o tempo inteiro em equilíbrio precário entre o indivíduo e o grupo. O jogador busca o sucesso pessoal, para o qual depende em grande parte dos companheiros; há um sentimento de equipe, que depende das qualidades pessoais de seus membros. O torcedor lúcido busca o prazer do jogo preservando sua individualidade; todavia, a própria condição de torcedor acaba por diluí-lo na massa. Até mesmo o objetivo (*goal*) último do jogo vive na hesitação entre o singular e o plural. Pelas regras o gol é contabilizado a favor de uma equipe, não tem autoria pessoal. O texto da lei privilegia a coletividade (futebol *association*) sobre a individualidade. Foi a crescente mercantilização do futebol que levou à anotação da autoria dos gols e à valorização individual de seus autores.

Tentemos esboçar o perfil psicológico dos personagens mais significativos no universo do futebol. O jogador caracteriza-se pelo que poderíamos chamar de "obsessão pela vitória". Claro que a necessidade de ganhar sempre, a qualquer custo, não existe apenas no meio futebolístico, é sentimento bem difundido na sociedade capitalista. Contudo, na maioria das atividades o sucesso não se torna público, fica restrito aos próprios limites do segmento profissional. Com futebolistas ocorre o oposto, sua profissão é exatamente ultrapassar os rivais, conseguir vitórias conhecidas por todos. Seus sucessos e fracassos repercutem, são amplamente informados e comentados, despertam amores e ódios, admiração e desprezo. Mesmo jogadores famosos vivem na inconstância da vitória.

Tornou-se célebre a cabeçada de Zidane sobre um zagueiro italiano na final do Mundial de 2006. Por que o craque da Copa, autor do gol de sua equipe, a apenas dez minutos do encerramento da partida, com seu time jogando melhor, sendo visto por 2 bilhões de pessoas pela televisão, agiu daquela maneira? A explicação foram as repetidas ofensas do adversário (que reconheceu tê-las feito) à família do francês. Explicação insuficiente, pois ofensas não são raras no campo de jogo e a reação violenta poderia ser adiada alguns minutos em nome de algo maior, o título mundial. A rigor, a grande pressão não veio do ofensor. Com o fim da carreira previamente anunciado, Zidane pretendia, e muita gente esperava isso, o encerramento mais brilhante possível. No meio do futebol a vitória não pode ser ocasional, mas quase contínua. No Brasil, mais do que em outras partes — talvez por ser país de imigração, para onde desde o século XVI as pessoas vinham para enriquecer, para ter sucesso total — há uma espécie de rejeição da vitória que não seja completa. Vice-campeão não é considerado.[1] A rigor, a constante pressão emocional a que o futebolista está submetido deve merecer tanta atenção quanto as condições físicas, técnicas e táticas.

O técnico de futebol tem o mesmo perfil de obsessão pela vitória, até porque na maioria das vezes é ex-jogador, convive com um grupo de jogadores que deve conduzir ao sucesso. Ele também é pressionado pela necessidade de êxitos constantes, e, como é mais fácil substituir um técnico do que vários jogadores, seu destino profissional sempre corre mais riscos do que o de outros personagens do meio. A ligação entre técnico e torcida é frágil, passa por uma fase inicial de cordialidade e quase sempre termina com o tradicional coro de "burro". Raro é o reconhecimento duradouro, caso do "olê, olê, Telê, Telê" com que a torcida do São Paulo brinda de tempos em tempos o antigo técnico. A posição do treinador é sempre delicada. De um lado, porque suas decisões e reações repercutem de imediato nos jogadores, na torcida, nos dirigentes, na imprensa, às vezes no árbitro. Além de idealmente ser misto de psicólogo — mesmo que "psicólogo de balcão", como se definiu o ex-técnico do Auxerre, Guy Roux — estrategista, tático, administrador e relações públicas, ele precisa de nervos fortes. Na eliminatória da Copa de 1986, no encontro entre País de Gales e Escócia, quando esta seleção marcou o gol de empate que a levou ao México, o técnico Jock Stein teve infarto fulminante.

De outro lado, todo técnico vive sensação de impotência ao ver determinados erros sobre os quais tem apenas relativo poder

1. E essa visão não parece retroceder, pelo contrário. É sintomático que na primeira vez que organizou o ranking geral do futebol brasileiro, *Placar* (outubro/1992) tenha atribuído pontos ao segundo colocado de cada tipo de competição, o que deixou de fazer a partir da edição de 1999. E no entanto não se pode negar que esportivamente vale mais ser vice de competições difíceis, como o campeonato brasileiro ou a Libertadores, do que campeão estadual, mesmo onde esses torneios ainda têm certa importância.

de intervenção, através da palavra, da instrução, do estímulo aos seus jogadores ou da substituição de alguns. Se já foi jogador, é natural que ele tenha em certos casos a fantasia — que não pode ser exteriorizada por razões éticas e práticas — do "eu teria feito melhor". Daí, talvez, alguns técnicos importantes terem sido fumantes compulsivos, caso de Stefan Kovacs (o romeno que em 1972-3 aperfeiçoou o futebol total do Ajax), Enzo Bearzot (o italiano campeão do mundo em 1982, sempre acompanhado de seu cachimbo), Raymond Goethals (o belga que várias vezes dirigiu a seleção de seu país e aos 72 anos tornou-se campeão europeu com o Marseille), Johan Cruyff (o holandês que, com três anos na nova carreira, enfartou devido à quantidade de cigarros).

O desgaste emocional provocado pela profissão pode levar o indivíduo a não ter nela desempenho comparável ao que apresentava dentro de campo. Talvez por isso, dos cinco maiores jogadores da história — Pelé, Beckenbauer, Cruyff, Maradona e Platini, segundo pesquisa mundial publicada por *France Football* (21/12/1993) —, apenas um tenha se tornado efetivamente técnico. Cruyff conquistou onze títulos no Barcelona entre 1988 e 1996, inclusive uma Liga dos Campeões. É significativo que Beckenbauer, apesar de experiência vitoriosa (campeão na Copa do Mundo de 90), não tenha prosseguido na carreira. Platini limitou-se a dirigir o selecionado francês 29 vezes. Maradona teve experiências rápidas e decepcionantes. Pelé jamais tentou a profissão. Alfredo di Stéfano, apesar de certo sucesso como técnico, considerou esta "a profissão mais horrorosa que possa existir. É pior ainda que ser chefe de governo" (*France Football*, 21/11/1995). Em 2005, dos 31 jogadores que haviam ganhado o prêmio Ballon d'Or e já estavam aposentados, apenas quatro (Ruud Gullit, Lothar Matthäus, Jean-Pierre Papin e Marco van Basten) exerciam a profissão de técnico, e sem êxito comparável ao que tiveram como jogadores. No futebol brasileiro não é diferente. Leônidas na década de 1950, Didi na de 1960,

Gérson e Rivelino na de 1980, Falcão na de 1990, Júnior e Sócrates em princípios dos anos 2000 tiveram experiências de resultados muito abaixo daqueles conseguidos enquanto jogadores. Zico e Cerezzo preferiram começar a carreira no Japão.

O árbitro, segundo pesquisas britânicas recentes, sofre de "superioridade ilusória", porém seu traço psicológico predominante, ao menos no Brasil, parece ser de tendência sadomasoquista. A faceta sádica dá a impressão de ser mais forte porque mais visível — por exemplo, no hábito comum em sociedades de menor tradição democrática, de certos juízes abusarem de sua autoridade em campo, ofendendo e desrespeitando jogadores. O potencial sádico é alimentado pelo fato de suas decisões influenciarem economicamente a vida de muitos profissionais e emocionalmente a vida de milhões de pessoas. Não deve ter sido casual que o recorde de expulsões da temporada 2005-6 na Espanha tenha acontecido no "dia do árbitro" (12/3/2006), quando eles foram homenageados pelos jogadores e pelo público. Como todos que trabalham no meio — jogadores, médicos, jornalistas, dirigentes profissionais, empresários de jogadores etc. —, o árbitro também tem predileção por algum clube. Assim, mesmo sem premeditação, pode tomar decisões contrárias a um time antipático a ele, o que alimenta seu sadismo.

No entanto, observou Freud, "um sádico é sempre ao mesmo tempo um masoquista". O episódio envolvendo Edílson Pereira de Carvalho em fins de 2005 é ilustrativo. Depois de confessar ter sido corrupto em várias partidas, suas declarações revelaram certo sadismo em ver o campeonato brasileiro daquele ano comprometido, e algum masoquismo em reconhecer que não tinha conseguido manipular certos resultados devido às boas atuações de times que deveria prejudicar. A própria escolha da profissão de árbitro pode dever-se a certo "masoquismo moral", sentimento de culpabilidade inconsciente que leva o sujeito a se colocar na posição de vítima. Atuar numa partida na qual joga o clube de sua preferência é exercício de profissionalismo e autopoliciamento, e também de certo masoquismo. Até porque, para não revelar o gosto pessoal, o árbitro acaba inconscientemente sendo algumas vezes mais rigoroso com o seu clube. O lado masoquista da atividade está, porém, sobretudo na exposição constante a ofensas e agressões por parte de jogadores, dirigentes e torcedores. No Brasil esse fenômeno é curiosamente amplificado pelo costume que chama atenção dos estrangeiros, como o técnico Raymond Goethals durante a temporada em que trabalhou no São Paulo FC, em 1980: o árbitro entra em campo antes das equipes, sendo então vaiado pelas duas torcidas. Mesmo onde ele entra em campo junto com os dois times, a pressão de milhares de pessoas que esperam dele decisões, justas ou não, favoráveis a seu clube interfere na qualidade do trabalho. Pesquisa da Universidade de Bonn feita em 3,5 mil partidas do campeonato alemão, entre 1992 e 2003, mostrou um percentual significativamente maior de pênaltis indevidos marcados a favor dos times da casa.

O masoquismo transparece ainda no fato de seu bom trabalho merecer apenas o silêncio, segundo a máxima do "bom árbitro é aquele que passa despercebido". Em teoria ele é o elemento neutro em campo, na prática é alvo a priori das desconfianças dos dois lados que disputam a partida. Ele desperta pouca simpatia. É o ator maldito do espetáculo futebolístico. Pode arruiná-lo, e será criticado, ofendido, talvez agredido. Pode contribuir para seu sucesso, porém não terá a glória e a remuneração de seus colegas de palco. Para gerir a situação tensa por definição entre 22 homens que se digladiam pela bola, o árbitro deve "ser bom psicólogo", como definiu Pierluigi Collina, o melhor deles no mundo na passagem do século XX ao XXI. No árbitro projetam-se a frustração e a raiva dos perdedores, a indiferença dos vencedores. É rara a cena de um jogador cumprimentar efusivamente um árbitro, como fez o goleiro e capitão do São Paulo, Rogério Ceni, com o argentino Horacio Elizondo, depois da final da Libertadores de 2005. O gesto estava, contudo, inegavelmente ligado à vitória. O reconhecimento poderia não ter acontecido caso o pênalti inexistente que ele dera ao adversário não tivesse sido desperdiçado... A solidão do árbitro é única no futebol.

Desmond Morris considera os jogadores "os mais importantes membros da Tribo do Futebol". No entanto, com o profissionalismo desmedido e a intensa rotatividade deles nos clubes, o que mantém a estabilidade do jogo são as figuras anônimas que ficam literalmente às margens do campo. O torcedor é que se constitui na personagem mais rica e contraditória do mundo do futebol. Antes de tudo porque, por definição, ser torcedor é renunciar em parte à personalidade individual para compor uma personalidade coletiva. Não existe torcedor isolado. Ele forçosamente faz parte de um conjunto heterogêneo de vários pontos de vista (social, econômico, cultural etc.), contudo homogêneo do ponto de vista anímico. Dentre os traços dessa alma coletiva está o fato de as individualidades, dissipadas no grupo, terem sensação de força invencível, estando por isso propensas a ceder a instintos que isoladamente refreariam. Outro traço próprio às massas é sua sugestionabilidade. Daí as opiniões e crenças da multidão propagarem-se por meio de um mecanismo de tipo hipnótico, o contágio. Daí toda multidão pensar por imagens, ser impressionável por imagens, não pelo raciocínio. Daí, enfim, a multidão ser impulsiva e não admitir obstáculo entre seu desejo e a realização dele.

Nessa personalidade coletiva que é a torcida há alto nível de narcisismo. Assistir ao virtuosismo técnico de seus ídolos é introjetar essa habilidade, admirar a capacidade física de seus jogadores é incorporar imaginariamente esse vigor, ver a vitória de seu clube é assistir à sua própria vitória pessoal. A chegada de novos jogadores, recém-contratados ou promovidos das equipes de base, anima a torcida mesmo de clubes vencedores, pois esse "sangue novo" é rejuvenescimento simbólico da comunidade e, assim, de cada torcedor individualmente. Onde, contudo, se percebe nitidamente que para o torcedor o futebol é pretexto para a autodescoberta e a autoglorificação é na movimentação que antecede cada partida. Os jogadores ainda não entraram em campo, muitas vezes não existe torcida adversária presente à qual se contrapor. Bandeiras, gritos de guerra, hinos, coreografias de grupos uniformizados, olas, todo esse espetáculo é oferecido pela torcida a si mesma. Ela é narcísica no sentido mais primitivo, corporal. Para cada torcedor, estar ali é uma forma inconsciente de receber atenção e afeto. De se sentir amado.

Torcer por um clube de futebol é das atividades emocionalmente mais intensas da sociedade contemporânea. E das mais pretensiosas. É imaginar poder agir a distância para que alguma coisa aconteça da forma esperada. É julgar contribuir para o resultado final de uma partida sem entrar em campo. Nesse sentido, torcedor é, de fato, o 12º jogador. E de forma constante. Todo torcedor o é em tempo integral, mesmo longe dos estádios. Até porque estes comportam proporção muito pequena da torcida de um grande clube, que ademais tem seguidores espalhados por todo o país. Torcer pela televisão ou pelo rádio é acreditar poder emitir na contramão das ondas hertzianas uma energia psíquica que deve contribuir para a vitória do time. Torcer supõe alterar a configuração de um evento, moldar psiquicamente um fato para adequá-lo ao espaço do desejo.

A vigorosa energia psíquica colocada nessa tarefa provoca aquilo que Gustave Le Bon chamou de fenômeno de contágio. No contágio vertical, os gritos dos torcedores para seus jogadores funcionam em certa medida como os dos antigos romanos para os gladiadores, induzindo em certas circunstâncias a jogadas violentas por pura reação mecânica. Mais intenso é o contágio horizontal, devido à psicologia narcísica do torcedor, que se vê nos demais torcedores do mesmo clube. O orgulho por essa multiplicação da imagem de si mesmo é tão grande que a agressão feita ou sofrida por um torcedor isolado ou um pequeno grupo é o bastante para incendiar muitos *alter egos* que vestem a mesma camisa clubística. Comportamento originado e justificado pela relação especular que une esses indivíduos. Eles desqualificam o Outro, no qual são projetados os sentimentos negativos do Eu. A violência, que é não estima em relação ao Outro, torna-se então mecanismo de autoestima. O futebol é uma das grandes formas, possivelmente a mais eficiente, de as sociedades contemporâneas normatizarem uma saída para o lixo psíquico que produzem, talvez em maior quantidade que as sociedades do passado.

A marca qualitativa clubística desperta fortes sentimentos alheios. É desafio à própria identidade. Disso decorrem atos de violência que só ganham sentido se vistos sob a lógica narcísica. Em março de 1994, em um bar em La Coruña, Espanha, um jovem de dezenove anos foi espancado por oito pessoas até a morte porque vibrara com um gol do Atlético de Madrid contra o Barcelona. Situação kafkiana, pois a vítima, como os agressores, era torcedor do Deportivo local e não se alegrara com o gol feito por outro time, e sim com o gol sofrido pelo Barcelona, principal concorrente do Deportivo naquele momento. Encontrar alguém com a camisa de outro clube faz muitas vezes o torcedor sentir seu narcisismo agredido. É o que ilustram dois episódios quase simultâneos, em outubro daquele ano, e ocorridos em dia sem partida entre os clubes dos indivíduos envolvidos. Em São Paulo, um torcedor vestido com a camisa tricolor encontrou em uma estação corintianos que passaram a pressioná-lo, ameaçá-lo e acabaram por jogá-lo da plataforma, sendo então esmagado pelo trem. No Rio de Janeiro, um jovem flamenguista com a camisa do seu clube cruzou com um grupo de vascaínos e foi morto a porretadas.

Todo torcedor é por definição sofredor, mesmo quando seu time vence. Seu sentimento é de paixão (etimologicamente, "sofrimento"). No começo de 2006, a Justiça italiana deu ganho de causa a torcedores do Napoli que reclamavam uma indenização pelo fato de o clube ter sido rebaixado para a terceira divisão por motivos administrativos: o veredicto reconheceu o prejuízo "moral" e "existencial" dos torcedores. Mas se o futebol provoca sofrimento, por que fascina? Fascinar (*fascinare*) é "enfeitiçar", é prender alguém nas malhas invisíveis do charme (*carmen*), termo do vocabulário religioso e jurídico para designar uma fórmula mágica. Qual é, então, esse feitiço que nos prende ao futebol? O prazer, que é um vício como qualquer outro. Sofre-se um tempo longo na expectativa de um prazer efêmero, embora intenso. Fica-se na angústia noventa minutos à espera de uma ou duas, raramente mais, descargas de tensão proporcionadas pelo(s) gol(s) de sua equipe. Ganhar um título é viver momento único e inesquecível para 12% dos torcedores entrevistados. E perder é tristeza de vários dias para 25% deles (e de várias semanas para 7%). O futebol representa uma espécie de prazer da angústia, uma forma de masoquismo.

A interface entre angústia e paixão está no fato, como observou o filósofo dinamarquês Sören Kierkegaard, de que "somente um interesse apaixonado pode levar o sujeito a existir plenamente". Prazer pleno que vem apenas com o fim da partida e a segurança da vitória, contudo depressa substituído pela expectativa da próxima partida. Nossa enquete sobre o torcedor brasileiro revelou que embora cada vitória de seu time o deixe feliz, um em cada quatro sente-se ansioso quanto ao resultado final da competição. Mais de 4% deles veem no futebol fonte de certa angústia constante. A conquista de um título é um grande êxtase, mas não pode ser usufruído por longo tempo. Em nome da esperança de todos os derrotados, logo começa outra competição. Isso quando a conquista de uma não acontece durante o andamento de outra. O futebol é moto-contínuo de emoções. Cada partida faz o torcedor viver um leque emocional que oscila do suspense à resignação, da tristeza à alegria, da reverência ao ódio, da frustração à realização. Cada fracasso é aceito por abrir perspectivas de um próximo sucesso. Cada sucesso traz consigo o sabor utópico de sua renovação. Efetivamente, o ato de torcer é desgastante, como indica o nome de uma torcida organizada da Fiorentina, *Stressati* ("Os estressados").

Por que se suporta a dor de vários fracassos pelo prazer de um sucesso? Porque este é forte. É prazer psíquico e físico. A Universidade da Geórgia, aproveitando o Mundial realizado nos Estados Unidos, fez um estudo, comandado pelo psicólogo James Dabbs, que concluiu que o torcedor cujo time vence produz mais testosterona, o hormônio sexual masculino que o deixa mais agressivo e com maior apetite sexual. Após a final da Copa, os brasileiros pesquisados apresentaram aumento nos níveis do hormônio e os italianos, derrotados, diminuição, em padrão semelhante ao observado entre animais cujos machos disputam uma fêmea. Na mesma época, uma pesquisa europeia mostrou que nas decisões de grandes competições futebolísticas a elevação hormonal aumenta em cerca de 10% os casos de violência conjugal.

Obviamente, não há traços psicológicos exclusivos a cada personagem no mundo do futebol. O gosto da vitória é almejado e sentido por todos, não apenas jogadores e técnicos. Certa dose de sadismo está presente, além dos árbitros, também em certos gestos e declarações de jogadores, técnicos e dirigentes em relação a adversários. Ou, sob capa de imparcialidade, nos comentários de jornalistas dirigidos a certos clubes e jogadores. No torcedor existe um sádico sentimento de prazer pela dor do adversário derrotado, especialmente se rival tradicional. Certo masoquismo encontra-se na parcela da torcida que acompanha o time em longínquos campos adversários, ou na fidelidade a um clube que jamais ganha algo importante, ou a um clube vencedor que passa por longa fase sem nada conquistar. O depoimento do cineasta João Moreira Salles é interessante nesse sentido: "O Botafogo é certamente uma das coisas mais importantes da minha vida. Decidi ser botafoguense aos vinte anos. É um time muito peculiar, porque não é como o Flamengo — essa coisa exuberante, vitoriosa, unânime. O Botafogo tem pouquíssimos torcedores, todos melancólicos, meio desalentados, uma gente que vai para ver o time perder, não para vê-lo ganhar. É um time que nunca dá muito certo, está sempre na contramão. É a minha cara. Não tem nada mais igual a mim que o Botafogo" (*Veja*, 8/3/2000).

8.2 IDENTIDADES COLETIVAS

Os esportes parecem sintetizar e expressar as psicologias coletivas, como percebeu o grande escritor Friedrich von Schiller no século XVIII, antes do nascimento do futebol moderno: "Quando se comparam as corridas de cavalos em Londres, as touradas em Madri, as competições de gôndolas em Veneza, as caçadas em Viena, não fica difícil perceber os gostos desses diferentes povos". Posteriormente, o futebol se tornaria a maior manifestação da alma coletiva das sociedades modernas. É o que reconheceram tanto as instâncias administrativas ("os povos praticam o futebol de seu clima e de seu temperamento", *Hebdomadaire de la Fédération Française de Football*, 27/1/1953) quanto a imprensa especializada ("um povo não pode ir contra sua própria natureza, nem no jogo", *La Gazzetta dello Sport*, 6/7/1954). Do rígido planejamento tático alemão aos malabarismos individuais dos africanos, passando por todo um leque de situações intermediárias, "joga-se como se vive", definiu o espanhol Miguel Askargota, técnico da Bolívia na Copa de 1994. Constatação válida tanto para as macrossociedades nacionais (o estilo de jogar brasileiro, italiano, alemão etc.) quanto para as microssociedades clubísticas, aquilo que pode ser chamado de "cultura" do clube, conjunto de características históricas, sociais e esportivas de cada agremiação que se reflete na visão do futebol que têm seus dirigentes, jogadores e torcedores. Cada clube tem sua própria "personalidade". Ao treinar o Barcelona, um dos ideólogos do *catenaccio*, Helenio Herrera, adotou um bem ofensivo 4-2-4.

"Joga-se como se vive", e também se organiza o futebol como se vive. A maioria dos países mescla duas fórmulas de disputa, uma que dá amplo espaço ao aleatório (copa no sistema eliminatório), outra que premia a regularidade (campeonato de pontos corridos). Apesar de desde 1990 existir uma Copa do Brasil disputada no primeiro sistema, apenas recentemente, a partir de 2003, o campeonato nacional passou a ser de pontos corridos. Até então se argumentava que o público preferia o imponderável da fórmula "mata-mata" que prevalecia nas fases finais da competição. Era privilegiada não a competência constante, e portanto o planejamento, mas a possibilidade de sucesso com improvisações, golpes de sorte e esforço concentrado em curtos períodos. Ou seja, a visão de mundo e o comportamento social da maioria dos brasileiros. A fórmula expressava na verdade mais do que isso. Era a própria trajetória do país, que nasceu como colônia de exploração, modalidade histórica na qual poucos europeus com muitos escravos procuravam obter a maior quantidade possível de riquezas em pouco tempo. A concepção do "mata-mata" corresponde ao estágio primitivo da coleta, a de pontos corridos à acumulação capitalista.

Tal situação explica a estranha disparidade entre o número de títulos nacionais de certos clubes e sua posição nos rankings do campeonato brasileiro que são baseados na regularidade histórica. O da CBF estabelece pontuação contínua desde o início do campeonato, em 1971; o da revista *Placar* atribui dez pontos ao campeão, nove ao vice, oito ao terceiro e assim sucessivamente até o décimo colocado. Ora, no último ano de vigência do velho regulamento (2002), o maior vencedor de campeonatos nacionais, o Flamengo, com cinco títulos, era apenas o oitavo colocado no ranking da CBF e o nono no da *Placar*. O Vasco e o Palmeiras, quatro títulos cada, eram respectivamente quarto e quinto colocados pela CBF, oitavo e quarto pela *Placar*. O melhor posicionado nos dois rankings era o Atlético Mineiro, que tinha conquistado apenas um título brasileiro. O campeonato com fases eliminatórias provocava fortes distorções. No último ano de aplicação da fórmula, o time de melhor aproveitamento terminou em quinto lugar (São Paulo, mais de 64% dos pontos), o segundo melhor acabou na sexta colocação (São Caetano, quase 62% de aproveitamento), atrás de Grêmio (terceiro colocado, com pouco mais de 55%), Fluminense (quarto, com menos de 53%) e Santos (campeão, com 58%).

"Joga-se como se vive", e reage-se ao jogo de acordo com a autoimagem que se tem a cada momento. O futebol não apenas manifesta, ele também exacerba certas condições psicológicas coletivas. Algumas derrotas podem denegrir o ego nacional. No dia seguinte ao fracasso na campanha de classificação para a Copa dos EUA, em 1994, um dos mais importantes jornais da Inglaterra colocava como manchete "Fim do mundo". O maior exemplo talvez ainda seja a derrota brasileira na final da Copa de 1950, em pleno Maracanã, para os vizinhos uruguaios. Os desdobramentos foram amplos, e na Copa seguinte, na Suíça, o time brasileiro ainda se mostrava "nervoso e covarde", na definição do húngaro Kocsis, logo após a partida em que o Brasil foi eliminado. Muitos pseudointelectuais passaram a atribuir as derrotas em competições internacionais à pretensa "inferioridade da raça brasileira". Às vésperas da Copa de 1958, Nelson Rodrigues ainda temia o "complexo de vira-latas" que caracterizaria os brasileiros. O reverso da medalha é verdadeiro. O futebol pode funcionar como importante fator de autoafirmação coletiva (item 5.4).

"Joga-se como se vive", e torce-se como se vive. A velha questão de se é o time que puxa a torcida ou é a torcida que empurra o time não tem resposta única. Depende justamente do perfil psicológico da coletividade considerada. Grupos mais agressivos, no sentido positivo do termo, tendem a cantar durante quase toda a partida, independentemente da qualidade da atuação da equipe e do resultado que está sendo obtido. É o comportamento padrão, por exemplo, de argentinos, escoceses, ingleses e alemães. Isto é, povos de elevada autoestima e que acreditam na sua capacidade de intervir no desenrolar dos fatos. O levantamento feito por Desmond Morris com quatro clubes da Liga Inglesa na temporada 1978-9 revelou que em cada partida eram entoados em média 57 cantos diferentes, repetidos, também em média, 147 vezes. Geralmente cânticos acompanhados por palmas sincronizadas com as mãos acima da cabeça, o que além do estímulo auditivo cria situação plástica envolvente. O estímulo da torcida explica em grande parte o bem conhecido fenômeno de o time que joga em seu estádio levar vantagem. Morris mostrou com dados estatísticos de muitos anos consecutivos (1946-76) que, no campeonato inglês, a equipe da casa venceu um pouco mais do dobro de vezes que os visitantes, e no campeonato italiano do mesmo período a relação foi ainda superior, duas vezes e meia.

Grupos mais inseguros, por sua vez, tendem a se manifestar de acordo com o que veem em campo. Podem rapidamente passar do entusiasmo ao abatimento. É o procedimento de brasileiros, espanhóis, franceses, italianos e portugueses. Exemplo célebre, mais uma vez, é o da final de 1950, entre Brasil e Uruguai. Um observador neutro descreveu os gritos "Brasil, Brasil" após o gol uruguaio como parecendo "mais súplicas de náufragos que alegres encorajamentos à luta" (*L'Équipe*, 17/7/1950). As quase 200 mil pessoas presentes ao Maracanã não se manifestaram quando a seleção brasileira mais precisava disso. Elas tinham ido lá para festejar, já que se dava a vitória como certa, e não estavam preparadas para sustentar a equipe em desvantagem. Em razão do histórico de fracassos da seleção, bastou o gol de empate (resultado que ainda dava o título ao Brasil) do Uruguai para que viesse à tona na torcida o sentimento de desânimo e impotência. Pode-se pensar que então ocorreu uma espécie de "transferência em espelho", uma relação de identidade primária na qual o outro é inteiramente parte de si. Em outras palavras, torcida e time viram-se um no outro. O desalento da torcida alimentou o do time, e reciprocamente.

Mais do que no caso de nações, onde existem outros fatores de integração (história, idioma, costumes, sistema político etc.), o futebol moderno é poderoso criador de microssociedades. Esse papel é fundamental nas sociedades ocidentais, que ao se democratizarem, industrializarem, massificarem, uniformizarem, diluíram em certa medida os tradicionais grupos sociais, econômicos, culturais, religiosos, sexuais, etários. O futebol permitiu a formação de identidades grupais em torno de clubes, pelos quais se tem dois sentimentos: ou simpatia, literalmente "afinidade natural", isto é, solidarização do indivíduo com alguém sem que se coloque no lugar dele; ou empatia, "mesma paixão", ou seja, identificação pela qual o indivíduo se coloca no lugar do outro. Mas os dois convergem para o amor. O compositor Nando Reis afirma: "Quando meu time entra em campo, tenho o mesmo olhar de quando espero ver a imagem da dona dos olhos azuis que me fulminam e me compreendem. Puro amor" (*O Estado de S. Paulo*, 2/2/2006).

Adesão que no fundo é religiosa, pois do ponto de vista psicológico toda divindade é fonte e receptáculo de afeto. E, como vimos (item 7.1), todo clube de futebol representa para sua comunidade uma espécie de deus, definido pelo teólogo renascentista Nicolau de Cusa como aquele que é o "Não-Outro" (*Non-aliud*). Por ser religiosa, tal adesão é também psicológica: como sugeriu o filósofo alemão Max Scheler, a tomada de consciência de si ocorre num segundo momento, no primeiro a sensação é de participar de um "nós". Esse sujeito coletivo do qual o torcedor é parte integrante explica seu comportamento pouco autônomo. Em nome do ego coletivo, os egos individuais tendem a fazer diversas concessões. Buscando destaque futebolístico que até então não tinha, o clube da pequena cidade belga de Beveren contratou vários jogadores da Costa do Marfim. A população local, que de início resistira à iniciativa por ser majoritariamente da extrema direita, separatista e racista, não hesitou em celebrar os negros que se tornaram vice-campeões da Copa da Bélgica em 2004.

Embora o maior evento futebolístico do planeta seja uma competição entre seleções nacionais, a Copa do Mundo, sem dúvida o que mantém cotidianamente acesa a chama do futebol são as competições regionais, nacionais e internacionais, interclubes. Não é raro, aliás, que em meio a uma torcida nacional apareçam bandeiras e camisas de clubes, sugerindo que para muitos indivíduos a paixão clubística é tão ou mais forte do que aquela pela seleção de seu país (item 5.4). Talvez não seja abusivo dizer que, ao longo do primeiro século da história do futebol, povos que se atribuíam perfil coletivo bem delineado de forma geral colocaram a seleção nacional em relativo segundo plano, privilegiando o futebol de clubes. Foi o que aconteceu com Argentina, Escócia e Inglaterra, por exemplo. A seleção nacional tendeu a funcionar como elemento cimentador nos casos de unidade política tardia (Alemanha) ou difícil (ex-URSS), ou de fortes desníveis socioeconômicos (Brasil). Ou ainda nos casos de países pequenos, que viam no futebol uma forma de afirmação do orgulho nacional (Bélgica, Suíça, Uruguai).

De fato, torcer pela seleção nacional é de certa forma tornar-se indiferenciável, é ter emoções que são de todos. Por valorizar uma identidade mais específica, o sentimento do torcedor prefere as competições de clubes. A Copa do Mundo tende a atrair pessoas que normalmente se interessam pouco pelo futebol. As pesquisas sobre torcedores no Brasil mostram que o contingente sem clube é imenso: em 1993, eram 27% dos entrevistados, o mesmo que a soma das duas maiores torcidas, de Flamengo (17%) e Corinthians (10%) (*Folha de S.Paulo*, 26/12/1993). Mas boa parte daqueles milhões de pessoas mobiliza-se quando dos Mundiais. Para elas, trata-se de festa com alegria na vitória e pouco sofrimento na derrota.

Torcer por um clube é partilhar emoções com um número forçosamente bem menor de pessoas, o que aumenta a intensidade do afeto e estabelece uma identidade futebolística própria para cada torcedor. Por isso o presidente do comitê organizador da Copa de 1998, Fernand Sastre, questionado sobre violência nos estádios, mostrou-se despreocupado, argumentando com razão que o fenômeno "não é de torcedores de seleções, mas de clubes". Torcer por um clube é se identificar com suas vitórias, que complementam ou substituem as vitórias do indivíduo na vida. Daí o uso da camisa do time depois de uma vitória importante ou do sucesso em uma competição. A camisa é heráldica plebeia que implicitamente expõe o troféu de caça, o adversário derrotado. Suas cores perdem o simbolismo antropológico (branco da pureza, verde da natureza, azul do céu etc.) para ganhar significado clubístico, portanto sociológico e psicológico. Na comemoração do bicampeonato mundial interclubes, em 1993, torcedores do São Paulo FC não hesitaram em despir à força, em plena avenida, uma incauta torcedora que, apesar de são-paulina, estava com roupa verde, que naquele contexto simbolizava um rival local, o Palmeiras.

Torcer por um clube é reforçar ou ganhar certa identidade por oposição a outras. É optar por polaridade que realimenta outras formas de rivalidade. Os seguidores de cada clube têm veste, hino e cânticos próprios, o que atribui a uma massa heterogênea do ponto de vista sociocultural uma identidade comum. Porque toda partida de futebol é rito (item 7.2), e a finalidade essencial dos ritos é "assegurar a continuidade de uma consciência coletiva" (Durkheim), compreende-se seu papel na construção da personalidade grupal.

Um panfleto da torcida do Olympique de Marseille lançado em 1994 é expressivo nesse sentido: "Eles são submissos, nós somos rebeldes/ [...] Eles são quaisquer uns, nós somos olímpicos./ Eles são robôs, nós somos homens./ Eles são franceses, nós somos marselheses". A desqualificação do Outro é norma em todos os países, sobretudo nas partidas entre times da mesma região ou da mesma cidade, como mostra o imenso apelo esportivo e psicológico dos dérbis e dos clássicos.

Em 1994, quando o München 1860 voltou à elite do futebol alemão e foi enfrentar seu poderoso rival local, o Bayern de Munique, aconteceu a insólita situação de ele precisar jogar como mandante no estádio do adversário por não ter estádio próprio capaz de comportar partida daquela importância. O Bayern, de forma cavalheiresca, quis ceder seus vestiários e ocupar o dos visitantes, proposta imediata e orgulhosamente recusada. Nada que pudesse colocar em xeque a própria identidade seria aceito pelo irmão mais velho (como o nome indica) e mais frágil. Lembrando que o futebol no Flamengo surgiu por secessão do Fluminense, Nelson Rodrigues definiu-os como "os irmãos Karamazov do futebol brasileiro". Nenhuma rivalidade esconde o fato de que um grupo só existe tal qual ele próprio se conhece em função da existência do outro. Um presidente do Grêmio Porto Alegrense na década de 1960, Rudy Armin Petry, definiu perfeitamente essa ambígua situação complementar: "O Grêmio é grande devido à grandeza do Internacional".

Torcer por um clube parece associação a certo perfil social. Em Glasgow, os católicos torcem pelo Celtic e os protestantes pelo Rangers. Na região norte de Londres, os aristocratas pelo Arsenal e as camadas populares pelo Tottenham. Em Manchester, a burguesia pelo Manchester City e o operariado pelo Manchester United. Em Liverpool, os Reds são católicos, os Blues (Everton) protestantes. Em Lisboa, a elite local pelo Sporting e as pessoas mais simples pelo Benfica. Em Barcelona, os ricos e conservadores pelo Espanyol e os demais pelo Barcelona. Em Milão, os mais abastados pela Internazionale e os mais modestos pelo Milan. Em Turim, essa situação corresponde respectivamente a Torino e Juventus. Em Roma, a Lazio é o time da aristocracia provincial e da burguesia, a Roma do proletariado urbano. Em Munique, algo comparável acontece com o München 1860, mais enraizado na zona urbana, enquanto o Bayern tem seguidores por toda a região da Baviera. Em Sevilha, a elite local pelo clube do nome da cidade e o proletariado pelo Real Betis. Em Lima, o Universitario é o clube dos brancos, o Alianza dos negros e mestiços. Em Assunção, os ricos apoiam o Olimpia, os trabalhadores o Cerro Porteño. No entanto, tais rotulações são quase sempre fotografias de certos momentos históricos, geralmente da formação ou dos primeiros tempos dos clubes, e não realidades presentes. São rótulos que desconsideram a dinâmica histórica (item 5.4). O Milan, por exemplo, era o time dos antifascistas da cidade e depois foi comprado por Silvio Berlusconi, líder da direita neoliberal. Transação comercial que não altera a história de toda uma comunidade, no entanto indica que ela mesma está em vias de transformação.

A escolha do clube para se torcer resulta de complexo processo sociopsicológico no qual são essenciais os reforços identitários com familiares e/ou amigos, e também a relação com a vitória. A pesquisa nacional realizada pelo IBOPE em março de 1993 e publicada pela revista *Placar* de outubro daquele ano indicou que o Internacional de Porto Alegre levava sobre o Grêmio 4,5% de vantagem na preferência dos torcedores. Outra pesquisa, centrada apenas no Rio Grande do Sul e realizada em maio de 1997 pela revista econômica *Amanhã*, concluiu que o Grêmio possuía a preferência de 56,4% do público adulto contra 31,6% do Internacional, e em relação ao público infantil a diferença crescia para 39 pontos percentuais. Disparidade em relação à pesquisa nacional que se deveu menos a razões metodológicas (os dois clubes têm pouca torcida fora do estado) do que ao momento histórico: nos anos entre os dois levantamentos, o Grêmio conquistou uma Libertadores, uma Recopa Sul-Americana, uma Copa do Brasil e três campeonatos gaúchos, enquanto o Internacional apenas dois títulos estaduais. Torcer por clube vencedor dá a sensação de transformar o próprio indivíduo em vencedor.

O caso italiano é bem ilustrativo. As três maiores torcidas correspondem, na sequência exata, aos três clubes que mais *scudetti* levantaram na história: a Juventus, o Milan e a Internazionale. No Brasil, conforme os dados da já citada pesquisa da *Placar*, é elucidativa a trajetória do São Paulo FC. Sétimo colocado na preferência nacional em 1983, dez anos depois o clube ocupava o terceiro lugar graças às conquistas da chamada era Telê Santana, que até aquele momento amealhara onze títulos. Mais expressivo ainda, com a obtenção naquele mesmo ano de outros oito títulos, sobretudo o bicampeonato latino-americano e intercontinental, o tricolor paulista tornou-se o principal segundo clube dos brasileiros, tendo nessa categoria a adesão de 12% dos entrevistados em geral, e mesmo 15% dos corintianos e dos palmeirenses, os grandes rivais históricos (*Folha de S.Paulo*, 26/12/1993). Na Inglaterra, pesquisa Gallup de meados de 1999 mostrou que 20% de todos os britânicos torciam pelo Manchester United, fato não desconectado da tripla coroa conquistada no primeiro semestre daquele ano (Liga dos Campeões, Liga Inglesa, Copa da Inglaterra). Na França, recente pesquisa do jornal *Le Parisien* (2/12/2005) indicou o Lyon como o preferido no país, sem dúvida devido ao fato de aquele clube ter levantado os quatro campeonatos precedentes e de estar, quando da pesquisa, nitidamente a caminho de ser pentacampeão.

Mas não há relação mecânica entre quantidade de títulos e de torcedores. Em função da influência de uma geração sobre outra, o capital moral constituído em certo momento tende a continuar sustentando o prestígio do clube por tempo variável conforme a cultura local. Embora nada tenha ganhado depois do título europeu de 1993, o Olympique de Marseille manteve-se pelos anos seguintes o predileto dos franceses, e quando ultrapassado em 2005 pelo Olympique Lyonnais o foi por pequena diferença (24% contra 26%). O fenômeno pode ser ainda mais duradouro. O Flamengo teve nos últimos anos do século XX e primeiros do XXI trajetória esportiva ruim, e ainda assim continuou, com folga, a maior torcida do país — 22 milhões de torcedores em 1998 e 33 milhões em 2004, conforme pesquisas do jornal *Lance!*. O prestígio vindo dos títulos cariocas da época do Rio de Janeiro capital nacional e a divulgação do clube feita por Ary Barroso, talvez o radialista mais ouvido em todo o país na década de 1940, criaram uma massa torcedora que se autorreproduziu e foi alimentada pelo grande time encabeçado por Zico no começo dos anos 1980.

Processo semelhante, na escala paulista, ocorreu com o Corinthians, cujo jejum de 23 anos sem título estadual e cuja espera de dezenove anos pelo primeiro título nacional não impediram sua torcida de constantemente aumentar. A razão parece ser as conquistas dos primeiros anos de vida, que garantiram o crescimento por inércia durante muitos anos, antes de o sucesso reaparecer. Também não se deve excluir em casos como esse certo componente masoquista, que já vimos estar presente em todo torcedor (item 8.1). Além da longa sobrevivência psicológica de triunfos passados, outros fatores podem intervir. Mesmo antes dos êxitos da última década, o Manchester United gozava de grande simpatia na Grã-Bretanha, em parte devido ao acidente aéreo de 1958, que matou metade de um time jovem e talentoso e sensibilizou a opinião pública nacional. No entanto, o acidente que em 1949 dizimara o tetracampeão time do Torino não teve o mesmo efeito na Itália. Talvez porque o rival local, a Juventus, já tinha solidificado sua posição de equipe preferida dos italianos, graças ao pentacampeonato conseguido na época de formação da Itália futebolística (1931-5).

Em função de suas características, o sentimento de torcedor tende a flutuar pouco em termos proporcionais. As torcidas crescem mais de maneira vegetativa, acompanhando o crescimento da população, do que pelo desvio de simpatia de um clube para outro.

8.3 O "NARCISISMO DAS PEQUENAS DIFERENÇAS"

Ao contrário do que muitas vezes se pensa, a violência que cerca o futebol não é fato recente (item 5.3). Isso porque, se a situação social se degradou nos últimos tempos, as precondições psicológicas para a violência sempre existiram. Curiosamente, a intolerância entre torcedores de futebol não se dá devido a grandes diferenças entre eles, e sim àquilo que Freud chamou de "narcisismo das pequenas diferenças". Nesse fenômeno psíquico, a aversão e a inveja são intensificadas e canalizadas contra membros de outro grupo que no essencial se assemelha ao grupo ofensor ou agressor. Devido à proximidade entre esses grupos, os que se sentem atingidos recorrem ao mecanismo de defesa da projeção, ou seja, atribuem a outras pessoas características que ignoram em si mesmos e cuja conscientização seria fonte de angústia. Assim, "o que é suprimido dentro retorna de fora". Chamar os adversários de "gambá", "porco" ou "bambi" corresponde ao imaginário das torcidas, não à realidade comportamental de cada corintiano, palmeirense ou são-paulino. Tais rótulos intencionalmente pejorativos são antes de tudo tentativas de cada grupo forjar seu Eu, sua própria identidade positiva, pela atribuição de identidades negativas aos Outros.

É significativo que ofensas e provocações ocorram mesmo na ausência do rival. O grito de guerra da Gaviões da Fiel proclama: "Já matei um mancha verde,/ torturei um independente". O rival é referência externa que legitima a violência interna e a própria existência do grupo que ofende e provoca. Os ponte-pretanos chamam o estádio do Guarani de "galinheiro" para atingir a masculinidade de seus rivais, e estes respondem tratando o estádio da Ponte Preta de "chiqueirão", local segundo eles de gente tosca, inferior. Os adeptos do Boca Juniors são chamados pelos demais torcedores de *bosteros*, porque no terreno onde se levantou o estádio de La Bombonera havia uma fábrica de tijolos que usava excremento animal como matéria-prima. O cântico mais frequente da torcida do Arsenal usa palavrões contra os rivais londrinos, e afirma com convicção: "Nós odiamos o Tottenham". A ala mais radical dos seguidores do Glasgow Rangers, significativamente conhecida por Hunos, tem vários cantos insultuosos ao papa para atingir seus rivais católicos do Celtic Glasgow.

Preconceitos existem, é claro, nos mais diversos ambientes sociais, entretanto é inegável que a forte concorrência leva o futebol a potencializá-los. E de forma diretamente proporcional à proximidade física ou cultural das comunidades em questão. A relação entre identidade coletiva e mundo circundante opera de duas formas. De um lado, por introjeção assimila uma realidade considerada estranha. Foi o que levou, nas décadas de 1930 e 1940, todo time brasileiro a ter pelo menos um jogador argentino ou uruguaio com a intenção de ganhar mais garra e técnica. De outro lado, por projeção introduz na realidade características que nega serem suas, desloca o fato psíquico do sujeito para o objeto. Foi o que, no bojo das rivalidades geopolíticas entre Brasil e Argentina, levou nossos vizinhos a projetarem nos jogadores brasileiros traços coloniais, escravistas, chamando-os de *macaquitos*. Na Copa de 1950, estimulados por sentimento de superioridade graças à vitória em pleno Maracanã, alguns torcedores uruguaios recorreram à mesma adjetivação.

No Brasil, os estados que contam com apenas dois grandes clubes deparam-se com rivalidade mais aguda. No Rio Grande do Sul, não há aspecto da vida social que escape ao maniqueísmo tricolor/colorado. Pesquisa de 1993 indicou que somente 5% dos gremistas nutriam simpatia pelo Internacional, cuja taxa de fidelidade clubística era a mais alta do país: 40% dos seus torcedores não tinham um segundo clube (*Folha de S.Paulo*, 26/12/1993). O radicalismo futebolístico penetra em vários níveis da vida social gaúcha. Em 1995, por exemplo, abriu-se uma discussão quanto à bandeira vermelha do Partido dos Trabalhadores, o que no contexto local desagradava os gremistas. Uma ala do partido sugeriu o uso do azul, relacionado ao Grêmio, e foi a vez de os torcedores do Internacional posicionarem-se contra. Em Minas Gerais, bom exemplo do maniqueísmo futebolístico é o já referido (item 7.4) episódio da mudança da cor do manto de uma imagem da Virgem (tradicionalmente azul, como o Cruzeiro) para satisfazer os torcedores do Atlético. Todavia, identidades coletivas não se constroem apenas uma contra outra, duas a duas. Frequentemente um novo elemento cria um triângulo relacional que torna mais complexa a construção identitária de cada um. Mesmo no caso das violentas torcidas uniformizadas, como testemunha um membro da Gaviões da Fiel: "Odeio os porcos, mas para acabar com a Independente a gente até se junta" (*IstoÉ*, 11/11/1998).

No caso carioca, apesar de mais antigo como clube de regatas, o Flamengo não tinha setor de futebol, que surgiu em 1911 por dissidência interna do Fluminense. Ambos praticamente dividiram os títulos estaduais até o Vasco da Gama subir da segunda divisão, tornar-se campeão em 1923 e em 1927 inaugurar o então maior estádio da América do Sul. O *parvenu* tornou-se grande e precisava ser levado em conta. Entretanto, a rivalidade entre Flamengo e Vasco, nascida de uma famosa partida de 1923, ficava de certa forma ofuscada pelo duelo mais antigo. Como disse Mário Filho, "o Vasco se sentiu um pouco traído pelo Flamengo no Fla–Flu". A cultura da rivalidade leva algumas vezes à tomada de decisões emocionais, e não racionais, que se revelam contraproducentes. Na

Copa Libertadores de 1999 o Vasco jogou na capital paulista contra o Palmeiras e conseguiu bom empate; porém, antes da partida de volta, na semana seguinte, havia a decisão da Taça Guanabara. A rigor, tratava-se de título decorativo, de pouco valor, apenas o primeiro turno da competição regional; mas, como o adversário era o Flamengo, o Vasco resolveu jogar com o time completo. No mesmo dia, em clássico contra o São Paulo, o Palmeiras poupou cinco titulares, enquanto o Vasco teve dois jogadores contundidos, perdeu o jogo para o Flamengo, perdeu o moral e na partida seguinte foi eliminado da Libertadores.

No campeonato português de 1999-2000, o Sporting precisava na penúltima rodada vencer o rival lisboeta, o Benfica, para garantir por antecipação o título nacional, após dezoito anos de espera. Como isso quebraria uma longa sequência de conquistas consecutivas do Porto, o presidente do Benfica comentou ser importante "para o bem do futebol português que o Porto não seja campeão" (*A Bola*, 5/5/2000). No entanto a rivalidade lisboeta não poderia ser desprezada, e o Benfica venceu a partida. Salva a honra da comunidade benfiquista, ela na sua enorme maioria torceu na última rodada por uma vitória do Sporting, que embora fosse o rival mais antigo, não era naquele contexto o mais importante. Apesar de certo equilíbrio entre títulos do Sporting (até então dezesseis) e do Porto (dezoito), ambos bem abaixo do Benfica (trinta), este jamais conquistara um pentacampeonato como o Porto e não queria que os nortistas chegassem a um inédito e quase insuperável hexacampeonato. Ademais, no plano internacional, enquanto o Sporting tinha apenas uma Copa das Copas (em 1964), o Porto já ganhara uma Liga dos Campeões (em 1987) — é verdade que contra duas do Benfica (1961 e 1962), porém o clube do Norte vencera uma Copa Intercontinental (1987), que o time da capital por duas vezes tinha deixado escapar. Nada estranho, portanto, que naquela decisão nacional de 2000 o primeiro torcedor a comprar ingresso tenha sido, após dezesseis horas de espera, um benfiquista. Este não ia propriamente torcer pelo Sporting, e sim torcer contra o Porto. O fenômeno de torcer contra (item 7.4) revela outro aspecto do "narcisismo das pequenas diferenças". No mesmo ano, uma pesquisa mostrou que quase metade (48%) dos torcedores do Barcelona fica mais feliz com derrotas do Real Madrid do que com vitórias do seu próprio clube.

Na Itália, como mostraram Flamigni e Grozio, há três duplas de clubes cujos interesses e rivalidades se entrecruzam, inclusive nos planos simbólico e psicológico. Genoa, Milan e Torino são clubes de nomes masculinos e que proclamam suas cidades. Sampdoria, Internazionale e Juventus são femininos e escondem a indicação da cidade à qual pertencem. O primeiro grupo (GeMiTo) é de clubes mais velhos e de origem popular, que receberam a posterior adesão das classes médias urbanas. O segundo (SaInJu), o inverso. Aquele tem torcedores mais calorosos e fiéis, este, mais disciplinados e distantes. Os sujeitos têm consciência desses perfis e os blocos prestam apoio interno entre si contra o outro: os torcedores do Torino apoiam o Genoa contra a Juventus, e assim por diante. Algumas vezes se recorre a elementos externos aos grupos para alimentar sua dinâmica interna. No dérbi milanês do campeonato italiano de fins de 2005, a torcida da Inter abriu enorme bandeira com desenho do goleiro Jerzy Dudek, do Liverpool, que meses antes defendera os pênaltis que tiraram o título da Liga dos Campeões do rival Milan.

Estruturalmente, o "narcisismo das pequenas diferenças" é construído ao longo do tempo conforme a trajetória esportiva dos times e o comportamento de suas torcidas. Mas ele se manifesta de acordo com a conjuntura do jogo. Estudo da Universidade de Indiana encabeçado por Edward Hirt mostrou que, estimulada pelo jogo, a bioquímica cerebral produz substâncias que levam o torcedor a refletir o desempenho de sua equipe. Os sucessos iniciais da seleção alemã na Copa de 2006 contrastaram com o pessimismo anterior e geraram grande entusiasmo popular. Na partida contra a Argentina, boa parte da torcida cantou com a melodia de "Não chores por mim, Argentina" uma canção que mostra a desqualificação do Outro, "Wein nicht so mehr, Argentina" ("Não chores tanto, Argentina"): "Nós entendemos./ Vocês estão com medo,/ se borrando de medo./ O cheiro chega até Berlim./ Acreditem, nós entendemos vocês./ Lembremos/ em 90 vocês já choraram,/ nós nem ligamos./ E em 2006 vamos ligar menos ainda./ Não chores tanto, Argentina,/ sábado o avião de vocês vai partir./ Por causa de Poldi, de Schweini/ E de Klose/ não vai dar certo [pra vocês]" (*O Estado de S. Paulo*, 1/7/2006).

A constatação de que vitórias alimentam o otimismo do torcedor em relação a seus recursos pessoais e suas expectativas de sucesso ajuda a explicar fatos aparentemente contraditórios. Sobretudo se for levada em conta a potencialização daquele sentimento em grupo, pois, como Gustave Le Bon percebeu, independentemente dos perfis de cada indivíduo, "só o fato de serem transformados em multidão dota-os de uma espécie de alma coletiva". Por estar feliz com o tricampeonato da Copa Libertadores da América, na mesma noite da conquista, em julho de 2005, parte da torcida são-paulina promoveu grandes depredações na avenida Paulista. Depois de uma histórica vitória de 7 a 1 contra o Santos, em novembro de 2005, um grupo de torcedores corintianos realizou arrastão próximo ao estádio do Pacaembu, roubando carteiras e celulares dos passantes. Em julho de 2006, depois da vitória sobre o Brasil pela quarta de final da Copa do Mundo, parte da torcida francesa, na sua comemoração pela avenida Champs Elysées, provocou distúrbios, carros foram queimados, vitrines quebradas, pedras lançadas contra policiais. Ao comentar a derrota brasileira diante da Itália na Copa de 1938, Mário Filho lembrava que pouco antes da partida um italiano fora esfaqueado num subúrbio carioca, mas que depois nada parecido aconteceu. E concluiu com sagacidade: "Se o Brasil tivesse vencido, podia ser que se matasse algum [italiano]". A embriaguez da vitória provoca sensação de poderio e erosão das normas morais e sociais.

Se for correto, como propôs Christopher Lasch, ver no narcisismo o tipo de neurose predominante no mundo contemporâneo, temos outra pista interessante para tentar entender por que o futebol se tornou o mais expressivo fenômeno cultural da época. O historiador norte-americano chamou atenção para o fato de o avanço narcísico ter sido desencadeado pelo amplo reordenamento sociopolítico gerado pela sociedade de consumo. O espírito desta tornou mais importante parecer do que ser, esgarçou a fronteira entre realidade e fantasia, dissolveu o indivíduo na cultura de massa, aboliu a disciplina e o sacrifício coletivos. Ora, no mundo do futebol todos esses pontos estão de alguma forma presentes. Os três primeiros como expressão e reforço dos dados psicossociais, o quarto como mecanismo compensatório. De fato, a disciplina e o sacrifício da comunidade clubística como um todo são fundamentais para seu sucesso, seja no plano dos profissionais (cuja dedicação à causa comum deve superar vaidades pessoais), dos dirigentes (cujo empenho se faz em detrimento de interesses particulares) ou dos torcedores (cujas individualidades desaparecem para compor a massa que apoia o time). O futebol passou a ser o terreno privilegiado de um novo narcisismo coletivo, mais cotidiano e perceptível (clubístico) do que os tradicionais (religioso ou nacional). E isso sem eliminar — pelo contrário — o narcisismo individual clássico, o da pessoa que busca se adaptar às expectativas que se tem dela, por exemplo comportando-se no estádio como os demais torcedores. Ou o da pessoa que cria a ilusão de ela e o mundo serem uma única coisa, como fazem os torcedores cuja opção clubística simplesmente acompanha a do segmento mais forte de seu entourage psicológico e social.

Quando o "narcisismo das pequenas diferenças" das torcidas de futebol manifesta-se de forma violenta, isso quase sempre acontece, pela própria definição do sentimento, em partidas domésticas. Depois de uma sangrenta batalha contra torcedores uniformizados são-paulinos, o presidente da Mancha Verde, do Palmeiras, explicou que o confronto deveu-se a "muito amor pelo clube" (*Folha de S.Paulo*, 23/8/1995). A questão é que com a intensidade de um sentimento quase sempre existe em latência, na mesma intensidade, o sentimento oposto. Ao amor por um clube corresponde ódio a outro. Nelson Rodrigues inverteu mesmo os dados da equação: "A base sentimental da torcida é o ódio, e não o amor. Sem ódio não há torcida possível". Um cântico dos torcedores do Glasgow Rangers confirma essa ideia quando diz "ninguém nos ama, mas não estamos nem aí". Talvez nosso cronista tenha razão. Mais do que isso, o ambiente esportivo em geral é propício a comportamentos agressivos, sugere um estudo do *British Journal of Sports Medicine* de fins de 1996. Suas conclusões contradizem o senso comum, que vê no esporte fator de construção do caráter e da boa convivência social. O acompanhamento de mais de mil jovens verificou que os mais esportivos dentre eles tinham, aos quinze anos de idade, duas vezes mais propensão a se tornarem delinquentes aos dezoito. Entre moças, o risco seria o triplo das não esportivas.

De qualquer forma, como a violência é psicologicamente inerente ao ser humano e antropologicamente inerente à festa (item 6.4), não é estranho que esteja presente no futebol, importante evento psíquico e lúdico. Deixando de lado debates teóricos que não cabem aqui, pode-se dizer que o acentuado narcisismo do torcedor tende a desviar a pulsão de morte (voltada para dentro e para a autodestruição) para o mundo externo ao sujeito (pulsão de agressão). Mas essa pulsão não significa apenas destruição do outro, é também autopreservação diante do outro. O torcedor violento pode, na sua fantasia, estar somente se antecipando à violência do rival. De toda maneira, o potencial de agressividade fica na maior parte das vezes apenas no plano simbólico (vaias, ofensas, ameaças) graças ao mecanismo de sublimação, isto é, da pulsão sexual desviada para novo objeto, socialmente aceito. É sintomático que o termo tenha sido usado pelo fundador da psicanálise para evocar ao mesmo tempo o sublime (a beleza da arte, a elevação religiosa) e a sublimação (no jargão alquímico, o procedimento que faz um corpo passar diretamente do estado sólido ao gasoso).

A hipótese do futebol como sublimação fica reforçada pela constatação de muitos observadores, segundo os quais as táticas retranqueiras e a baixa qualidade técnica de uma partida podem estar associadas a fenômenos de violência. Desse ponto de vista, o hooliganismo não pode ser compreendido apenas por fatores sociais (item 5.3), pois seus praticantes, ao contrário do que se disse muitas vezes, não são apenas marginais e desempregados. Muitos levam existência comum, de trabalho duro porém relativamente seguro em fábricas, oficinas e canteiros de obras. Ocorre que o principal lazer e instrumento de socialização desses indivíduos, o futebol, foi perdendo ao longo da década de 1970 tal função devido a partidas sem emoção, nas quais os times pouco se arriscavam. Na temporada inglesa de 1978-9, cada torcedor viu seu time marcar apenas um gol em 37% das partidas e nenhum gol em 27% das vezes em que jogou. A mudança de regulamento a partir de 1981-2, quando se passou a atribuir três pontos por vitória, contribuiu para esvaziar a violência nos estádios. Dito de outra forma, quando o futebol não canaliza eficazmente a violência humana para a guerra simbólica (item 6.3), quando ele não funciona como sublimação, a pulsão de agressão pode vir à tona.

Além de violência física, há a violência verbal e gestual das torcidas. Segundo as informações recolhidas por Canter, Comber e Uzzell, cerca de 40% dos torcedores de numeradas e 55% dos da geral, em média, praticam esse tipo de violência. Às vezes ela se mescla com referências extrafutebolísticas, como as imitações de macaco dirigidas a jogadores negros em praticamente todos os estádios europeus desde fins do século xx. Ou como, em janeiro de 2006, a faixa que a torcida da Roma estendeu durante partida contra o Livorno, time de tradição proletária, ocorrida por acaso no dia comemorativo do Holocausto judaico e que dizia "Lazio e Livorno, mesma inicial, mesmo forno". Na maior parte das vezes, a violência moral fica restrita ao próprio mundo do futebol. Toda torcida tem fantasias assassinas em relação aos oponentes, daí o costume de se fazer caixões dos clubes rivais. A crueldade mental das torcidas é inegável, sobretudo em situações nas quais os adversários encontram-se emocionalmente fragilizados. Como Freud apontou, a produção de chistes está associada ao narcisismo porque implica certa comparação entre si mesmo e o outro. Daí fazer parte do folclore do torcedor o desejo de ver o maior rival derrotado no último minuto da partida por um gol ilegal, já que isso aumentaria o sofrimento alheio. É a faceta sádica presente no perfil de todo torcedor.

Bom exemplo foi, em 1944, a decisão do campeonato carioca. O Flamengo conseguiu o terceiro título consecutivo e o Vasco alegou ter sido faltoso o lance que redundou no gol da derrota. Ary Barroso, fanático rubro-negro, não satisfeito com a conquista, disse preferir que o gol de seu time tivesse sido ostensivamente com a mão e que o árbitro tivesse visto a irregularidade. Em 1974, quando o Corinthians tentava acabar com longo jejum e contudo perdia a final do campeonato paulista para o Palmeiras, a torcida deste cantava "Zunzunzum, é vinte um", em referência ao número de anos sem título do arquirrival. Em 1992, uma semana depois de ganhar o título mundial no Japão, o São Paulo enfrentou o Palmeiras no segundo jogo da decisão paulista. Tendo vencido a primeira partida por 4 a 2 e ganhando a segunda por 2 a 1, a torcida tricolor gritava "Chora porco imundo, São Paulo é campeão do mundo", dividida entre o prazer construtivo da dupla conquista com poucos dias de intervalo e o prazer destrutivo de ver o rival continuar sem título pelo 15º ano consecutivo.

Esse comportamento típico de torcida de futebol é coerente com a natureza do jogo. Nele, um recurso essencial e legítimo é o drible, que do ponto de vista moral seria recriminável em outra atividade por se tratar de fingimento, embuste, dissimulação, ludibrio. Se todo drible significa certo deboche ao adversário, alguns tipos de drible são vividos pelas vítimas — o jogador driblado e sua torcida — como escárnios. Esse sentido de gozação transparece nas denominações populares: "caneta", "chapéu", "lençol", "drible da vaca" etc. O sentimento de humilhação fica agravado quando o ato é sofrido não por um jogador, e sim por toda a equipe. Os futebolistas que trocam passes não objetivos, sem intenção de se aproximar da meta contrária, apenas para manter a posse de bola, revelam menosprezo pelos colegas de profissão, rebaixam-nos da condição de adversários esportivos a motivo de zombaria. De certa forma animalizam-nos ao levar sua torcida a gritar "olé", como em uma tourada. Se do ponto de vista dos profissionais tal atitude é recriminável, do ponto de vista da torcida é desejável. Ela busca no mundo do futebol um sentimento que fora dele é eticamente condenável — não basta ser feliz, é preciso ver o Outro infeliz. A psicologia do futebol impõe a *Schadenfreude*, a satisfação pela desgraça de outrem.

8.4 ENTRE A EFICIÊNCIA E O ALEATÓRIO

O enigma existencial da alternância de momentos positivos e negativos, fastos e nefastos, fartos e pobres parece ser tão antigo quanto a humanidade. A cultura greco-romana, como fez com todo grande fenômeno natural ou humano, personificou a variação aleatória da sorte tanto de indivíduos isolados quanto de sociedades inteiras na figura de uma divindade. Divindade feminina, para bem marcar a inconstância de seus atos, a casualidade de suas decisões. Divindade com frequência imaginada cega, para indicar que suas ações não visam propositadamente algo ou alguém. Divindade cujas ações são fortuitas, palavra derivada do próprio nome dela, Fortuna. Seu significado psicológico estava tão enraizado que não desapareceu com a cristianização da cultura ocidental. A mesma função passou a ser atribuída à imperscrutabilidade de Deus ou ao destino. A imagem concebida para expressar a atuação dela continuou presente na sociedade cristã: a Roda da Fortuna, que gira sem parar, a velocidades variadas, de forma que quem está hoje na sua parte superior amanhã estará na inferior, depois novamente subirá, a seguir cairá, e assim incessantemente. Algumas vezes tais rotações são muito abruptas.

Em termos de clubes, o Manchester United ilustra bem o fenômeno. Um acidente aéreo em 1958 matou quase todo o time, que tinha acabado de se classificar para a semifinal da Copa dos Campeões Europeus, e ainda assim o clube chegou semanas depois à final da Copa da Inglaterra. Que perdeu. Caso tivesse vencido, a conquista teria tido sabor de desforra contra o destino; mas, depois do drama, ter chegado perto do título sem alcançá-lo foi mais duro do que se tivesse sido eliminado anteriormente da competição. Em 1968 veio enfim a conquista do título europeu. O técnico Matt Busby, sobrevivente do acidente, foi enobrecido pela rainha, o ponta-esquerda George Best ganhou o Ballon d'Or como melhor jogador da Europa. Na sequência, porém, os títulos sumiram e por problemas disciplinares da torcida o clube foi rebaixado em 1974. No ano seguinte estava novamente na elite do futebol inglês, contudo seria novamente campeão nacional apenas em 1993, um quarto de século após o título anterior. Mas desde então os sucessos se acumularam.

Em termos de seleções nacionais, a da Itália pode servir de exemplo. Ela foi para a Copa de 1982 muito criticada, o futebol do país passara por recente crise moral com a descoberta de amplo esquema de corrupção ligado à loteria esportiva. O centroavante Paolo Rossi, envolvido no escândalo, ficara muitos meses suspenso, estava sem ritmo de jogo e sua convocação tinha sido bastante contestada, mas ele fez os três gols que desclassificaram o Brasil na quarta de final e tornou-se o artilheiro da competição. Antes disso, porém, na fase inicial, o árbitro austríaco Franz Wöhrer, na partida Peru-Camarões, anulou indevidamente (como reconhece o DVD oficial da FIFA) o gol africano que lhe daria a classificação no lugar da Itália. Esta ficou com a segunda vaga do grupo, com o mesmo número de pontos que Camarões, o mesmo saldo de gols, porém um gol marcado a mais. E a Roda da Fortuna continuou favorável aos italianos até a obtenção do título. Mas logo ela girou. Em 1986 a Itália foi eliminada na oitava de final e terminou em 12º lugar dentre 24 participantes. Nas três Copas seguintes perdeu em decisões por pênaltis: em 1990, jogada na própria Itália, na semifinal diante da Argentina; em 1994, na final contra o Brasil; em 1998, na quarta de final diante dos franceses, donos da casa. Na Eurocopa de 2000 a Itália perdeu o título para os franceses com um gol de ouro (ou "morte súbita") feito por jogador (David Trezeguet) da Juventus, o mais popular clube italiano. No Mundial de 2002, em quatro partidas jogadas ela teve cinco gols anulados e parou na oitava de final diante da Coreia, quando o árbitro não marcou claro pênalti a seu favor e ainda expulsou o jogador do lance, Francesco Totti, alegando simulação. No Mundial de 2006, contudo, ela se classificou para a quarta de final graças a um pênalti inexistente, assinalado no último minuto da partida, e na final ganhou o título contra a França na disputa por pênaltis.

Futebol é o jogo favorito da deusa Fortuna. São manifestações dela os resultados absolutamente inesperados, aquilo que a expressão popular chama de zebra (item 5.4). É justamente porque flutuações da sorte fazem parte do futebol que ele se constitui em tão boa metáfora da vida. Se a percepção daquelas flutuações é inevitável, a definição delas é variável. Para Mário Filho, "os clubes vivem e revivem a história de Jó", que deveria ser decorada "por todos os jogadores de futebol, por todos os torcedores". Como se sabe, aquele personagem bíblico era muito rico e feliz até que Deus, por instigação de Satanás, retirou seu apoio para testar a fidelidade dele na desgraça. Jó continuou a temer e amar a Deus, e recebeu em dobro tudo que havia perdido. Para Nelson Rodrigues, a imprevisibilidade do futebol foi personificada em Sobrenatural de Almeida, responsável pelo fato de não existir futebol "sem um mínimo de absurdo, sem um mínimo de fantástico". Para ele, "o absurdo é uma das dimensões mais válidas do futebol". Considerando que o conceito clássico de Roda da Fortuna dá ideia de variação em apenas duas direções, considerando que a bola é "infiel", no dizer do cronista Stanislaw Ponte Preta, pois nem os grandes craques conseguem controlá-la sempre, talvez seja melhor falarmos em Bola da Fortuna. Esta imagem é preferível por indicar que a sorte pode girar nos mais variados sentidos. Aliás, esse é o nome de um clássico da filmografia futebolística, de 1926 — *The ball of fortune* (direção de Hugh Croise)—, no qual Billy Meredith interpreta o papel dele mesmo como jogador do Manchester United e do Manchester City.

A Bola da Fortuna, como sabem todos os personagens do futebol, decide partidas e campeonatos. Ela se manifesta em pequenos detalhes. Na final da Copa dos Campeões Europeus de 1976, aos 39 minutos um jogador do Saint-Étienne fez um centro da esquerda e a cabeçada de Jacques Santini (mais tarde técnico da França) bateu na metade inferior do travessão do Bayern de Munique, defendido por Sepp Maier, e saiu. A caprichosa trajetória da bola deveu-se ao formato quadrado das traves do Hampden

Park. O testemunho neutro é claro: "Os postes à maneira antiga de Glasgow salvaram o Bayern" (*Daily Mirror*, 13/5/1976). A Bola da Fortuna provoca alternâncias de duração variável, como todos reconhecem nas frequentes alusões à "fase" do jogador ou do time. O campeonato alemão de 2001 é exemplar quanto a essas bruscas variações. Na penúltima rodada, Bayern de Munique e Schalke 04 começaram como líderes e, com as respectivas partidas quase acabando, ambos empatavam. Mas em curtíssimo lapso de tempo a classificação mudou. O Schalke sofreu o gol da derrota para o Stuttgart e seis segundos depois o Bayern marcou o gol da vitória contra o Kaiserslautern. Na última rodada, o Schalke venceu e o Bayern, cuja partida começara minutos depois, perdia, o que restabelecia a igualdade em pontos, mas dava o título ao Schalke pelo saldo de gols. Na reposição de tempo, contudo, o Bayern marcou o gol do empate e tornou-se campeão, ampliando a "fila" do rival para 43 anos sem título nacional.

Mais do que partidas, a Bola da Fortuna decide vidas. Ela enriquece (Pelé, Platini, Beckenbauer etc.), ela infla em demasia egos frágeis (Heleno de Freitas, George Best, Maradona etc.), ela gera prestígio político (Georges Weah, Roberto Dinamite, Reinaldo etc.), ela gera rejeição (Barbosa), ela gera morte (Escobar, zagueiro colombiano assassinado porque marcou um gol contra na Copa de 1994). O zagueiro uruguaio Diego Lugano, no São Paulo FC, definiu bem a presença da Fortuna no futebol: "É inacreditável o que o futebol faz com a vida dos esportistas. Trinta dias depois do momento mais triste da minha carreira [a não classificação do Uruguai para a Copa do Mundo], tenho o dia mais feliz da minha vida [recepção popular ao voltar ao Brasil depois da conquista do tricampeonato mundial interclubes, em fins de 2005]".

Os caprichos da sorte estão sempre presentes. Eles podem se manifestar em um simples lance, um gol fácil perdido por um grande goleador, um frango tomado por um grande goleiro, um passe genial feito por um jogador medíocre. Eles podem se manifestar na mudança do curso de uma partida que parecia definida. Toda virada de resultado na história do futebol, anônima ou famosa, é um giro na Bola da Fortuna. Foi o que aconteceu na final da Copa de 1934, quando a Tchecoslováquia, depois de uma bola na trave no primeiro tempo, abriu o placar aos 31 minutos do segundo, dois minutos mais tarde acertou outra vez a trave, porém a Itália empatou pouco depois em lance duvidoso e fez o gol do título na prorrogação. Vinte anos depois, em outra Copa do Mundo, quando a decisão estava empatada, a Hungria chutou duas bolas na trave da Alemanha, que faltando seis minutos para o final recuperou a bola perdida pelo cérebro do time adversário, Boszik, e fez o gol da vitória. A equipe reconhecidamente muito superior perdia o título mundial. Na decisão da Liga dos Campeões de 1999, a Bola da Fortuna teve uma das mais impressionantes manifestações recentes. Um tricampeão da competição, o Bayern de Munique, ganhava desde o começo da partida, chutara uma bola na trave e outra no travessão, parecia ter a vitória nas mãos até os 45'30" do segundo tempo, quando o Manchester United empatou e logo aos 47'20", isto é, restando quarenta segundos para se completar o tempo estabelecido pelo árbitro, marcou o gol do título.

Não há equipe, por mais vitoriosa que seja sua história, que escape às flutuações da Fortuna. O Real Madrid, eleito pela FIFA o time do século XX, ficou sem o título espanhol entre 1934 e 1953, sem o título europeu entre 1967 e 1997, sem o título mundial entre 1961 e 1997. A Juventus, que tem o maior número de títulos italianos, ficou abstinente duas longas fases, 1906-25 e 1936-49. O Liverpool, que mais conquistou o campeonato inglês, ficou em jejum de 1907 a 1921, depois de 1924 a 1946, a seguir de 1948 a 1963 e de 1991 até hoje, além de ter levado 22 anos para conquistar sua primeira Liga dos Campeões (1977) e ter conhecido vinte anos de intervalo entre o quarto (1984) e o quinto (2005) título que ganhou nessa competição. O Bayern de Munique, o mais titulado clube alemão, ficou muito tempo sem ser campeão nacional (1933-68), europeu e mundial (1977-2000). O Ajax, o mais conquistador dos clubes holandeses, conheceu longos vazios de título nacional (1919-31, 1947-57) e depois do tricampeonato europeu (fato igualado apenas pelo Bayern de Munique e ultrapassado somente pelo Real Madrid) de 1971-2-3 levou 21 anos para voltar a ganhar a Liga dos Campeões.

Claro que uma leitura de todos esses eventos feita externamente ao mundo do futebol negaria a existência da Bola da Fortuna. A física explicaria suas supostas manifestações como fenômenos materiais ignorados por futebolistas e torcedores. A matemática buscaria a descoberta de padrões estatísticos naquilo que se chama de sorte e azar. A filosofia aristotélica e escolástica diria se tratar de decisões (*de-cidere*, "separar", "cortar", donde "escolher") que não consideraram de forma adequada a consequência associada a cada alternativa oferecida ao sujeito. A antropologia insistiria no caráter culturalmente variável da interpretação das coincidências sentidas como negativas ou positivas. A psicologia indicaria a predisposição do sujeito a encarar o futuro de maneira otimista ou pessimista, o que aumenta a probabilidade de erro ou acerto nas suas ações. E, de fato, se autoconfiança é importante em qualquer atividade, é fundamental no futebol, devido ao peso que nele têm a intensa concorrência, a necessidade de tomada muito rápida de decisões, a constante avaliação dos riscos a serem corridos ou evitados, a presença decisiva e indiscutível do aleatório.

O técnico Paulo César Carpegiani (Flamengo, São Paulo, Corinthians, seleção do Paraguai) formulou bem essa verdade futebolística: um time vencedor é formado por 50% de talento e 50% de autoconfiança. Muricy Ramalho (São Paulo, Internacional, Palmeiras) é mais incisivo: "No futebol a palavra mágica é confiança" (*Lance!*, 6/2/2006). Daí talvez o aparente paradoxo de os jogadores decisivos serem os que erram mais. Enquanto jogadores burocratas limitam-se a lances simples, de pequena margem de erro, os mais criativos arriscam lançamentos difíceis, dribles ousados, chutes improváveis, porque têm grande confiança na própria capacidade técnica. Enquanto o talento é inato ao jogador, embora aperfeiçoável por meio de treinamento, a autoconfiança é construível. A psicologia esportiva já mostrou que todo atleta pode desenvolver sua "expectativa de capacidade", ou seja, a convicção de que pode render mais. É comum futebolistas europeus (e raro no Brasil), antes de partidas importantes, mentalizarem determinadas jogadas. Eles visualizam os gestos técnicos que pretendem fazer, fato que, estudos recentes comprovaram, ativa o córtex motor como se ele fosse ordenar a ação imaginada. Em outras palavras, antever de forma repetida e concentrada certo lance pode facilitar sua execução. Há treinamento mental tanto quanto físico.

Estudo da Universidade de Warwick (Inglaterra) tomando por base os resultados de 135 mil partidas em 169 países, entre 1999 e 2001, mostrou que quanto mais o placar for dilatado, maior é a probabilidade de surgir novo gol (*Pesquisa FAPESP*, janeiro/2002). A razão desse fenômeno estatístico não foi explicada pelo trabalho, mas podemos pensar que, se gol atrai gol, é porque a autoconfiança de um time cresce à medida que aumenta sua vantagem no placar, e, inversamente, o outro time passa a duvidar cada vez mais da própria capacidade. Lógica semelhante explica por que vitória atrai vitória. Entretanto, o excesso de vitórias parece esvaziar seu significado e preparar uma rotação da Fortuna. O Real Madrid da década de 1950, pentacampeão europeu, ilustra isso. A primeira conquista foi vivida intensamente por jogadores e torcedores, a segunda provocou uma chuva de lenços brancos no gramado, a terceira gerou prolongados gritos de alegria, na quarta, disse um jornal da época (*L'Équipe*, 4/6/1959), "os eternos vencedores apenas sorriram com sua vitória".

Tenta-se algumas vezes incorporar a autoconfiança à personalidade anistórica do clube, falando-se em "mística da camisa". Isto é, um poder misterioso que seria peculiar àquele clube independentemente dos jogadores que o representam a cada momento. Na verdade, é claro, trata-se de apropriação de uma realidade específica, datada, que se procura generalizar. O Flamengo, por exemplo, passou a se atribuir essa virtude depois de uma famosa vitória sobre o Vasco em 1927, quando, apesar de acuado o tempo todo, graças a quatro ataques estabeleceu um definitivo 3 a 0. Falou-se que a vitória ressuscitava o célebre 3 a 2 de 1923, a primeira derrota do Vasco depois de subir à principal divisão do futebol carioca. Em 1927, o Flamengo teria vencido graças à força da sua camisa, crença alimentada em 1955 pelo tricampeonato conseguido com uma vitória sobre o América poucos dias depois de ter sido goleado pelo mesmo adversário. Como toda nova narrativa de uma lenda reforça-a, vários sucessos flamenguistas nos anos seguintes foram atribuídos à camisa. Existe também uma "mística da camisa" ligada à nacionalidade. Ao entrar em campo para enfrentar o Auxerre pela Liga dos Campeões, o capitão do Nottingham Forest, Stuart Pearce, lembrou a seus companheiros: "Vocês são mais corajosos que eles, é por isso que vocês nasceram ingleses" (*France Football*, 21/11/1995).

A autoconfiança tem ritmos longos e curtos. Pode flutuar durante o desenrolar de uma partida. Embora o futebol seja, na regra, na cronometria e no senso comum, noventa minutos iguais uns aos outros, do ponto de vista psicológico é justaposição de diferentes temporalidades, cuja percepção varia conforme cada tipo de personagem do jogo e cada opção com a qual eles se defrontam em determinados momentos. Buscando ainda uma vez resposta à questão recorrente, já colocada em outros capítulos, sobre a razão de o futebol fascinar tanto tanta gente em tantos lugares, podemos formular mais uma hipótese — o tempo afetivo do futebol é contraponto ao tempo crescentemente frio, matematizável, padronizado das sociedades modernas. Mesmo o personagem que tem o controle quantitativo do tempo reconhece seu aspecto qualitativo. Todo árbitro sabe que os primeiros e os últimos minutos de cada etapa têm densidade maior que os outros. Que nos primeiros minutos define-se a relação dos 22 jogadores entre si e entre eles e o trio de arbitragem. Que nos últimos minutos muitas vezes se define uma partida, e quando isso acontece a carga emocional desses instantes cresce demais. A boa atuação do árbitro em 89 minutos pode ficar comprometida numa falha capital no fim do jogo. A mesma falha em outro momento sempre deixa em aberto a possibilidade de o time prejudicado superar aquele erro.

No futebol, a sensação de tempo lento ou rápido é muito forte para todos. A quem cabe a ação (atacar), o tempo parece passar mais depressa do que a quem cabe a reação (defender). Nos dois casos, o tempo cronométrico é substituído pelo tempo afetivo. Essa sensação, bem conhecida por todas as pessoas do meio futebolístico, é expressão esportiva de realidade psicológica já analisada por diferentes ângulos. Santo Agostinho, no século v, chamou a atenção para o fato de que "é em ti, meu espírito, que meço o tempo". Modernamente, o psicólogo norte-americano Leonard William Doob observou que todo intervalo temporal vazio ou muito carregado parece longo e nele o tempo passa lentamente, enquanto se há alguns eventos, nem muitos nem poucos, o intervalo parece curto e o tempo passa rápido. Em determinadas contingências do jogo o tempo parece simplesmente suspenso, como nos instantes que antecedem a cobrança de um pênalti que vai decidir a sorte da partida. A reinserção no tempo cotidiano é brutal, resulta do impacto emocional daquela cobrança, com explosão de alegria para uns e de lamentação para outros. Por tudo isso, o goleiro do Paris Saint-Germain e da seleção francesa, Mickaël Landreau, observou que "o futebol faz envelhecer dez vezes mais rápido que uma vida normal" (*France Football*, 5/11/2002). Ugo Giorgetti, diretor do filme *Boleiros*, notou que "um jogador de dezoito anos sofre uma tensão que alguém de quarenta anos teria dificuldade de lidar" (*Revista 10*, setembro/2004). Na estimativa de Carlitos Tevez, na profissão de futebolista "cada ano vivido é como quatro" (*Placar*, junho/2006).

Outro importante estado psicológico, embora bem menos discutido, é aquele que o ex-jogador e hoje colunista esportivo Sócrates chama de ressaca emocional (*Carta Capital*, 17/8/2005). A entrega total a uma meta esvazia todos os envolvidos de suas forças físicas e psíquicas, tornando o retorno à situação normal muito demorada. Ele dá dois exemplos, um pessoal, outro recente. No campeonato brasileiro de 1984, o Corinthians enfrentaria na quarta de final aquele que era então o melhor time do Brasil, o Flamengo. Este vencera o primeiro jogo por dois gols de diferença, obrigando os paulistas a fazer o mesmo placar na partida de volta, no Morumbi. A vitória de 4 a 1 deveu-se a uma mobilização total da comunidade, elenco e torcida, mas à custa de tal esgotamento que na etapa seguinte o time foi eliminado pelo Fluminense. Não foi possível recuperar as forças, "principalmente no aspecto emocional". Foi isso, continua Sócrates, que aconteceu em 2005 com o São Paulo, após a conquista do tri da Taça Libertadores. Ao sucesso seguiram-se oito partidas sem vitória no campeonato brasileiro. Por outro lado, o derrotado naquela final, o Atlético Paranaense, logo reuniu forças para se recuperar na competição nacional, que tinha abandonado e na qual ocupava as últimas posições. Conclusão, muito pertinente, do cronista: "A frustração da derrota é sempre um fator positivo na reação, enquanto o encanto da vitória provoca sentimentos que nos fazem esquecer a realidade. A ressaca demora mais a desaparecer".

Se o futebol é praticamente o único esporte em que se discute a justeza do resultado, é por ser metáfora da vida na qual se projetam sonhos e frustrações. Daí porque é sempre possível para o torcedor ou o jornalista descobrir vários motivos da justiça ou injustiça do placar. O futebol está cheio de imperfeições — o jogador desperdiça um gol, o árbitro avalia mal um lance, o treinador escala incorretamente, o dirigente erra nas contratações — contudo, ponderou o ex-árbitro Pierluigi Collina, "sua beleza maior está exatamente nessa imperfeição" (*A Bola*, 5/5/2000). Por isso mesmo foi experiência isolada aquela tentada nos primórdios do futebol, na temporada 1881-2, na Inglaterra, quando o árbitro ao fim da partida podia premiar uma equipe com um gol extra, caso julgasse estar assim restabelecendo a justiça do placar. A ideia não progrediu por óbvias dificuldades práticas. E também porque o placar final reflete de alguma forma a justiça, com tudo que esse conceito tem de subjetivo. No futebol, o vencedor comemora e o perdedor justifica. Como na vida. Entretanto, o futebol apresenta um fator muito positivo do ponto de vista psicológico: cada partida, cada temporada oferece a esperança de novo recomeço. Reescrever periodicamente o script da vida só é possível no futebol.

9. Metáfora linguística

Se o futebol pode ser metáfora de várias instâncias do viver humano, como vimos nos capítulos anteriores, é graças ao fato de ele ser uma linguagem. É como tal, então, que devemos agora examiná-lo. O objeto deste capítulo não é a linguagem do futebol (o vocabulário utilizado por jogadores, torcedores e imprensa para falar do jogo), e sim o futebol enquanto linguagem. Para isso — sem entrar nos debates a respeito — lembremos a diferença conceitual entre linguagem e língua. A primeira é qualquer sistema que permite representação do pensamento, seja por meio de signos sonoros, gráficos, gestuais ou lógicos (caso da linguagem algorítmica). A segunda é sistema de comunicação por meio de palavras, faladas e/ou escritas, que servem de expressão comum a determinado grupo (os falantes do português, por exemplo). Logo, existe linguagem sem língua (caso da informática, dos golfinhos ou das abelhas), mas não língua sem linguagem. Linguagem é estrutura mental, língua é ação social, seja natural (inglês, basco etc.) ou artificial (idiomas inventados para comunicação internacional, como o esperanto ou o volapuque).

Entende-se, então, por que o antropólogo norte-americano Franz Boas considerou toda dança linguagem. Logo, da demonstração de que futebol é dança (item 6.2) conclui-se que ele é linguagem. Linguagem em si mesmo e metáfora de outras linguagens. Como a neurobiologia já mostrou que o ser humano desenvolveu a fala a partir de sua habilidade motora (os mesmos centros cerebrais regem as duas), podemos pensar no futebol como linguagem ao mesmo tempo natural (correr, fugir, enganar, chutar e pegar fazem parte da história evolutiva da espécie) e artificial (regras para organizar a representação moderna daqueles atos primordiais). Franz Beckenbauer parece ter intuído esse duplo caráter ao afirmar que "o futebol é um dos melhores meios de comunicação do mundo. Ele é imparcial, apolítico e universal". Com efeito, o futebol não tem seu poder comunicativo restrito a comunidades que dominam os pré-requisitos do sistema. Mas tal proposição precisa, é evidente, ser aprofundada. Resta saber de que maneira o futebol comunica.

9.1 MORFOLOGIA

O futebol é, sem dúvida, linguagem. Ele possui morfologia, semântica e sintaxe próprias. Existe uma Academia da Língua (International Board), cuja gramática (regras do jogo) é zelada por representantes (árbitros) que devem sancionar todo desrespeito a ela (falta, pênalti, advertência, expulsão). A gramática futebolística, como toda gramática, está aberta a exceções. O jogo fundamentado no uso do pé (*foot*) admite o uso das mãos por parte do goleiro em certo espaço e de todo jogador em uma situação específica (cobrança de lateral). Da mesma maneira que outras gramáticas, a do futebol permite interpretações: falta ou choque corporal legítimo? Recuo intencional ou acidental de bola ao goleiro? Simulação de pênalti ou queda normal? Como em toda gramática, nela certos fatos da língua impõem-se mais pelo espírito que pela letra da norma: passe sem querer é válido, gol por acaso acontece, mesmo o gol contrário à intenção (o chamado gol contra) existe.

Futebol é linguagem corporal (por isso mais próxima às línguas faladas que às escritas), mais flexível e mais comunicativa que outras assemelhadas, daí sua popularidade. Ele não tem a limitação do vôlei, com seus três toques no máximo, ou do basquete, com a regra dos 24 segundos de posse de bola, nem a prolixidade de ambos (contagens altas), fato que paradoxalmente diminui a capacidade de comunicação daqueles esportes. Se por definição toda linguagem é coletiva, se pressupõe no mínimo um locutor e um interlocutor que compreendam reciprocamente as mensagens trocadas, o futebol enquanto linguagem apresenta uma particularidade essencial. Cada falante é coletivo (time) e seu discurso construído com material dos vários indivíduos (jogadores) que fazem parte de tal comunidade linguística e que, submetidos à gramática do jogo, desenvolvem roteiro predefinido (tática), porém adaptável às intervenções do interlocutor (o time adversário). E tudo isso sob o olhar de muitíssimos outros indivíduos (torcedores), que veem naquela troca de mensagens, na interatividade daqueles discursos, um sentido que os sensibiliza.

Em 1933, o linguista norte-americano Leonard Bloomfield propôs uma concepção mecanicista e behaviorista que se mostra limitada para uma compreensão abrangente da língua falada, mas que pode ser útil para pensar o futebol. Segundo ele, é sempre um estímulo externo que leva o primeiro locutor a falar, o que provoca a reação de um segundo locutor e assim por diante. Os fatos gramaticais então gerados são, de acordo com essa teoria, puramente formais: forma associada e forma livre, forma composta e forma complexa. Ora, pode-se imaginar que o princípio elementar do futebol surgiu quando, na noite dos tempos, alguém chutou um pequeno fruto ou pedregulho que tinha diante de si. Gesto desse tipo pode ser observado ainda hoje em qualquer criança, antes mesmo de ela tomar contato com a prática do futebol. É ação instintiva. Se o gesto acontece próximo a outras pessoas, o encadeamento de estímulos de que fala Bloomfield é evidente. Foi o que confirmou há pouco a pesquisa do neurologista Giacomo Rizzolatti. Para ele, a origem da comunicação deu-se pelo "sistema espelho". Experimentos com símios mostraram que, na área correspondente no homem ao centro da linguagem, há neurônios que são ativados quando o animal age e quando ele observa outro agir. A interação observada indica que foi de expressões gestuais que a humanidade evoluiu para a linguagem verbal.

Sendo linguagem, o futebol deve ser inicialmente examinado pela sua morfologia. Esta, para a gramática tradicional, é o estudo das formas das palavras. Nos diferentes processos de constituição delas, há sempre um elemento significativo mínimo, chamado pelos linguistas de morfema.[1] Este pode ser livre (aquele que ocorre como palavra em si) ou preso (aquele ligado a outros, como nas palavras formadas por prefixo, radical e sufixo). Nem todo morfema é palavra (apenas os livres), mas toda palavra é constituída de morfemas. Assim, pode-se dizer que o correspondente desse elemento linguístico no futebol é o controle da bola, "a base de tudo", na definição de Cruyff (*France Football*, 22/11/2005). É esse gesto que está na origem, direta ou indireta, de todos os demais no futebol. Ele pode ser realizado com diferentes partes do corpo — pés, coxas, peito, cabeça (e mãos, no caso do goleiro) — e em diferentes situações, como bola alta ou rasteira, em fase defensiva ou atacante. Todo passe de primeira é a rigor controle que funciona como morfe-

1. Não é preciso dizer que quase todos os conceitos usados neste capítulo são objeto de muitos debates e polêmicas entre os especialistas, e que nossas opções (e simplificações) visam apenas sua aplicação à linguagem futebol.

ma livre, não é movimento que serve de prefixo para lançamento ou chute, é gesto completo em si mesmo. No passe de primeira o controle não é explícito, não é visualmente distinto da entrega da bola ao companheiro, mas se não houver controle simultâneo à transmissão da bola esta não chegará a seu destino. No entanto, no futebol, como nas línguas, prevalecem os morfemas presos. Na maior parte das vezes o jogador — em proporção variável conforme sua função na sintaxe do jogo — enuncia uma sequência de morfemas antes de perder a palavra para o adversário ou de cedê-la a um companheiro: controle, caminhada com a bola, drible.

O chute é morfema livre que geralmente remata uma frase complexa, uma trama que envolve vários jogadores. Outras vezes ele sozinho constitui uma frase futebolística, como na cobrança de falta e pênalti. Há chute substantivo, aquele que, independentemente de suas qualidades particulares, cumpre a função de ou afastar a bola do próprio gol, ou levá-la em direção ao gol adversário. Há chute adjetivo, aquele que, independentemente do resultado prático, chama a atenção pela sua elegância ou deselegância. Há chute interjeição, aquele forte e direto, impactante, que os boleiros chamam de "chute com raiva". Há chute cujo resultado pode ser eficiente mesmo tendo sido mal executado, à semelhança de certos vícios de linguagem, enunciados incorretos segundo a gramática normativa porém compreensíveis e mesmo usuais. Há chute intransitivo, aquele que, como certos verbos, não precisa de complemento. O espécime mais interessante nessa categoria é o chute a gol feito diretamente do escanteio, chamado de olímpico porque o ponta-esquerda argentino Cesareo Onzari marcou um gol assim pela primeira vez em 1924, em partida em Buenos Aires, contra o Uruguai, campeão olímpico. Aceito pela regra em 1927, o primeiro gol oficial desse tipo aconteceu em 1929, em Glasgow, feito pelo escocês Alex Cheyne em partida contra a seleção inglesa. Há chute glossomaníaco, aquele originário de certo delírio verbal desprovido de caráter sistemático.[2] Em uma partida Portuguesa versus Palmeiras, em 1964, Ivair recebeu uma bola longa rebatida por sua defesa e do círculo central chutou por cima do goleiro palmeirense Valdir de Moraes. "Fiz o gol que o Pelé não fez no México", lembraria anos depois (*O Estado de S. Paulo*, 15/1/2006).

Há chute elipse, aquele que omite um termo da oração ao reunir em um só gesto o controle (implícito) e o chute (explícito). O alto grau de dificuldade na sua emissão faz com que seja tentado apenas em determinadas circunstâncias do discurso. Trata-se de chute que prolonga instantaneamente o movimento da bola, mudando sua direção e surpreendendo o interlocutor, como na conversação um trocadilho perfeito, que gera surpresa em todos, admiração dos companheiros e estupor dos rivais, tolhendo qualquer resposta. Mas se no curtíssimo lapso de tempo de sua execução a posição do corpo não permitir o correto domínio da bola no próprio ato do chute, este tomará direção não desejada e muitas vezes ridícula. Como um trocadilho mal encaixado na conversa. Por outro lado, quando bem-sucedido esse vocábulo futebolístico tem grande beleza. Por exemplo, o gol que deu o título de campeão europeu ao Real Madrid em 2002. A bola foi centrada da esquerda, alta, na linha da grande área, e ali Zidane, com a perna esquerda já levantada, pegou a bola no ar e mandou-a reta e forte para o ângulo da meta do Bayern Leverkusen. A habilidade na execução desse ato linguístico fica mais evidente porque o locutor em questão não é canhoto e a trajetória da bola, vinda da esquerda, pediria sobretudo o arremate de direita. Mas tal opção poderia comprometer todo o ritmo frasal (isto é, permitir o desarme), daí a enunciação mais imediata, embora mais complicada.

2. O *Dicionário Houaiss da língua portuguesa* registra a palavra apenas como "paixão desmedida por falar". Nós a usamos aqui no sentido dado pelo *Dictionnaire de linguistique* de Jean Dubois.

O passe quase sempre é morfema preso, portanto ligado a outro(s) morfema(s), de tipo igual (outros passes) ou diverso (drible ou chute, por exemplo). Nessa articulação, o passe pode ser longo ou curto, lateral ou vertical, reto ou diagonal, direto ou com efeito, para frente ou para trás, alto ou rasteiro. As partes do corpo que realizam tal gesto — e outros ainda — foram se redefinindo ao longo da história do jogo. Na partida entre Escócia e Inglaterra em 1872, os jogadores da primeira seleção vestiam gorro e os da segunda usavam bonés, o que sugere que a cabeça não servia para trocar passes, interceptar bolas ou concluir contra o gol. Há passe de baixo grau de dificuldade, como entregar a bola ao companheiro que se encontra a dois ou três metros e sem pressão de algum adversário. Distância pequena não é, contudo, necessariamente critério de facilidade, como mostra uma tabelinha, que requer troca de passes muito rápidos e precisos. Distâncias médias pedem maior exatidão espacial, como no lance que redundou no gol do título argentino na Copa de 1986. Maradona estava sobre a linha do grande círculo central, em posição defensiva, cercado por quatro alemães, quando recebeu a bola e encontrou uma brecha pela qual com um só toque lançou, vinte metros adiante, a Burruchaga, que carregou a bola em velocidade até entrar na área e marcar o gol. Grandes distâncias exigem, naturalmente, domínio geométrico do espaço e cálculo preciso do tempo, para que a bola chegue ao destino desejado. Bom exemplo, sem dúvida, é o famoso lançamento de Gérson na Copa de 1970, na final contra a Itália, quando a mais de quarenta metros colocou a bola na cabeça de Pelé, que serviu Jairzinho para o terceiro gol brasileiro.

Quanto ao drible, de forma geral ele é constituído por pequeno número de morfemas. O drible de corpo tem apenas um. É o caso do chamado corta-luz, em que o jogador finge ir para a bola e ilude assim o adversário, pois na verdade ele não a toca, deixa-a para um companheiro. É o caso ainda do famoso lance de

Pelé sobre o uruguaio Mazurkiewicz na Copa de 1970. Lançado em profundidade e vendo o goleiro sair da área para tentar interceptar a jogada, Pelé com uma finta de corpo induziu o adversário a ir para um lado e foi pegar a bola do outro. A maioria dos dribles é formada por dois morfemas: caneta implica um toque que faça a bola passar debaixo das pernas do adversário e outro toque ao recuperá-la nas costas dele; corte seco é tirar o oponente da jogada passando abruptamente a bola de um pé em direção ao outro, com o qual se continua a jogada (como Pelé fazia bastante); drible lateral é empurrar a bola um pouco para o lado e para a frente, tirando-a do alcance do antagonista e pegando-a mais adiante (jogada típica dos pontas, como Garrincha e Canhoteiro); o drible da vaca baseia-se no princípio inverso, de fazer a bola passar por um lado do corpo do adversário, enquanto o jogador o contorna e recolhe a bola do outro lado; elástico é puxar a bola com o pé em direção ao próprio corpo para depois esticá-la na direção oposta (como fazia Rivelino); chapéu combina um toque para fazer a bola passar por cima do rival com outro(s) toque(s) para tê-la de volta do lado contrário (como Ronaldinho Gaúcho faz com frequência); *roulette* é pisar na bola, girar o corpo sobre o próprio eixo, dando as costas para o adversário e prosseguindo a jogada pelo outro lado (especialidade de Zidane). Poucos dribles pedem maior número de morfemas, como a pedalada, que faz a perna passar sobre a bola várias vezes sem tocá-la para desnortear o opositor, antes de levá-la longe do seu alcance (marca registrada de Robinho).

Em todo idioma vivo surgem novas palavras para dar conta da realidade histórica, sempre dinâmica. São os neologismos. O mesmo acontece no futebol, apesar de linguagem muito simples. O primeiro deles, em termos cronológicos e funcionais, foi o passe. De forma geral, os neologismos futebolísticos não são criados por falantes médios, apenas pelos James Joyce e Guimarães Rosa da bola, jogadores de técnica diferenciada. É o caso, além de certos dribles lembrados no parágrafo anterior, da folha-seca de Didi ou da paradinha na cobrança de pênalti, criada como brincadeira de treino pelo mesmo Didi e adotada por Pelé. Leônidas da Silva, que ficou conhecido na Copa de 1938 como "homem-borracha" graças à bicicleta (chute na bola por cima do próprio corpo, que está no ar, paralelo ao chão), reconheceu ter começado a praticar tal gesto por improvisação: "Fiz a jogada pensando em aproveitar uma bola perdida" (*Folha de S.Paulo*, 16/6/1989). E jamais reivindicou sua invenção, que no Brasil lhe é comumente atribuída. A rigor, parece que a jogada surgiu pela primeira vez em 1914, com o chileno Ramón Unzagando. Ela ficou conhecida no plano continental em 1920, quando foi aplicada no Sul-Americano de Viña del Mar. Naquela década ainda, foi apresentada à Europa por David Arellano durante uma excursão do Colo-Colo pela Espanha. Daí a jogada ser chamada de chilena em vários países. Poucas vezes a origem do neologismo está bem documentada, como no pênalti indireto. A inovação surgiu em 5 de dezembro de 1982 num Ajax-Helond Sport (5 a 0), quando na cobrança Cruyff não bateu direto contra o gol, passou a bola a Jesper Olsen, que a devolveu mais adiante e só então Cruyff chutou e marcou. Neologismo pouco praticado, porque não é de execução tão fácil quanto parece. Recentemente, em 22 de outubro de 2005, em um Arsenal versus Manchester City, ao tentar bater um pênalti indireto, passando a bola para Thierry Henry, que vinha de trás, Robert Pires tocou leve demais na bola e o árbitro, pensando que tivesse havido duplo contato, deu tiro indireto para o adversário.

Embora os neologismos quase sempre sejam criação de meio-campistas e atacantes, jogadores mais hábeis, goleiros também os inventam. A mais conhecida dessas inovações não se deve, na verdade, à jogada em si, mas ao fato de ela ser ofensiva e executada por goleiros: a cobrança de faltas e pênaltis por parte do colombiano René Higuita, do mexicano Jorge Campos, do paraguaio

José Luis Chilavert, do brasileiro Rogério Ceni. Trata-se de típico deslizamento semântico: da tradicional função de último defensor, o goleiro torna-se nesses casos o último atacante. Do ponto de vista especificamente defensivo, dois lances de goleiros devem ser incluídos no léxico futebolístico. Em partida contra o Atlético Mineiro, no começo de 1960, o goleiro do Cruzeiro, Geraldo II, defendeu uma falta de fora da área com a cabeça. Mais espetacular foi o golpe de escorpião realizado por Higuita, em setembro de 1995, em Wembley, durante um amistoso entre Inglaterra e Colômbia. A bola veio alta em direção ao meio da meta, o goleiro abriu os braços, projetou o corpo adiante e com os calcanhares unidos bateu na bola, que passou por sobre suas costas em direção ao meio de campo.

As palavras não são utilizadas de forma igual por todos os locutores de uma mesma língua. Existem no interior de cada comunidade linguística diferentes falares. Dialeto social, define Jean Dubois, é o "sistema de signos e de regras sintáticas utilizado por determinado grupo". Ora, assim como há jargão de uso específico do advogado, do médico, do policial, do mecânico e de outros profissionais, há o do futebolista. E variável conforme sua posição. É claro que um leigo pode usar termos médicos, mas com risco de empregá-los de maneira inadequada. Da mesma forma, zagueiros podem fazer lançamentos, mas com risco de serem malsucedidos. Laterais podem e devem cabecear, no entanto sua impulsão é comparativamente pequena. Atacantes devem colaborar em situações defensivas, porém a eficiência deles nesse papel é limitada. E assim por diante. Embora do ponto de vista sintático quem tiver condições de realizar várias funções em campo possa ser muito útil, do ponto de vista morfológico "o futebol de hoje requer cada vez mais jogadores especialistas e não polivalentes", avaliou Turíbio Leite de Barros, professor universitário e fisiologista do São Paulo FC (*Pesquisa FAPESP*, maio/2002).

Toda língua tem fonemas (unidade mínima da fala) em número pequeno e finito (entre vinte e cinquenta, conforme os casos), que se unem para formar um número vasto embora limitado de morfemas, que por sua vez constroem palavras em porção vasta contudo restrita, e com elas frases de extensão finita porém em quantidade infinita. Essa constatação linguística aplica-se perfeitamente ao futebol. Já comentamos as unidades menores de forma isolada (passe, drible, chute). Lembremos agora, de passagem, que a combinação daqueles gestos compõe frases futebolísticas. Uma troca de passes, mesmo na zona defensiva, apenas esperando melhor posicionamento dos jogadores de frente, constitui uma frase ou sentença, ainda que não faça de imediato o discurso avançar. Na classificação funcional das frases, seria uma interrogação. Ou seja, o desejo de uma informação, a espera de uma resposta, de uma definição, no caso a de um companheiro em condição de dar prosseguimento ao discurso coletivo. Quando finalmente um daqueles passes encontra alguém bem colocado no meio de campo e dali nasce um lance de ataque, a sequência de morfemas presos (o passe do zagueiro, um segundo passe de meio-campista, um drible etc.) compõe palavras e uma frase de afirmação. Quer dizer, aquela que contém um verbo e um sujeito, cujas palavras criam nova circunstância. No plano futebolístico, o agente (jogador) de um verbo de ação (driblar, centrar, finalizar) que altera alguma coisa na situação anterior (da partida). Digamos que aquela frase tenha sido interrompida de forma ilegal. O árbitro apita falta, cuja execução na classificação de funções frasais corresponde a uma ordem, uma sentença com verbo no imperativo. Por fim, se a cobrança daquela falta redundar em gol, temos no domínio do futebol o correspondente a uma sentença de exclamação, aquela cuja função é exprimir os sentimentos do falante (e de toda sua comunidade). Gol é enunciado emocional.

Sendo o futebol um tipo de linguagem, toda partida é atividade comunicativa. Ora, ao contrário do que se poderia imaginar à primeira vista, o poder de comunicação de qualquer linguagem não cresce indefinida e proporcionalmente ao léxico usado. Fica mesmo enfraquecido quando seu uso é excessivo. Sobretudo se por pretensão estética o enunciado inclui termos pouco familiares ao falante. O mesmo acontece com a equipe de futebol que tenta embelezar seu jogo recorrendo a dribles exagerados, passes excessivos, floreios desnecessários. O comportamento que do ponto de vista religioso é considerado pecado de soberba (item 7.3), e do ponto de vista psicológico excesso de confiança (item 8.4), do ponto de vista linguístico é definido como ruído na comunicação, quer dizer, conjunto de fatores que reduz a quantidade de informação transmitida e a eficácia da mensagem.

Porque o jogo desenvolvido por um time é comunicação coletiva, há necessidade de equilíbrio qualitativo entre os locutores individuais e de boa coordenação entre eles. Não basta a intervenção de um falante ser eficiente se a mesma frase ou a frase seguinte não for continuada em nível semelhante pelos companheiros. O discurso ficaria truncado. O entrosamento de uma equipe pode ser comparado ao de um coro, também locutor coletivo, porque em ambos é fundamental que cada participante saiba exatamente os momentos e as formas de intervenção para que a mensagem emitida seja eficiente. O encaixe entre as participações individuais é essencial, porque cada uma delas é quantitativamente pequena. Cruyff calculou que durante os noventa minutos de cada partida ele tinha a bola durante sete (*France Football*, 1/1/1974). Tal cifra decorria de sua qualidade técnica pessoal, de suas funções em campo e do momento da história do futebol em que atuou, porque hoje dificilmente um jogador chega a atingir um terço desse tempo.

Como toda língua é cultural, não espanta que o leque morfológico do futebol tenha distribuição geográfica diversificada. Dribles curtos prevalecem entre latinos e passes longos entre nórdicos, do que decorre o maior número de finalizações de dentro da área no caso dos primeiros e de fora da área no caso dos segundos. Os britânicos têm histórica vocação para o jogo aéreo. Logo, se o vocabulário mínimo do futebol é igual por toda parte, sua lexicometria — a quantificação da ocorrência de cada tipo de palavra — aponta resultados variados. Os termos mais sofisticados (chutes de alta precisão, lançamentos longos e perfeitos etc.) tendem a aparecer apenas por meio da pe(r)na de grandes jogadores. Por outro lado, existem no futebol "palavras" socialmente reprováveis. Algumas pela regra, como, desde 1998, o carrinho por trás. Outras, pela própria tribo do locutor — por exemplo, a furada diante do gol adversário ou o frango do goleiro. Quando se diz que um jogador pensou bem e executou mal determinado lance, está se fazendo referência, em termos linguísticos, a um evento no qual o falante não encontrou no seu vocabulário (no caso do futebol, os gestos técnicos que ele sabe executar) a forma adequada para exprimir a imagem mental, o conceito, a jogada imaginada.

9.2 SEMÂNTICA

Disse santo Isidoro de Sevilha, no século VII, que com a escrita "as palavras alcançam-nos pelos olhos, não pelos ouvidos", e o mesmo faz o futebol, por ser linguagem visual. Mas olhar um texto ou uma partida de futebol não é apenas ter contato com diferentes formas, é sobretudo se relacionar com determinados conteúdos. Assim, depois de termos examinado a morfologia do futebol (item 9.1) e antes de analisarmos sua sintaxe (item 9.3), devemos estudar sua semântica. Ou seja, o domínio da significação dos elementos formais. O pai da linguística moderna, o suíço Ferdinand de Saussure, chamou a atenção para o fato de que a significação de um signo não se limita à relação entre seu significante (manifestação material ou forma) e seu significado (parte abstrata ou conceito). Ela resulta igualmente da relação do signo em questão com outros signos. Língua, diz ele, é "sistema de relações internas" que deve ser analisado por suas estruturas, por dois eixos. O eixo sintagmático é o de elementos presentes, é encadeado, linear, razão pela qual não é possível pronunciar dois de seus componentes ao mesmo tempo. O paradigmático é o de elementos ausentes, por isso associa unidades virtuais que não estão presentes numa série efetiva e sim no cérebro, criando tantas séries associativas quantas forem as relações existentes.

Tal concepção pode ser útil para pensar o futebol, que, insistamos, sendo linguagem abarca características de língua. O conceito em questão sublinha um dado essencial do jogo, poucas vezes objeto de observação por parte de torcedores e mesmo de comentaristas[3] — a relação entre jogar com a bola (eixo sintagmático) e jogar sem bola (eixo paradigmático). Os dois eixos cruzam-se o tempo todo, evidentemente. Enquanto um membro do time está com a bola e tem alguns companheiros próximos com os quais dar continuidade à jogada, outros não têm possibilidade ou não veem utilidade tática em participar do lance naquele momento. No entanto continuam jogando. Isto é, analisam a disposição de todos os elementos em campo, aliados e rivais, para elaborar mentalmente jogadas virtuais. Sejam possibilidades de apoiar o ataque do time (pois este está com a bola), sejam alternativas de defesa quando seus companheiros perderem a bola. Nesta última situação é fundamental um arranjo que dificulte ao outro se expressar e ao mesmo tempo facilite a enunciação de nova frase tão logo a "palavra" seja recuperada.

3. Sobretudo com a crescente prática de comentar partidas em estúdio, vendo não o conjunto do gramado e sim apenas o ângulo fechado de televisionamento, focado na bola e nos jogadores próximos a ela.

Enfim, saber jogar sem bola é fundamental e nem sempre fácil. Isso implica um refinado controle da dimensão temporal do jogo, mais do que da dimensão espacial. Boa parte da beleza e da eficiência do carrossel holandês dos anos 1970 estava nisso. De certa forma, é na questão do tempo que se coloca a diferença de qualidade entre os futebolistas. "Craque é aquele que antevê a jogada, pensa antes dos outros", na definição de Tostão. Portanto, jogador diferenciado é aquele que maneja de forma invulgar as categorias temporais que as circunstâncias lhe apresentam. De um lado, ele traz o futuro para o presente, quando percebe o que poderia vir a acontecer, e ao fazê-lo altera o futuro. De outro lado, ele leva o presente para o futuro em ritmo especial, quando realiza em instantes um gesto técnico para o qual outro jogador precisaria de mais tempo disponível.

Na função de língua, o futebol, além do tempo presente em que ocorre, usa outros tempos verbais, dependendo do tipo de competição. O campeonato de pontos corridos trabalha muito com o futuro do subjuntivo. Quer dizer, eventos futuros condicionados a certas hipóteses. Caso certo time perca a próxima partida, a liderança poderá mudar de mãos, desde que o concorrente direto pelo menos empate em seu confronto; mas essa derrota, embora prejudicial, pode vir a ser compensada por futuras vitórias em partidas-chave etc. Em competição eliminatória — "mata-mata", como se diz no meio futebolístico — o futuro do indicativo é essencial, pois não há outras chances, como na fórmula de pontos corridos. A hipótese de recuperação não existe, é preciso — segundo a estratégia clássica — ganhar as partidas em casa e pelo menos empatar nos estádios dos adversários.

Das reflexões de Saussure sairia depois a noção de campo semântico, que estuda palavras ou grupos de palavras que em função de pontos comuns têm relações de sentido. Aquilo que no futebol chama-se jogada ensaiada cabe nessa noção linguística. Imaginemos uma jogada concebida pelo técnico para quatro jogadores, a cada um dos quais incumbe uma função específica. Os gestos treinados, digamos, um determinado passe, um deslocamento que atraia o zagueiro contrário, a escorada de bola para o companheiro vindo de trás e a batida final contra a meta adversária, deixam de ser meros itens lexicais isolados para compor um campo semântico. Cada um daqueles gestos deixa de ser mera forma para assumir significado e, articulados, passam a ter sentido diferente e mais amplo. De morfema, menor unidade formal, cada um deles torna-se semema, unidade mínima de significação. Ponderando que as significações não são inerentes a cada palavra e sim dependentes das suas inter-relações, alguns linguistas prefeririam mesmo falar em campo sintático a falar em campo semântico. Desse ponto de vista, a jogada ensaiada não seria apenas lance isolado, frase decorada, mas parte integrante da tática escolhida.

Quando um jornalista ou torcedor critica determinadas jogadas que se mostram ineficientes no contexto de uma partida (como o recurso constante ao chuveirinho), eles estão se referindo às relações semânticas do time. Ou seja, associações entre itens lexicais, o que traz à tona questões de sinonímia e antonímia. No exemplo acima, a relação semântica de ataque não é muito eficaz porque o primeiro item lexical usado (levantar a bola para a área a partir da intermediária) é confundido com outro, aparentado mas não sinônimo (centro que vem da linha de fundo). Aquela opção permite aos defensores adversários um posicionamento, isto é, certa relação semântica entre eles, que facilita sua tarefa: todos estão de costas para o próprio gol e de frente para a bola. O antônimo disso são defensores de lado ou de frente para o próprio gol, o que favorece os atacantes. Para forçar o interlocutor a usar esse item lexical, a equipe que ataca deveria ela própria recorrer a um vocábulo diferente (centro) daquele que foi usado (balão sobre a área).

Também não é despropositado pensar o futebol a partir do célebre triângulo semântico concebido há décadas pelos linguistas britânicos Charles Kay Ogden e Ivor Armstrong Richards. Os três vértices da figura são a referência ou pensamento (significado, na terminologia de Saussure), o símbolo ou imagem acústica (significante), o referente ou objeto extralinguístico (contexto ao qual a mensagem se refere). Adaptando esse modelo à linguagem futebol, o símbolo seria a forma, o gesto técnico, seja ele controle, passe, chute etc. A referência equivaleria ao sentido técnico-tático de tais gestos — por exemplo, o passe pode ser defensivo, ofensivo ou digressivo, quer dizer, feito para "administrar o jogo", no jargão futebolístico, ou matar o tempo, na expressão popular. O referente corresponderia àquilo que no futebol é conhecido por fatores extracampo, vasto conjunto que engloba elementos como infraestrutura do clube, sociabilidade interna do grupo de jogadores, apoio da torcida, relações institucionais com federações e confederações, repercussão na mídia do momento pelo qual passa o time etc.

Há no modelo de Ogden e Richards três relações possíveis. A primeira, e mais importante para os autores, é entre símbolo e referência. No futebol, trata-se do aspecto mais imediato e visível, é a atuação do time em campo, é o conjunto de ações praticadas com determinada intenção. Há significante com diferentes significados: por exemplo, cabeçadas cujo sentido é interromper jogada inimiga, outras funcionar como passe, outras ainda como chute. Há significados que se depositam em variados significantes: é o caso de dribles, ato cuja finalidade é iludir o adversário e que pode cumprir esse papel sob a forma de gestos de aparência diferente. Mais ainda, conforme a posição dos jogadores varia a emissão dos significantes e seus significados.

Os meio-campistas são falantes prolixos, que tocam muitas vezes na bola, que participam ativamente do discurso futebolístico (no Brasil percorrem, em média, cerca de dez quilômetros por partida). Embora também participem bastante, os laterais (9,7 quilômetros) dominam vocabulário mais restrito (desarme, drible quase sempre externo, centro) e utilizado apenas nas zonas marginais do campo e do discurso. A função dos atacantes leva-os a usar morfemas curtos (quarenta ou cinquenta piques de no máximo quinze metros), que tentam transformar em sememas de sentido conclusivo (chutes a gol). Seus debatedores diretos são obviamente os zagueiros adversários, que diante do forte poder argumentativo dos atacantes (geralmente possuidores de melhor condição técnica) têm duas formas de procedimento. Uma é aquilo que no meio do futebol se chama de antecipação, tomar a bola antes que ela chegue ao adversário. Tal movimento corresponde em termos retóricos à aférese, isto é, supressão de fonema no início do vocábulo (como dizer "fessor" em lugar de "professor"). Outra atitude é o corte, arrancar a bola já de posse do adversário, equivalente ao anacoluto, quer dizer, ruptura na construção de uma frase. Para impedir que os atacantes se expressem, os zagueiros são mais expansivos que eles (em média 8,8 quilômetros, contra 8,2), porém seu vocabulário é geralmente rude (trancos, faltas, chutões).

A segunda relação da hipótese Ogden-Richards, entre referência e referente, é indireta, não decisiva para articular o significado dos signos. E a terceira, entre símbolo e referente, não chegaria a constituir uma relação concreta, tanto que na representação gráfica de seu triângulo os autores associam esses dois polos por uma linha apenas pontilhada. Ou seja, o referente tem sua função minimizada pelos criadores do modelo. Teorias linguísticas posteriores iriam rever essa avaliação, o que, é claro, não interessa a este livro. Todavia, a linguagem futebol poderia contribuir para essa revisão. De fato, todo observador do jogo sabe quanto "a coisa extralinguística" é parte integrante, muitas vezes decisiva, na circulação da mensagem. É bem sabido que a capacidade técnica de um jogador pode ser potencializada ou entorpecida pela realidade extralinguística. Sua condição emocional, por exemplo, afeta diretamente sua emissão de significantes. O jogador ansioso ou pouco concentrado vai errar lances individuais simples. Vai influenciar o significado, o sentido atribuído a cada gesto na economia do jogo.

Mais do que isso, o referente tem capacidade de influir no próprio sentido do jogo. Nas últimas décadas, o acentuado progresso na capacidade atlética levou determinados significantes a serem mais utilizados (como o carrinho) e outros menos (caso da tabelinha). Não se trata de mera mudança lexicométrica. Ela é sobretudo semântica. E provocada pelo referente. É a "coisa extralinguística" — entenda-se a realidade social, uma nova escala de valores, que estimula ou ao menos aceita tais modificações de comportamento dentro de campo. O carrinho era avaliado de um ângulo formal, como gesto pouco técnico e pouco plástico; hoje é considerado por uma perspectiva empírica, como gesto eficiente para desarmar o adversário. Certos vocábulos futebolísticos esteticamente agradáveis, como os dribles dos pontas tradicionais, deixaram de fazer sentido nas novas estruturas frasais do futebol. Daí o desaparecimento daquele tipo de falante. Já na década de 1980, mesmo um adepto do futebol ofensivo como Telê Santana resistiu ao bordão "bota ponta na seleção". E assim aquele tipo de especialista foi desaparecendo ou tendo seu papel esvaziado, como ilustram recentemente as trajetórias de Sávio (Flamengo, Real Madrid, seleção) e Denílson (São Paulo, Betis, seleção).

Em situação inversa, existem vocábulos futebolísticos feios e que nem por isso perdem sentido em determinadas circunstâncias. Algumas vezes podem até mesmo ganhar acentuada beleza devido à sua eficácia comunicativa. Por ser parte óssea, a canela não possibilita domínio da bola, e todo lance em que ela se torna figura central é no mundo do futebol objeto de chacota. "Matar" de canela ou chutar de canela tornou-se sinônimo de pequena habilidade futebolística. No entanto, alguns gols de canela foram importantes na história do futebol. Na semifinal do campeonato paulista de 1979, por exemplo, graças a uma jogada desse tipo o meia Biro-Biro eliminou o Palmeiras e permitiu ao Corinthians ir às finais e sagrar-se campeão. Pela proximidade com os pés, não é raro que as canelas participem, desintencionalmente, de algumas jogadas. Mas a barriga não faz parte de nenhuma expectativa relacionada ao jogo. Uma "matada" de bola ou um passe feito com essa parte do corpo escapa à lógica do futebol. E se eventualmente acontece, é motivo de gozação até mesmo da própria torcida do jogador que protagoniza o lance. A menos que redunde em gols fundamentais. Foi o caso do gol de barriga que Raí fez em 1992, na final da Copa Intercontinental, e que permitiu ao São Paulo empatar a partida contra o Barcelona, abrindo caminho para a virada e o título. Ou do gol feito por Renato Gaúcho no penúltimo minuto da decisão do campeonato carioca em 1995, que selou a vitória do Fluminense por 3 a 2 sobre o Flamengo.

Dentro do campo, o futebol apresenta capacidade limitada de ressignificar, isto é, de dar novo sentido a cada item lexical. Apesar da variedade formal (item 9.1), no que diz respeito ao conteúdo passe é sempre passe, chute é sempre chute. É verdade que um chute que sai torto pode servir de passe. Ou um passe ou centro mal dosado pode se tornar chute e mesmo resultar em gol, como aconteceu com a famosa cobrança de falta de Ronaldinho Gaúcho contra a Inglaterra na Copa de 2002. Todavia, a ocorrência esporádica e casual de deslizamentos semânticos desse tipo não invalida a constatação do princípio do parágrafo. Onde o futebol apresenta imensa capacidade de criar novos significados é fora de campo. As discussões de torcedores e os comentários de jornalistas comprovam isso. Se cada pequeno lance desencadeia longos debates, é porque é possível atribuir a todos eles diferentes significados dentro da lógica do jogo. Quando se abordam partidas ou mesmo competições inteiras, a questão da significação atinge enorme intensidade. O referente afeta ainda o futebol em aspectos mais expressivos, como brigas de torcidas ou atos de racismo nos estádios. Fatos que por sua vez repercutem, é claro, nos significantes e nos significados do jogo, afastando muitos torcedores dos estádios, alimentando a violência dentro de campo e interferindo na atuação de futebolistas. Foi o caso, em novembro de 2005, de um jogador do Messina, o marfinense Marc Zoro, que ofendido pela torcida da Internazionale ameaçou abandonar o campo.

São os bastidores do futebol, talvez, a melhor prova do peso que tem o referente no triângulo semântico futebolístico. É o que demonstraram os problemas ocorridos no campeonato brasileiro de 2005. Quando um árbitro confessou que tentara manipular os resultados de onze partidas, estas todas foram anuladas, embora o corrupto tivesse efetivamente interferido em apenas duas. O Supremo Tribunal de Justiça Desportiva argumentou que todas aquelas partidas estavam "contaminadas" (*sic*) e recusou-se a examinar o vídeo de cada uma delas. Contrariando a célebre definição de que o anacronismo é o pecado mortal na compreensão da história, o referido órgão incorreu no erro do anacronismo máximo, o da ucronia. Ou seja — este é o sentido do termo cunhado em 1876 pelo filósofo Charles Renouvier — uma "utopia dos tempos passados [...] a história não tal como ela foi, mas como teria podido ser".

Mais prudente foi a decisão dos franceses, que em 1993, diante da corrupção que envolvia o Olympique de Marseille, retirou-lhe o título sem entregá-lo ao segundo colocado; naquele ano simplesmente não houve campeão nacional. Prudente também a decisão alemã do mesmo ano de 2005, em circunstâncias semelhantes à brasileira, um árbitro que manipulava resultados para favorecer apostadores: o indivíduo foi preso, os clubes comprovadamente prejudicados ressarcidos, os resultados esportivos mantidos. Se a decisão brasileira fosse plausível, toda a história do futebol precisaria ser reescrita. Mesmo aquela da sua competição mais importante. Como teria terminado a Copa do Mundo de 1962 caso o bandeirinha da semifinal, que havia indicado a expulsão de Garrincha, não tivesse "providencialmente" deixado o Chile logo após a partida, impedindo que no julgamento realizado a seguir o melhor jogador da competição pudesse ser suspenso para a decisão? Como teria terminado a Copa de 1986 se a partida entre Argentina e Inglaterra tivesse sido anulada devido ao célebre, provado e confessado gol feito com a mão por Maradona?

Se do ponto de vista estritamente jurídico a decisão do tribunal esportivo podia fazer sentido, do ponto de vista linguístico e filosófico foi absurda por várias razões. Por seu autoritarismo, tendo sido tomada de imediato e por uma única pessoa, o presidente do tribunal: mesmo em nome da justiça, a pretensão — irrealizável — de refazer a história é atitude autoritária. Por não compreender que a busca exagerada de justiça pode levar à injustiça, daí a pena de morte ter sido abolida na maioria dos países democráticos. Por sua incoerência, já que aceitou a confissão do árbitro corrupto quanto à manipulação e não quanto às partidas que foram manipuladas. Por ignorar, enfim, um modelo matemático conhecido desde a década de 1960: quando se refaz um cálculo não desde o princípio, e sim a partir de determinado momento da sequência, um minúsculo erro inicial cresce exponencialmente à medida que o cálculo avança e muda o resultado de forma radical. Isso foi chamado de efeito borboleta por seu descobridor, o meteorologista norte-americano Edward Norton Lorenz, para indicar que uma pequena perturbação, mesmo que fraca como o bater de asas de uma borboleta, pode após certo tempo desencadear em outro local um ciclone. Foi o que aconteceu com aquela decisão esportiva. A anulação de partidas em série deturpou tanto a competição quanto o próprio ato corruptor que pretendia corrigir.

Sendo a semântica essencial para o futebol, não custa lembrar que ela estuda a significação das palavras em dado momento (sincronia) e as flutuações de sentido ocorridas ao longo do tempo (diacronia). Exemplo ilustrativo é a função lexical do goleiro. De início ele podia pegar a bola com a mão em qualquer lugar do campo, porém como sua especificidade estava no fato de ser guardião da meta (*goalkeeper*), aquele gesto acabou por ficar restrito à zona mais próxima de suas balizas, a grande área. Caso particular de deslizamento semântico é o gol contra. Ele é no futebol um oxímoro, figura de linguagem na qual se juntam termos violentamente antitéticos, como na expressão "silêncio eloquente". Ora, cada equipe visa atingir um alvo, um objetivo (*goal*, em inglês), algo que está sempre à frente do sujeito, como indica a etimologia da palavra: *objectivus* deriva de *objectus*, "ação de colocar adiante". Logo, atingir a meta colocada atrás da própria equipe é contraditório. Daí a própria dificuldade em identificar um gol contra. O gol de bola chutada pelo adversário e que desvia no defensor e entra na meta deste tende a ser imputado ao jogador que ataca. Isso explica seu baixo número — dos 2063 gols marcados em todas as Copas do Mundo até 2006, inclusive, apenas 24 (ou seja, 1,163%) foram desse tipo.

Levando em conta tudo que se acabou de dizer, entende-se que não é aleatória a relação entre as duas principais linguagens gestuais do mundo moderno, o futebol e a dança. Ao lado das implicações antropológicas (item 6.2), é preciso considerar a conexão da dança com a linguagem futebol. Certa semântica comum a elas. José-Manuel Moreno, importante jogador argentino da década de 1940, integrante da famosa Máquina, como era conhecido o River Plate da época, explicou bem a ligação das duas linguagens: "Muita gente criticava as noites que eu passava a dançar, mas eles não sabiam o quanto o tango era importante para os jogadores de futebol. Você olha, pega o ritmo, aprende como mudar de ritmo numa milonga, aprende a controlar os movimentos do próprio corpo, como trabalhar o tronco e as pernas enquanto executa os passos. É talvez porque eu dançava tango toda noite que fui tão bom no futebol" (*El Clarín*, 11/1/1998). Na Argentina, como aliás no Brasil, ao jogo britânico reputado muito físico e mecânico, opôs-se um jogo de estilo improvisado, como acontecia no tango, formado nas últimas décadas do século XIX. No tango há um jogo de provocação, de sensualidade contida, de atração e repulsão que mantém a tensão da situação sob controle por parte do homem, controle que não é total, pois a parceira também exerce função sedutora. Como no futebol. De fato, o detentor da bola provoca o oponente, finge certo passo para dar outro diferente, tenta submetê-lo mas é acompanhado. Não por acaso, nos anos 1920 e 1930 muitos tangos foram compostos em homenagem a clubes de futebol (cinco só para o Boca Juniors, quatro para o San Lorenzo de Almagro) e a jogadores (como Monti, Onzari, Sastre, Orsi).

9.3 SINTAXE

Evidentemente, para que uma língua comunique não basta ter um conjunto de palavras com significado, é essencial que elas sejam encadeadas de maneira a constituir enunciados e discursos com conteúdo inteligível aos falantes daquela língua. É preciso que os itens lexicais tenham um "arranjo", uma "disposição", uma "organização", sentidos etimológicos daquilo que chamamos por isso de sintaxe. Dito de outra maneira, não há língua sem sintaxe. E, não custa lembrar, como toda língua é linguagem, esta também tem sintaxe. Enquanto a morfologia se ocupa das formas das palavras e a semântica de seus significados, o campo da sintaxe é o das relações. Da mesma forma que, sabe-se há décadas, existe pensamento sem língua mas não língua sem pensamento, pode-se com uma bola dar chutes ou realizar dribles sem que isso seja futebol, embora não exista futebol sem aqueles (e outros) gestos. Logo, futebol é linguagem porque seus componentes mínimos (controle, passe, drible etc.) estão conectados entre si, formam um sistema. E todos os personagens envolvidos devem compreendê-lo para bem desempenhar seus papéis. É a isso que se referia a cáustica frase de Bill Shankly: "O problema dos árbitros é que eles conhecem as regras, mas não conhecem o jogo".

A exigência do técnico do Liverpool não era simples, porque, ao contrário de outras linguagens, o futebol não possui uma única sintaxe. Por ser, como veremos (item 9.4), um discurso dialogal, ele tanto pode colocar face a face dois oponentes (times) que recorrem à mesma sintaxe — o plano tático do jogo — quanto duas sintaxes diferentes. Na verdade, todas as sintaxes da história do futebol parecem sintaxes de línguas irmãs, derivadas de um mesmo tronco, uma língua-mãe. Tal sintaxe-matriz é para muitos, dentre eles Flávio Costa (Vasco, Flamengo, São Paulo, seleção brasileira de 1950), o WM, "a mãe de todos os sistemas" (*Folha de S.Paulo*, 15/6/1997). Tal avaliação corresponde em certa medida, no plano do futebol, à conhecida hipótese do linguista norte-americano Noam Chomsky, para quem, por detrás das várias gramáticas específicas das várias línguas, existe uma gramática comum, estrutural, universal. Gramática que ele chama de gerativa, porque a partir de um número finito e relativamente pequeno de regras permite a criação de quantidade infinita de combinações. Ora, o futebol não é justamente comunicação gestual entre um número fixo de 22 indivíduos, ou melhor, de dois locutores coletivos que, seguindo um pequeno conjunto de dezessete regras, podem construir uma pletora infinita de enunciações?

Diante dessa possibilidade concreta, as culturas futebolísticas reagiram de formas diversas. Os europeus nunca duvidaram da necessidade do uso de sintaxes bem definidas e bem treinadas, talvez reflexo de suas sociedades estáveis e organizadas. Os latino-americanos até recentemente hesitavam quanto à importância de uma organização clara do jogo. Os africanos ainda hoje resistem à disciplina coletiva, social e futebolística. Assim como a tese da linguagem intuitiva de Chomsky defende a suposta inutilidade de uma sintaxe preestabelecida, por muito tempo o futebol brasileiro aceitou a lenda de que a figura do técnico é desnecessária, que a intuição e a improvisação dos jogadores comunicam melhor que qualquer rigidez gramatical. Dizia-se que Vicente Feola não precisava fazer nada na seleção de 1958, que ela jogaria por si só, da mesma forma que Lula (Luís Alonso) em relação ao Santos FC da década de 1960. Mais recentemente, Romário afirmou que "o mérito do técnico é não atrapalhar. Quem ganha jogo é jogador". O jornalista Alberto Helena Jr. também defendeu a ideia de que "o esquema é este: não há esquemas" (*Folha de S.Paulo*, 2/2/1994), porque "é tudo uma questão de liga, de química, ou alquimia" entre time e técnico, sobretudo entre jogadores (*Folha de S.Paulo*, 15/3/1998). O importante técnico Hugo Meisl parecia lhe dar razão quando dizia que "meu sistema é não ter nenhum sistema. Inteligência, velocidade e surpresa são os fatores do sucesso". Na realidade, entretanto, a célebre seleção austríaca que ele concebeu na década de 1930 teve sucesso porque as inteligências foram selecionadas em função de um plano global de jogo, porque a velocidade podia ser praticada já que lançador e lançado sabiam a posição do companheiro e aperfeiçoaram o timing da jogada, porque a surpresa ao adversário resultou de treinos repetidos que permitiram sua realização durante as partidas.

É inegável que qualquer esquema não é, em si, mais eficiente que outro se não for executado pelos jogadores certos nas funções certas. Os craques têm vasto vocabulário (repertório de fintas, passes, lançamentos, finalizações etc.) e grande capacidade de semantização (atribuir o sentido adequado a cada gesto em cada momento do jogo), porém não criam sintaxes. A rigor, isso foi feito na história do futebol por uns poucos técnicos: o anônimo pioneiro escocês inventor do *passing game*, depois o inglês Herbert Chapman, o austríaco Hugo Meisl, o húngaro Gustav Sebes, o holandês Rinus Michels. Eles foram produtores de conhecimento futebolístico. Os demais grandes treinadores da história foram, e são, professores (nesse sentido a denominação que os jogadores brasileiros lhes dão é correta). Ou seja, transmissores e adaptadores de conhecimento (alguma daquelas táticas) aos alunos de que estão encarregados (jogadores). Claro que qualquer bom professor não se limita a repetir o que está em um ou outro livro, escolhido a priori. Ele faz opções condizentes com seus alunos, ele adapta e articula informações e ideias contidas em vários textos. A função central do treinador do ponto de vista linguístico é sintática.

Já lembramos a definição do técnico espanhol Miguel Askargota, segundo a qual "joga-se como se vive" (item 8.2), e ela pode ser parafraseada, no objeto do presente capítulo, em "fala-se como se vive". Ou seja, a estrutura da linguagem futebolística de cada país mantém-se independentemente de épocas e personagens. O futebol italiano, por exemplo, desde os primeiros tempos foi feito de força física e velocidade. Um relatório técnico redigido em 1904 para a federação nacional já constatava que "os italianos têm maior disposição para a defesa que para o ataque". Estilo que ainda prevalecia décadas depois e foi definido como *alla garibaldina* pelo jornalista Ettore Berra (*La Gazzetta dello Sport*, 4/3/1950), isto é, tática de guerrilha, baseada em ataque de surpresa com poucos homens e rápido recuo para a defesa. Opção de país pobre, que se expressava no futebol defensivamente, como na vida. Com efeito, na década de 1920 cada italiano consumia por dia muito menos calorias que norte-americanos, ingleses ou franceses; de 1861 a 1901 sua estatura média era 1,62 metro; em fins do século XIX a taxa de analfabetismo atingia 70%.

Enraizado, o estilo do futebol italiano não acompanhou as profundas mudanças socioeconômicas das décadas seguintes. Na década de 1950, a riqueza nacional cresceu quase 6% ao ano. A partir de 1980 a expectativa de vida passou de 63 anos para setenta, a estatura média alcançou 1,75 metro, o analfabetismo caiu bastante. O mercado futebolístico foi reaberto a jogadores estrangeiros em 1980, a estrutura dos clubes modernizou-se. Mas a linguagem futebolística italiana pouco mudou. Quando na Copa da Alemanha tentou-se novo estilo, o zagueiro Cannavaro comentou que "com Lippi [o técnico] tentamos mudar nosso jeito de jogar, mas somos bons mesmo é na defesa. Por que não defender bem e ganhar por 1 a 0?" (*O Estado de S. Paulo*, 21/6/2006). E retornando a essa prática a Itália foi campeã. A explicação de tal resistência cultural pode talvez ser encontrada na obra do linguista Edward Sapir — toda língua é "representação simbólica da realidade sensível", e a maneira de essa realidade ser percebida está inconscientemente fundada nos hábitos linguísticos e na classificação do mundo sensível que é sugerida pela própria língua. Esta contém uma visão particular do mundo, a qual organiza e condiciona o pensamento, e por isso ela não serve apenas para comunicar; ela é ação.

Estudos posteriores demonstraram, contudo, que as conclusões de Sapir precisam ser matizadas. Qualquer linguagem pode conhecer mudanças, inclusive a do futebol. Bom exemplo é fornecido pela Argentina, que por longos anos manteve-se isolada do futebol internacional tanto por razões esportivas (sentiu-se prejudicada na Copa de 1930 e preterida na escolha da sede em 1950) quanto políticas (o peronismo não queria expor o futebol, motivo de orgulho nacional, a possíveis insucessos). Assim, o país não participou dos Mundiais de 1934, 1938, 1950 e 1954, e quando voltou em 1958 foi goleada pela Tchecoslováquia por 6 a 1. O diagnóstico foi simples: os argentinos mantinham a antiga e reconhecida habilidade com a bola nos pés, porém não sabiam marcar o adversário. Segundo César Luis Menotti, técnico campeão do mundo em 1978, foi naquele momento, vinte anos antes, que se deu o grande choque cultural e a profunda mudança no estilo argentino de jogar.

Seria interessante, porém não cabe nos limites deste livro, tentar verificar a relação entre a língua de um povo e sua maneira de jogar futebol. De qualquer modo, não é inútil atentar para o fato de que quanto à ordenação das palavras os linguistas referem-se a duas grandes categorias. Na primeira, a organização sequencial das palavras é relativamente livre, como no latim, e a isso poderíamos associar o futebol taticamente menos rígido dos povos latinos (apesar da significativa exceção da Itália). Na segunda, a organização é comparativamente mais fixa, como na língua inglesa e no futebol deste país. Toda tática, como toda sintaxe, não resulta de escolha livre, é produto cultural. Daí na história do futebol os muitos exemplos de resistência a novos padrões. O primeiro sistema, o piramidal, criado em 1876, ficou tão entranhado na Grã-Bretanha que até a década de 1960, quando havia muito ele fora substituído pelo WM, os jornais apresentavam a escalação dos times como se eles ainda jogassem no 2-3-5. Mesmo depois de descrever, em título, o sistema húngaro como "*A new conception of football*", o mais importante jornal inglês deu a escalação daquela seleção na forma piramidal (*The Times*, 26/11/1953).

O melhor exemplo de como a linguagem futebolística pode adotar certo vocabulário estrangeiro sem alterar sua sintaxe é justamente a Inglaterra, orgulhosa de ser o berço do futebol e partidária de isolacionismo atávico derivado da sua condição insular. Apenas muito lentamente o velho *kick and rush* ("chuta e corre") dos primeiros tempos foi sendo modificado por contato com o futebol estrangeiro. Desde a década de 1930 o técnico inglês Jimmy Hogan tinha notado que no WM a distribuição dos jogadores em campo impõe o recurso ao jogo aéreo, sempre menos preciso, e torna o futebol estático. Ainda assim, tal sistema continuou monopolizando a Inglaterra por décadas. Mesmo depois das duas contundentes derrotas (3 a 6 e 1 a 7) para o 4-2-4 húngaro, em 1953, o técnico da seleção inglesa, Walter Winterbottom, ainda se referia ao WM não como uma opção tática, e sim como configuração inerente ao jogo: "Futebol se joga assim, assim e não de outra forma".

Tal quadro não deixou, contudo, de ser afetado pela percepção de que a enorme superioridade inicial do futebol britânico minguava, e como decorrência cresceu o recurso a jogadores e técnicos estrangeiros. Diante disso, mais uma comparação língua-futebol se impõe. Ao longo de sua formação, o idioma inglês foi incorporando muitos termos de origem latina e francesa, que ainda hoje se constituem em cerca de metade de seu vocabulário. Contudo, a sintaxe nunca deixou de ser tipicamente anglo-germânica. A expressiva importação de futebolistas estrangeiros nos últimos anos elevou o nível técnico do futebol inglês, no entanto sua essência permaneceu intocada — força física, rápida troca de passes, bolas longas, jogo aéreo. Duas observações, vindas de pontos geográficos e culturais diferentes e com sessenta anos de intervalo, comprovam o fato. Após uma vitória sobre os vizinhos, um jornalista francês reconhecia as qualidades individuais dos ingleses, mas não deixava de criticar neles a "ação um pouco mecânica" e "certo automatismo" de jogo (*L'Équipe*, 20/5/1946). Após a vitória do São Paulo contra o Liverpool no Mundial Interclubes de 2005, respondendo ironicamente à crítica do técnico adversário quanto à justiça do resultado, o superintendente tricolor, Marco Aurélio Cunha, definiu a atuação dos ingleses dizendo que eles "jogaram pebolim, não futebol, tinham um jogo engessado".

Assim como a linguística histórica mostra que as alterações sintáticas são lentas, a história tática do futebol também, como acabamos de lembrar em relação à Itália e à Inglaterra. E isso, claro, não é exclusividade de nenhum país. O Brasil não é exceção. Quando o WM foi aqui introduzido, em 1937, muita gente acreditou que ele iria "subverter o futebol brasileiro", por isso na Copa de 1938 foi mantido o ultrapassado sistema diagonal, variante do piramidal. Quando, na Copa de 1950, a modernidade tática de então foi adotada, os jogadores da seleção estranharam, não estavam acostumados a jogar daquela forma nos seus clubes. Alguns jogadores culparam o WM pela derrota. Contra oponentes que usaram a mesma sintaxe, a melhor retórica nacional levou a vitórias expressivas: 7 a 1 na Suécia, 6 a 1 na Espanha. Não se percebeu que era bem diferente a sintaxe do adversário da final. O Uruguai já mostrara na partida contra a Espanha (2 a 2, no Pacaembu) que sua jogada preferida era o recuo do ponta-direita Ghiggia até quase a linha de meio de campo, atraindo o marcador, para depois ser lançado em profundidade pelo meia Julio Perez. Exatamente como aconteceu no lance que tirou o título do Brasil. Ademais, na partida contra a Suécia, por duas vezes acontecera um aviso do mesmo lance fatal: o médio Bigode batido em velocidade pelo ponta-direita adversário (no caso, Sundqvist) e o zagueiro Juvenal chegando atrasado na cobertura. Exatamente como no segundo gol uruguaio. A falha não foi, portanto, lexical, como por muito tempo se disse (ora com a acusação centrada no goleiro Barbosa, ora em Bigode ou Juvenal), e sim de sintaxe.

Toda partida é sintaxe em funcionamento. Esse dado óbvio e essencial nem sempre é valorizado, porque o torcedor médio e mesmo a imprensa tendem a ver o jogo por uma abordagem linear. Não tomam o conjunto enquanto tal, e sim seus elementos constitutivos, numa cadeia de causas e efeitos que pretensamente explicaria a partida. "Fulano 'comeu a bola' e levou o time à vitória", "Sicrano falhou em lances capitais", "O árbitro comprometeu o espetáculo" são modelos comuns dessa visão. Sem negar o peso das atuações individuais, é preferível a abordagem que considera toda partida como sistema, como conjunto organizado de elementos interativos, como conjunto complexo e dinâmico. Na Copa de 2002, do total de 161 gols, 20% saiu de jogadas individuais, 20% de contra-ataques (portanto, com participação de ao menos dois jogadores), 30% de bolas paradas (o que, desde o início da jogada, implica a participação de vários protagonistas) e 30% de jogadas coletivas.

Na sintaxe do futebol, a tendência de longo prazo foi cuidar da insuficiência de conjunções, o elemento gramatical que liga palavras ou sentenças. A grande concentração de atacantes fixos nos primeiros tempos do futebol provocava enorme vazio entre eles e sua defesa (item 6.3), o que em termos linguísticos significa fala tosca, com muitos substantivos e poucos verbos. Daí porque se ampliaram as funções atribuídas aos jogadores. O primeiro volante ou volante de contenção funciona na linguagem futebol como conjunção coordenativa adversativa ("mas", "contudo" etc.). O segundo volante, aquele que sem perder papel defensivo também faz ligação com o ataque, corresponde a uma conjunção coordenativa aproximativa ("e", "bem como" etc.). Os meias-armadores e os alas, encarregados de criar o jogo ofensivo e de alimentar o ataque, funcionalmente são conjunções subordinativas, aquelas que ligam uma oração subordinada à principal, ("porque", "como", "quando", "a fim de que" etc.). Quando essa interligação gramatical não consegue ser realizada por alguma razão, costuma-se recorrer a um artifício retórico, o assíndeto ou parataxe (justaposição de palavras), na terminologia do futebol "ligação direta" entre defesa e ataque. O segundo atacante é conjunção subordinativa consecutiva ("de modo que", "de sorte que" etc.), o primeiro atacante ou goleador conjunção coordenativa conclusiva ("logo", "assim", "enfim", "portanto" etc.).

As conjunções tornaram-se tão importantes no futebol quanto o são nas línguas, de forma que praticamente todos os sistemas táticos a partir do 4-2-4 passaram a ver no ato defensivo mais do que um advérbio de negação ("não" ao adversário). Este deve ser rapidamente transformado em conjunção. Wilson Piazza explicou que na chamada Academia do Cruzeiro da década de 1960, quando ele recuperava a bola, escolhia entre entregá-la ao rápido Dirceu Lopes, se o melhor desenho em campo parecia-lhe o contra-ataque, ou então, se o adversário estava mais fechado, a bola ia para Tostão, que pensava melhor a continuidade da jogada. E não só volantes devem fazer isso. Grandes zagueiros não apenas retomam a bola com eficiência e elegância, como sabem igualmente conduzi-la e entregá-la, conforme faziam Domingos da Guia, Mauro Ramos de Oliveira, Nilton Santos, Roberto Dias, Dario Pereyra, Bobby Moore, Ruud Krol, Franz Beckenbauer, Franco Baresi. O líbero sérvio do Ajax de Rinus Michels, Velibor Vasovic, era o primeiro atacante, de seus pés começava boa parte das jogadas do time. É instrutivo examinar os gráficos das ações em vários setores do campo do líbero alemão Matthias Sammer, campeão da Eurocopa de 1996 e Ballon d'Or do mesmo ano.

Recuperar a bola com eficácia e passá-la com precisão é fundamental. Ninguém se comunica sem usar a palavra, nem faz gol sem estar com a bola. A posse da palavra e da bola introduz outra noção importante, a de ritmo. A definição dada por Platão é muito interessante, porque alia linguagem gestual e língua falada: ritmo é sequência ordenada de movimentos lentos e rápidos correspondente à harmonia, que é alternância de sons graves e agudos. Sem dúvida fator essencial para a popularidade do futebol é seu ritmo muito livre, ao contrário do de outros esportes coletivos. Ainda que o aspecto mais visível do futebol para o público e muitas vezes até para o profissional seja o espaço, o tempo coloca questões mais complexas. Ele possui muito mais dimensões que o espaço. Não por acaso, na maioria das línguas o uso do tempo — o verbo — é o ponto delicado, porque de maior subjetividade. No futebol, cada personagem, jogador, membro da comissão técnica, árbitro ou torcedor sente o tempo com intensidades diferentes (item 8.4). Os jogadores, locutores que elaboram o discurso coletivo em campo, contam com amplo leque de variações. Um zagueiro, um armador e um atacante lidam de formas diversas com o tempo. O primeiro mais com o condicional, as diferentes possibilidades de jogada a serem feitas pelos atacantes adversários. O segundo, construtor de jogadas, com o futuro, imaginando a melhor forma de entregar a bola em condições favoráveis para o arremate de um companheiro. O terceiro geralmente com o presente, o imediato, o fechamento do discurso coletivo.

Assim como a sintaxe mais inovadora da primeira metade do século XX tinha sido o WM, a da segunda metade seria o futebol total holandês. É verdade que certa rotatividade dos jogadores já tinha sido proposta em 1955 por Willy Meisl, que a chamava de "rodopio" (*whirl*).[4] A intenção de Sebes na seleção húngara fora semelhante. A maior flexibilidade na sintaxe do futebol correspondia à da língua, que desde fins da década de 1960 mudava com a informalidade da fala dos jovens, das canções de sucesso, da imprensa e mesmo às vezes da literatura. Foi esse dado sociolinguístico que Rinus Michels transpôs aos poucos para a forma de o Ajax jogar a partir de 1967. Nos primeiros anos a tarefa dele foi procurar jogadores que pudessem pôr em prática o princípio básico do esquema, defensores que soubessem atacar e atacantes que conseguissem defender. Não mudaram tanto as posições dos jogadores, e sim os jogadores que ocupavam as posições. Terminado o lance, cada um voltava rapidamente à sua posição original. A movimentação da equipe deveria ser em bloco, constante e sobretudo variada. Foi assim que ele chegou ao título europeu de clubes em 1971 e ao vice-campeonato mundial com a famosa seleção holandesa de 1974. O repertório lexical dela, mesmo se pronunciado por jogadores de alto nível técnico, não era evidentemente novo. Mas a sintaxe era. A disposição das palavras nas frases era pouco usual e às vezes surpreendente. Zagallo garante não ter sido pego desprevenido pelo carrossel holandês (que eliminou o Brasil, vencendo-o por 2 a 0), pois assistira pessoalmente

4. Austríaco de nascimento, antigo goleiro da seleção de seu país, editor do jornal *Vossische Zeitung*, de Berlim, e da revista *Sport am Scheidewege*, Meisl fugiu do nazismo e instalou-se na Inglaterra em 1934, onde desenvolveu até a morte, em 1968, o restante de sua carreira de renomado jornalista (em 1954 foi considerado pela revista *World Soccer* o "melhor crítico do futebol mundial").

à partida dos holandeses contra os uruguaios dezoito dias antes. O que não significava, contudo, que a mesma estrutura frasal daquela performance fosse repetida contra o Brasil. Seria preciso, como fez a Alemanha na decisão da Copa, ter dentro de campo alguém com a capacidade de leitura de jogo de Beckenbauer e sua rapidez de raciocínio para reagir a cada nova formulação holandesa.

9.4 RETÓRICA

Toda linguagem é conjunto de signos que isoladamente pouco ou nada significam. Eles devem ser tomados no interior de relações de equivalência, de complementaridade, de oposição. Um corpo de palavras precisa estar articulado para formar um enunciado na língua falada ou escrita, um grupo de notas exige ser harmônico para constituir uma frase musical, vários gestos técnicos demandam encadeamento para compor uma frase futebolística. Somente grupos de frases organizadas segundo suas sintaxes específicas geram textos, melodias, partidas de futebol. Em todos esses casos, o nível estético alcançado depende dos componentes utilizados e da conexão dada a eles. O futebol, como qualquer língua, apresenta uma maioria de textos de baixo nível estético (o que não impede que no interior deles existam períodos de qualidade), vários de alto nível e alguns de pura arte. No universo da linguagem futebol, os textos produzidos, independentemente do valor estético, são de diferentes tipos. O conhecido poeta, crítico e cineasta Pier Paolo Pasolini propôs classificá-los em futebol-prosa e futebol-poesia.

A sugestão não deve surpreender porque, de fato, embora soe paradoxal, futebol é literatura gestual. E, na verdade, a percepção do caráter literário do futebol era anterior. Alfredo di Stéfano definiu-o como "arte [que] requer um pouco de boêmia e de poesia". Se o jornalista italiano Gianni Brera criticava o WM, era porque tal sistema "fez do futebol um rito atlético sem luz de poesia" (*La Gazzetta dello Sport*, 13/6/1954). Para o jornalista francês Gabriel Hanot, criador do Ballon d'Or em 1956, os jogadores que recebem esse prêmio são "poetas líricos e às vezes épicos do futebol". O poeta Carlos Drummond de Andrade parece ter concordado com ambos quando disse que "não pode ser bárbaro um povo que ama o futebol". Em outro ensaio, Pasolini ponderou que, "no momento em que a bola toca os pés de Pelé, o futebol transforma-se em poesia". O jornalista esportivo Christian Montaignac concordou, e quando da entrega do prêmio de campeão do século, em 1981, definiu Pelé como "elevado à categoria de gênio por ter composto poesias a partir de fragmentos selecionados com os pés" (*L'Équipe*, 16/5/1981). Éric Cantona, por sua vez, afirmou: "Jamais fiz nem farei nenhuma diferenciação entre o passe de Pelé para Carlos Alberto na final da Copa do Mundo de 1970, no México, e a iluminação do jovem Rimbaud". Francisco Maturana, técnico da seleção colombiana entre 1987 e 1994, insistiu que jogar bem "é questão de ética, de compromisso com a estética". Jorge Valdano, campeão do mundo pela Argentina em 1986, depois técnico na Espanha e diretor esportivo do Real Madrid, disse que "o lado artístico e de criatividade que o futebol oferece deve ser uma aventura intelectual".

Entretanto, a definição do gênero literário ao qual pertence o futebol é tarefa complicada. É fácil concordar com Pasolini quando diz que as manifestações em prosa do futebol podem ter momentos poéticos. No entanto, a concordância torna-se difícil quando ele considera o artilheiro de um campeonato "sempre o melhor poeta do ano". Ou quando só vê instantes poéticos no futebol em jogadas individuais. É curioso que ele, grande poeta e admirador da seleção brasileira de 1970, não tenha sido sensível à jogada do quarto gol na decisão daquela Copa: nove diferentes jogadores deram 28 toques na bola antes do chute final de Carlos

Alberto Torres. A divisão prosa-poesia (no fundo reformulação da tradicional oposição entre futebol pragmático e futebol-arte) é um bom insight, porém não resolve a questão. De um lado, é algo reducionista, pois, além da prosa com cintilações poéticas, seria possível acrescentar o inverso, performances poéticas entrecortadas pela presença da prosa. No limite, toda partida de futebol é uma peça ao mesmo tempo em prosa e poesia. De outro lado, a fronteira entre prosa e poesia é oscilante, é definida de acordo com referenciais culturais do observador, como mostra o próprio Pasolini ao taxar o futebol italiano de "estetizante" e não de "realista". Ainda que se aceite determinada linha demarcatória, faltaria lembrar que no interior da prosa e da poesia há vários gêneros.

A qual corresponderia o futebol? Pista interessante é sugerida pelo nome que se atribuía antes da Segunda Guerra ao Old Trafford (estádio do Manchester United) — Teatro dos Sonhos. E sem dúvida há pontos comuns instigantes. Na origem o teatro, criação da Grécia antiga, era representado em espaço aberto próximo ao público, como nos atuais estádios de futebol. Os gregos que se dirigiam a seus anfiteatros já conheciam as grandes linhas do roteiro da peça, baseada em mitos que circulavam de diversas formas na sua cultura. Os torcedores atuais vão aos estádios ignorando o resultado final da partida, mas as características individuais e coletivas dos protagonistas a que vão assistir não lhes são desconhecidas, seja por observação direta anterior, seja por meio de informações e comentários da imprensa. Mesmo sendo familiar a história a que assistiam, os gregos antigos não deixavam de se comover com o destino dos heróis. Mesmo estando habituados a acompanhar seu time, os torcedores modernos continuam a se emocionar com seus heróis. Tanto o teatro grego quanto o futebol criam forte identificação entre espectadores e heróis. A função do teatro era pedagógica, ensinava o espectador a relativizar todos os personagens, inclusive os heróis da sua cidade, do seu clã. O futebol faz isso à sua maneira, mostrando como o personagem exaltado hoje pode ser denegrido amanhã, e vice-versa.

A relação com heróis de outros clãs não deixa também de acontecer. É famoso o episódio de um amistoso Brasil-Inglaterra, em maio de 1959, no qual o Maracanã lotado vaiou intensamente o ponta-direita Julinho, por ele ter sido escalado no lugar do herói nacional — e mais ainda local — que era Garrincha. Mas, à medida que ele superava a dupla adversidade dos antagonistas e da rejeição da própria torcida com um grande futebol e um belo gol, passou a ser ovacionado. Exemplo recente e forte vem de um Real Madrid-Barcelona, em novembro de 2005. Apesar da enorme e histórica rivalidade entre aqueles clubes, sem dúvida uma das mais fortes do mundo, a torcida madridista aplaudiu em pé o terceiro gol dos catalães e segundo de Ronaldinho Gaúcho na partida (3 a 0). À margem das preferências pessoais e grupais, os feitos dos verdadeiros heróis são reconhecidos.

O teatro grego nasceu, como se sabe, de um rito em honra ao deus Dioniso. Nada estranho, portanto, que o futebol seja manifestação cultural de espírito profundamente dionisíaco. Nos anfiteatros modernos dos estádios de futebol assiste-se a espetáculos cujos grandes temas — embora esquematizados e metaforizados de outra forma — são os mesmos da época clássica: valentia, habilidade, lealdade, amizade, amor, sorte. E seus contrários. A hipótese é interessante, porém insuficiente. A que teatro o futebol corresponderia? A melhor resposta talvez seja proporcionada pela categoria aristotélica de tragédia, que permite diversas analogias com o futebol. A começar por um detalhe formal. O filósofo grego não especifica quanto deveria durar uma representação, apenas diz que se houvesse de encenar cem tragédias o tempo de cada uma deveria ser medido por clepsidra (antigo relógio de água). Um estudioso moderno, contudo, calcula que cada encenação teria pouco mais de duas horas, não muito longe, portanto, das quase duas horas de uma partida comum de futebol (noventa minutos de jogo, intervalo, reposição de tempo determinada pelo árbitro).

A tragédia compõe-se de seis partes que podemos reconhecer no futebol. Primeira, a combinação dos feitos, que é "a alma da tragédia", gênero poético maior porque não imita homens, e sim ações. No futebol isso corresponde ao jogo propriamente dito, que, como o enredo teatral, é de dois tipos. Pode ser simples, "aquele cujo desenvolvimento [é] uno e contínuo", isto é, partida sem surpresa, dominada do começo ao fim por uma equipe, ou então complexo, quando há "mudança de fortuna" que pode levar "da infelicidade à felicidade ou da felicidade à infelicidade", ou seja, virada de placar. Segunda parte: o ator para melhor representar seu papel usa fantasia, mas esse dado é acessório, pois ele não age para corresponder à fantasia, seus próprios atos já expressam o sentido do personagem independentemente da roupa. Transpondo a afirmação para o futebol, o jogador não deve encenar um papel, e sim incorporar o perfil necessário à realização das ações que se esperam dele; seu uniforme permite, continuamos seguindo Aristóteles, "qualificar o homem, mas é de sua ação que depende sua infelicidade ou felicidade".

Terceira parte da tragédia, o pensamento "consiste em provar que uma coisa existe ou não existe ou em fazer uma declaração de ordem geral". Dele "devem fazer parte o demonstrar e o refutar, o suscitar emoções". Dito de outra forma, é o plano tático de jogo que possibilitará um time impor suas ideias ao outro. Quarta parte, a elocução ou "escolha dos termos" (letra, sílaba, conjunção, substantivo, verbo, artigo, flexão, enumera o filósofo) para expressar o pensamento equivale, é patente, aos gestos técnicos dos jogadores. E Aristóteles aconselha, como um treinador faria a seus futebolistas, a não usar apenas palavras triviais nem tampouco somente recursos de estilo elevado, como metáforas. A dosagem desses elementos tornará a comunicação mais eficiente. Quinta parte, o coro (grupo que declama partes do enredo) "deve ser considerado como um dos atores, deve fazer parte do todo e da ação", ele é parte integrante do espetáculo. Ao traçar paralelo com o futebol está-se falando, é claro, da torcida, que não é personagem atuante dentro da cena, está ao lado dela, mas cuja participação, embora de outro tipo, é indispensável para o espetáculo. Sexta parte, o canto, o "principal ornamento" do espetáculo. Sendo ornamento, trata-se de componente dispensável, o enredo pode ser desenvolvido sem ele, embora um estádio que vibre, torcidas que cantem, complemente a exibição.

Em suma, a tragédia é "imitação de uma ação importante e completa" feita num estilo agradável porque reúne ritmo, harmonia e canto. É "imitação de homens melhores que nós", fato que suscita compaixão e terror e tem por resultado "obter a purgação dessas emoções". Nessa construção verbal-gestual que é a tragédia, um recurso de peso é a metáfora. Ora, o futebol parece dever seu enorme poder de atração justamente ao fato de permitir aos espectadores reconhecer — metaforicamente — suas próprias ações e sua própria vida (real ou ideal) nos personagens e no enredo do jogo. Não é inútil recordar que, contemporaneamente ao filósofo, um texto médico grego recomendava a quem estivesse acometido de inquietação voltar "sua alma para espetáculos". Sete séculos mais tarde, o médico romano Célio Aureliano, considerado o mais importante da Antiguidade depois de Galeno, prescrevia o tratamento da loucura por meio de "uma peça teatral ou de mímica".

No século XIX, que assistiu ao nascimento do futebol, alguns psiquiatras continuaram a defender o efeito terapêutico do teatro, caso dos responsáveis pelo hospital de Charenton, próximo a Paris. E ainda mais recentemente, na segunda metade do século XX, o psicanalista inglês Donald Winnicott chamou a atenção para o fato de todo jogo ser situação fronteiriça que pode virar seu contrário. A ficção lúdica, de acordo com ele, é condição para adaptação à realidade, pois desde o jogo mãe-bebê, a sensação de que a criança é o seio, o indivíduo vive nos jogos, nas artes, na religião, na criação científica experiências que estão entre a realidade interna e a realidade externa. Esse jogo do teatro ou teatro do jogo é terapêutico ao criar obstáculos artificiais para esquecer obstáculos concretos. Para usar o termo grego, é catarse. Como a que se vê ocorrer nos estádios de futebol quando de grandes partidas. Enfim, futebol é representação. Era possivelmente a isso que se referia Zidane quando dois dias depois de encerrar a carreira afirmou que então começava sua "verdadeira vida".

A força trágica (no sentido aristotélico) do futebol é tão grande que várias vezes deixa de ser representação para se concretizar de alguma forma fora da cena. Deixa de ser teatralização para se tornar vida. Em certo sentido, a vida real não está antes ou depois de cada partida de futebol, mas nela própria. Aliás, Guimarães Rosa já havia observado que "o real não está na saída nem na chegada; ele se dispõe para a gente é no meio da travessia". Não é preciso evocar a derrota brasileira no Maracanã na final da Copa de 1950, "catástrofe nacional, nossa Hiroshima", como definiu com toda a sua veia de dramaturgo Nelson Rodrigues. Apesar de pentacampeão mundial, tendo marcado catorze gols nessas cinco partidas decisivas, sem dúvida o gol mais famoso da história do futebol brasileiro continua sendo um gol... sofrido. Nos dois sentidos do termo. O gol feito pelo uruguaio Ghiggia aos 34 minutos do segundo tempo "transcendeu sua condição de fato esportivo [...] para converter-se em momento histórico da vida de uma nação", na expressão de Paulo Perdigão. "Vi um povo de cabeça baixa, de lágrimas nos olhos, sem fala, abandonar o Maracanã, como se voltasse do enterro de um pai muito amado. [...] éramos mesmo um povo sem sorte, um povo sem as grandes alegrias da vitória, sempre perseguido pelo azar, pela mesquinharia do destino", descreveu, no dia seguinte à derrota, o romancista José Lins do Rego (*Jornal dos Sports*, 17/7/1950).

Também a hipótese teatral não satisfaz totalmente. Entre os atores do futebol a cessão da palavra não é consentida. Não se trata de diálogo tradicional. É debate. É dialética, no sentido original de "discussão". Os gregos antigos apreciavam bastante esse exercício intelectual, no qual dois oponentes defendiam em público suas ideias. Tratava-se de jogo cujo objetivo era vencer o adversário pela argumentação. Essa arte da controvérsia estava baseada no *logos* (argumentação) e no *ethos* (força moral) do orador e no *pathos* (emoção) do auditório. O primeiro elemento era o fundamental, e graças a ele o orador construía sua própria imagem positiva e despertava atenção e simpatia do público. Os argumentos usados eram basicamente de dois tipos. Um, o silogismo, quando um termo maior graças a um termo médio articula-se a um menor, levando assim à conclusão; o exemplo clássico é o célebre "Todos os homens são mortais. Sócrates é homem. Logo, Sócrates é mortal". Outro, o entimena, quando a premissa não é revelada: "Penso, logo existo" parte do dado implícito de que "para ser é preciso pensar". Platão via na dialética o caminho para a verdade, identificava-a mesmo com a filosofia. Aristóteles considerou-a arte não a serviço da verdade, e sim do provável; ela seria uma seção da lógica. Com esse espírito aristotélico, muito do ensino nas universidades medievais dava-se através da *disputatio*.

No entanto, a dialética tinha outra faceta, alimentada pelos filósofos sofistas, cujas armadilhas verbais ("será que se mente quando não se diz verdade, mesmo que não se esconda que se mente?") procuravam apenas demonstrar habilidade argumentativa, sem receio de com ela impor uma tese falsa ou mesmo absurda. Ao lado das condições culturais específicas da Grécia, havia uma motivação mais profunda para o procedimento sofista. Recentemente, o psicólogo evolucionista David Livingstone Smith propôs que a mente humana estruturou-se ao longo de milhões de anos pela necessidade de enganar. Sem esse recurso, o homem não teria sobrevivido diante de outras espécies mais fortes e rápidas. A mentira, ele argumenta, é muito comum na natureza, mesmo animais e vegetais aprenderam as vantagens evolutivas (no sentido de Darwin) da dissimulação, camuflando sua aparência. Enganar tornou-se parte da natureza humana, revelou-se forma de comportamento que preserva as relações, que possibilita a sociedade humana. A partir dessas considerações, talvez não seja despropositado pensar que quando o futebol surgiu tenha sido como uma espécie de retomada física, gestual, da concepção sofista de debate.

Por quê? Simplesmente porque ele proporcionava à sociedade certo equilíbrio emocional negado pela moral cristã e sua desqualificação da mentira. Mas por que, então, ele nasceu na Inglaterra? Porque a sociedade inglesa da segunda metade do século XIX era o grande modelo da hipocrisia ocidental. O código moral vitoriano (reinado da rainha Vitória, de 1837 a 1901) era tão rígido que poucas vezes a infidelidade conjugal, a prostituição, o alcoolismo, a literatura pornográfica, o libertinismo, as trapaças foram tão praticados. É sintomático que o futebol tenha surgido nesse período. Ele era uma das poucas atividades (ao lado de alguns outros jogos) nas quais ludibriar era ato positivo, socialmente valorizado. Aliás, talvez não seja por acaso que desde então, até hoje, os mais hábeis nesse jogo tenham quase sempre sido indivíduos procedentes de segmentos sociais onde enganar continua sendo pré-requisito para a sobrevivência. Enquanto linguagem, o futebol pode, então, ser entendido como debate no qual a finalidade é enganar o interlocutor. As ferramentas para isso são fornecidas pelas três partes essenciais da retórica. A invenção, etapa essencial, é a busca das ideias e argumentos a serem utilizados. A disposição é a estrutura, o plano geral de organização dos argumentos. A elocução é a escolha e utilização das palavras mais indicadas para persuadir o oponente e o público. Ou seja, respectivamente, estratégia, tática e técnica.

Olhando a tradução gráfica elaborada por Desmond Morris da movimentação de Argentina-França (2 a 1) na Copa de 1978, percebe-se de forma clara o caráter dialógico do futebol. Obviamente é preciso ter a palavra para tentar impor os argumentos, daí a rapidez com que ela passa de um locutor para outro. A posse de bola mudou de lado 464 vezes, foram dados 780 passes corretos. Ter a palavra é fundamental, porém não necessariamente decisivo. Os argentinos marcaram seu primeiro gol no terceiro quarto de hora do jogo, quando tocaram na bola 17% menos que os adversários (215 vezes contra 259). Aliás, o primeiro tempo virou com vantagem da Argentina no placar e desvantagem na quantidade de toques na bola, 657 vezes contra 730. No segundo tempo, a situação não mudou em termos proporcionais, com 584 e 651 toques, respectivamente. O segundo gol foi feito no quinto quarto de hora, durante o qual os sul-americanos também tiveram menos a bola que os europeus (205 vezes contra 215). No total, os franceses "falaram" mais, 1381 toques, contra 1241 dos argentinos. Estes, entretanto, mostra o resultado da partida, usaram "palavras" mais persuasivas e construíram enunciados mais envolventes. Os argentinos foram mais sucintos e objetivos (291 dribles e 368 passes corretos) do que os loquazes franceses (340 dribles e 412 passes certos). Além dos dados numéricos, não se pode esquecer que, de forma comparável aos grandes debates teológicos nas universidades medievais ou aos grandes debates políticos modernos na televisão, a presença de público apoiando um e outro contendor cumpre papel psicológico de peso (expressão do referente comentado no item 9.2). E no caso em questão a partida ocorreu na Argentina.

Ampliando o corpus observado, Morris constatou que uma partida padrão apresenta cerca de 2 mil toques na bola, constituídos por uma centena de sequências intensas, durante as quais a bola, na sua expressão, parece "viva". Ao cabo de cada sequência há intervalos de bola "morta", quando ela está parada porque uma falta foi apitada, ou um gol marcado, ou ela saiu de campo. Examinando dez partidas internacionais, o etólogo inglês contabilizou a média de 2322 toques na bola. Na sua amostragem, a partida de mais baixa frequência teve 1911 toques e a mais alta, 2622, o que significa 26 contatos com a bola por minuto. Avaliando esses dados, ele concluiu tratar-se de cifra "ótima para excitar o cérebro", pois mais do que isso tornaria o jogo confuso, levaria a "indigestão mental", e menos que isso geraria distração, permitiria "outros pensamentos e outras imagens".

Elemento sempre importante é o ritmo que cada debatedor impõe: lento se o adversário mostra-se irrequieto, ameaçador; acelerado se a intenção é impressionar o oponente, dificultar que ele acompanhe sua argumentação. O Argentina-França referido mais acima exemplifica um debate de ritmo acentuado. Computados os dois times, houve 628 ocorrências de um único toque na bola, 260 de dois toques, 195 de três, 95 de quatro, 45 de cinco, 25 de seis, 20 de sete, 10 de oito, uma só vez de nove, de dez e de onze. As sequências mais curtas, de um a dez contatos com a bola, ocorreram em quarenta oportunidades; a mais longa, de 108 contatos, verificou-se uma única vez.

Mas, é claro, o ritmo varia conforme os momentos de cada partida. Os fatores que intervêm na definição desse ritmo são culturais, como sugere a existência de padrões próprios a cada continente, país ou região. Tomemos o exemplo inglês e os perto de 9 mil gols marcados entre abril de 1978 e novembro de 1980 nas partidas da Liga e da Copa da Inglaterra. No primeiro quarto de hora dos encontros foram feitos menos de 1,2 mil gols, no segundo quase 1,4 mil, no terceiro perto de 1,5 mil; após o intervalo tal marca foi ligeiramente ultrapassada: no quinto foram mais de 1,6 mil, nos últimos quinze minutos saltou-se para mais de 1,8 mil gols. Na Copa do Mundo de 2006 também foi no último quarto de hora que mais ocorreram gols: 36, ou quase 25% do total marcado em toda a competição. Há nítido crescendo, como em todo debate que vai se acalorando. Futebol é isso, intensa e emotiva comunicação gestual.

Conclusão

A constatação é fácil de ser feita e frequentemente repetida: o futebol é o fenômeno cultural mais difundido no mundo de hoje. A FIFA reunia em 2006 mais de 140 milhões de jogadores de 300 mil clubes, em 207 países (no Brasil, 4283 clubes profissionais). Mas sobre a distribuição bastante desigual desse fenômeno insiste-se menos. O futebol chegou à Índia em 1880, porém continua secundário em relação ao críquete e o país ocupa apenas o 135º lugar no ranking internacional. A China, que abandonara a FIFA por razões políticas na época da Guerra Fria, voltou a ela apenas em 1979, e conseguiu classificação para uma Copa do Mundo pela primeira vez em 2002. O campeonato profissional japonês nasceu tardiamente, em 1993. Os países muçulmanos têm relação ambígua com o futebol, bastante popular em alguns deles, todavia malvisto pelas autoridades islâmicas em geral, tanto que em 2005 uma *fatwa* (decreto religioso) proclamava que o futebol não deve ser jogado para "passar o tempo ou obter o que se chama vitória", e sim para preparar o corpo para a Guerra Santa (*The New York Times*, 16/10/2005).

Por tudo isso o futebol é prática cultural "boa para pensar", como dizia Claude Lévi-Strauss a respeito do mito. Os reticentes em relação ao futebol denunciam sua futilidade e mesmo nocividade por pretensamente anestesiar o espírito crítico, afastar os indivíduos da reflexão e da contestação, dificultar as transformações políticas e sociais. É verdade que o futebol não é realidade em si, mas fuga do real, representação imaginária. Ele, contudo, não se diferencia nisso do cinema, do teatro, da literatura e das artes em geral. Assim como essas formas culturais, o futebol expressa, repensa e reconstrói idealmente a sociedade, ainda que à sua maneira, em outro registro, com instrumentos próprios. Por canalizar com eficácia as esperanças e frustrações da sociedade, ele desperta emoção tão envolvente e adesão tão intensa que claramente se destaca de qualquer outra manifestação contemporânea.

Por minimizar o fato de o futebol ser representação é que alguns o acusam de ser hoje em dia excessivamente mercenário. Ao atuar onde melhor lhes convém, os profissionais do futebol fazem a mesma coisa que outros especialistas da representação — atores, cantores, escritores, jornalistas, poetas, pintores, escultores. É verdade que redes de televisão, gravadoras de discos, editoras, jornais ou galerias de arte não têm a conotação religiosa e psicológica de clubes de futebol. Mas nesse esporte o sujeito de maior carga religiosa e emocional é o torcedor, não o jogador. Este, mesmo quando incorpora aquela carga no desempenho do seu papel, continua produzindo uma representação. O futebolista talvez seja, como na definição de Jean Cocteau para o poeta, "uma mentira que sempre diz a verdade".

Foi o que tentamos mostrar ao longo deste livro, estabelecendo relações entre o futebol e vários campos do viver humano. Esse exercício mostrou que se o futebol moderno nasceu e continua predominantemente ocidental, é mais por razões históricas que antropológicas. Não se pode esquecer que, embora seja criação inglesa do século XIX, o futebol não deixou de ser influenciado por formas culturais anteriores do próprio Ocidente e dos então chamados povos primitivos com os quais os europeus, e principalmente os ingleses, passavam naquele momento a ter contato. Assim, mais do que tentar classificar o futebol em categorias conhecidas, o importante é perceber que por meio dele emerge uma série de elementos formais e emocionais que parece existir há milhares de anos e que se encontra ainda na maior parte das religiões. No entanto, o futebol não corresponde exatamente ao fenômeno que as ciências humanas rotulam como religião. Aliás, se a religião é uma das primeiras e mais influentes invenções (no duplo sentido etimológico de "descoberta" e de "criação") humanas, ela deve ser sempre examinada no bojo da cultura que a produziu e que ela pretende explicar.

Se Albert Camus pôde encontrar o grande mestre da vida no futebol, talvez seja porque este contém a contradição básica da existência. De um lado é expressão do absurdo, a dimensão existencial que mais atraiu o escritor franco-argelino. De outro, é ensaio para se lutar contra esse absurdo, pois "a revolta é o próprio movimento da vida, que não pode ser negada sem que se renuncie a viver". Quando ele afirma que a vida é "longa obstinação" na qual "nenhum ser pode salvar-se completamente sozinho", talvez tivesse em mente o futebol. Quando pensa no absurdo, talvez se lembrasse, por ter sido goleiro (amador, a tuberculose impediria a carreira profissional), "que a bola nunca vinha do lado que se imaginava". Realmente, a mensagem básica da obra de Camus é a do próprio futebol — a felicidade é tão preciosa porque caminha ao lado da tragédia.

Certa feita Aldo Serena, centroavante de Internazionale, Milan e Juventus nos anos 1980, disse que os abraços pós-gols são "fato cultural". Observação pertinente, que lembra a célebre abertura que Camus deu a *O estrangeiro*: "Em nossa sociedade todo homem que não chora no enterro de sua mãe corre o risco de ser condenado à morte". E o próprio escritor explicou mais tarde que sua intenção tinha sido mostrar "que o herói do livro é condenado porque não representa seu papel". O mesmo faria um jogador que após marcar um gol não expressasse alegria esfuziante. Pode-se pensar que se para Camus "há nos homens mais coisas a admirar que a desprezar", a constatação veio da guerra e também do futebol, mundos onde há violência, fingimento e corrupção, mas igualmente grandeza, superação e solidariedade. E alegria, embora sempre ameaçada, como a cidade descrita em outro romance seu, *A peste*.

Enfim, o futebol pode ser associado, como fizemos, à dança, à guerra, à linguagem, à literatura. E permitiria ainda outras reflexões, relativas à estética, à ética, à lógica, à geometria, à física. Pode-se, talvez, encontrar alguns desses domínios do saber no entrecruzamento da clássica tipologia dos jogos estabelecida por Roger Caillois — *agôn* (competição), *alea* (acaso), *mimicry* (simulação) e *ilinx* (vertigem). De qualquer forma, a complexidade do futebol contrasta com sua simplicidade aparente. Esse caráter holístico do futebol leva-nos a uma última hipótese, impossível de ser demonstrada, mas que por instigante justifica sua enunciação. Ela parte da recente proposição de Steven Mithen, segundo quem as inteligências especializadas desenvolvidas pelo *Homo erectus* teriam sido fundidas pelo *Homo sapiens* (nossa espécie) em uma inteligência geral ou metarrepresentativa. Todavia, continua o arqueólogo britânico, a constante expansão dos conhecimentos desde a revolução neolítica, e sobretudo o aceleramento dela nos últimos duzentos anos, torna impossível uma síntese didática e universal.

Ora, o futebol não seria o depositário de vários desses conhecimentos reduzidos a suas estruturas essenciais e instintivamente compreensíveis? Em suma, uma espécie de *koiné* cultural? É a isso, talvez, que se referia Bill Shankly — gerente e técnico do Liverpool entre 1959 e 1974, personagem decisivo na construção da grandeza daquele clube e escolhido pelo mensário *FourFourTwo Magazine* de abril de 2000 o maior treinador de todos os tempos — com sua famosa e lapidar formulação: "Algumas pessoas pensam que o futebol é tão importante quanto a vida e a morte. Elas estão muito enganadas. Eu asseguro que ele é muito mais sério que isso".

Bibliografia

Devido à intenção de ver o futebol como fenômeno cultural total, possuidor de várias facetas que devem ser levadas em consideração, este livro recorreu a vasto material informativo e analítico. Daquele fornecido pela mídia, limitamo-nos a apontar as coleções impressas sistematicamente usadas; no corpo do texto citamos ainda alguns outros órgãos aos quais recorremos em casos específicos. A lista que se tem a seguir é das principais fontes empregadas na confecção do livro. Mas diversas vezes a inspiração para determinada reflexão veio de leituras, conversas ou observações que não podem ser todas identificadas aqui.

OBRAS DE REFERÊNCIA

Annuario del calcio mondiale, Castel Maggiore (Bolonha), Cantelli, 1988ss.

ASSAF, R. e MARTINS, C., *Campeonato carioca: 96 anos de história, 1902-1997*, Rio de Janeiro, Irradiação Cultural, 1997.

BAGGIO, L. F., *Copas do Mundo. Histórias e estatísticas*, Rio de Janeiro, Axcel, 2005.

BARRET, N. (org.), *World soccer from A to Z*, Londres, Pen, 1973.

BASSE, P.-L, BILDERMAN, E. et alii, *Larousse du football*, Paris, Larousse, 2003.

BONTE, P. e IZARD, M. (dirs.), *Dictionnaire de l'ethnologie et de l'anthropologie*, Paris, PUF, 1991.

BOUCHARD, J.-Ph. e CONSTANT, A., *Un siècle de football*, Paris, Calmann-Lévy, 9ª ed., 2005.

DUBOIS, J., GIACOMO, M. et alii, *Dictionnaire de linguistique et des sciences du langage*, Paris, Larousse, 1999.

Enciclopédia do futebol brasileiro, Rio de Janeiro, Arete Editorial, 2001, 2 vols.

FABIETTI, U. e REMOTTI, F. (eds.), *Dizionario di antropologia*, Bolonha, Zanichelli, 2003.

FERRARI, A., *Dizionario di mitologia greca e latina*, Turim, UTET, 1999.

HENNINGSEN, H., *Os melhores jogadores sul-americanos do século XX* (*dicionário*), Rio de Janeiro, Hans Hennigsen, 2002.

HENSHAW, R. A., *The encyclopedia of world soccer*, Washington, New Republic, 1979.

LASCHKE, I., *Rothman's book of football league records 1888-1889 to 1978-1979,* Londres, Macdonald and Jane's, 1980.

MIGUERES, M. e UNZELTE, C., *Grandes clubes brasileiros*, Rio de Janeiro, Viana & Mosley, 2004.

MIJOLLA, A. de (dir.), *Dictionnaire international de la psychanalyse*, Paris, Calmann-Lévy, 2002, 2 vols.

NAPOLEÃO, A. C. e ASSAF, R., *Seleção brasileira, 1914-2006*, Rio de Janeiro, Mauad x, 2ª ed., 2006.

PASTOUREAU, M., *Dictionnaire des couleurs de notre temps*, Paris, Bonneton, 2002.

RODRIGUES, R., *Escudos dos times do mundo inteiro*, São Paulo, Panda, 2006.

SANTIAGO Jr., J. R. S., *Os arquivos dos campeonatos brasileiros,* São Paulo, Panda Books, 2006.

SOAR, P. e TYLER, M., *Encyclopedia of British football*, Londres, Marshall Cavendish, 1979.

STORTI, V. e FONTENELLE, A., *Campeonato paulista,* São Paulo, Publifolha, 1997.

UNZELTE, C. (org.), *Anuário Placar*, São Paulo, Abril, 2003ss.

______, *O livro de ouro do futebol*, Rio de Janeiro, Ediouro, 2002.

INFORMAÇÕES E TESTEMUNHOS

PERIÓDICOS ESPECIALIZADOS

11 Freunde. Magazin für Fusball-Kultur, Berlim. 2001ss (ww.11freunde.de)

L'Équipe, Paris, 1946ss (www.lequipe.fr)

FourFourTwo, Londres, 1944ss (www.fourfourtwo.com)

France Football, Paris, 1946ss (www.francefootball.fr)

A Gazeta Esportiva, São Paulo, versão impressa 1947-2001 (www.gazetaesportiva.net)

La Gazzetta dello Sport, Milão, 1897ss (www.gazzetta.it)
El Gráfico, Buenos Aires, 1919ss (www.elgrafico.com.ar)
Il Guerin Sportivo, Turim 1912ss, Milão 1947ss, Bolonha 1975ss (www.guerinsportivo.it)
Jornal dos Sports, Rio de Janeiro, 1931ss (www.jsports.com.br)
Linea Bianca. Trimestrale di Scienza e cultura calcistica, Arezzo, 2004ss (www.liminaedizioni.it/lineabianca)
Marca, Madri, 1938ss (www.marca.com)
El Mundo Deportivo , Barcelona, 1906ss (www.elmundodeportivo.es)
Placar, São Paulo, 1970ss (www.placar.com.br)
So Foot, Paris, 2002ss (www.sofoot.com)
When Saturday Comes. The half decent football magazine, Londres, 1986ss (www.wsc.co.uk)
World Soccer, Londres, 1960ss (www.world.com)

DOCUMENTÁRIOS

50 ans de champions d'Europe des clubs, 1955-2005, s. c., UEFA/Northone Television, 2005.
MILLER, B., OLIVIER, G. et alii, *The beautiful game. The history of football*, s. c., Fremantlemedia, 2001, 6 DVDS.
SCANFF, Ph., *FIFA World Cup: les Coupes du Monde de football. L'intégrale 1930--1998*, Paris, Moviesystem, 2002, 4 DVDS.

ENQUETE SOBRE PERFIL DE TORCEDOR

Feita com 254 pessoas de ambos os sexos, sem limite de idade, nas regiões metropolitanas de Belo Horizonte, Porto Alegre, Rio de Janeiro, Salvador e São Paulo, entre novembro de 2005 e março de 2006.

BIOGRAFIAS

ARCUCCI, D. e CHERQUIS BIALOI, E., *Yo soy el Diego de la gente*, Buenos Aires, Planeta, 2000.
ASSAF, R. e GARCIA, R., *Zico, 50 anos de futebol*, Rio de Janeiro, Record, 2ª ed., 2003.
BUCHAN, C., *A lifetime in football*, Londres, Phoenix House, 1955.

BUSBY, M., *Soccer at the top. My life in football*, Londres, Sphere, 1974.

CANTONA, E., *Cantona. My story*, Londres, Headline, 1995.

CARDOSO, T. e ROCKMANN, R., *O Marechal da Vitória: uma história de rádio, TV e futebol*, São Paulo, Girafa, 2005.

CASTRO, R., *Estrela solitária. Um brasileiro chamado Garrincha*, São Paulo, Companhia das Letras, 1996.

COLLINA, P., *Le mie regole del gioco*, Milão, Mondadori, 2003.

COSTA, A. da, *O tigre do futebol. Uma viagem nos tempos de Arthur Friedenreich*, São Paulo, DBA, 1999.

DI STÉFANO, A., *Gracias, vieja*, Madri, Aguilar, 2000.

FOX, N., *Prophet or traitor?The Jimmy Hogan story*, Manchester, Parrs Wood, 2003.

GILL, K., *The real Bill Shankly. The definitive story*, Londres, Trinity Mirror, 2006.

GOETHALS, R., *Le douzième homme*, Paris, Robert Laffont, 1994.

GONÇALVES, E., *Tostão. Lembranças, opiniões, reflexões sobre futebol*, São Paulo, DBA, 1997.

HAMILTON, A., *Domingos da Guia. O divino mestre*, Rio de Janeiro, Gryphus, 2005.

KOPA, R. e BURCHKALTER, P., *Kopa par Raymond Kopa*, Paris, Jacob-Duvernet, 2006.

KOVACS, S., *Football total*, Paris, Calmann-Lévy, 1975.

LECLAIRE, J.-Ph., *Platini, le roman d'un jouer*, Paris, Flammarion, 1998.

MATTHEWS, S., *Stanley Matthews, the way it was. My autobiography*, Londres, Headline, 2000.

MELO, A. de, *Viagem em redor do planeta Eusébio*, Lisboa, Prime Books, 2004.

MILLS, J., *Charles Miller. O pai do futebol brasileiro*, São Paulo, Panda, 2005.

NASCIMENTO, E. A., *Pelé. A autobiografia*, Rio de Janeiro, Sextante, 2006.

NEVES, M. E., *Nunca houve um homem como Heleno*, Rio de Janeiro, Ediouro, 2006.

OSTERMANN, R. C., *Felipão — a alma do penta*, Porto Alegre, Zero Hora, 2002.

POMPEU, R., *Canhoteiro. O homem que driblou a glória*, Rio de Janeiro, Ediouro, 2003.

QUINIOU, J., *Libre arbitre*, Paris, TF1 Éditions, 1996.

RIBEIRO, A., *O Diamante eterno. Biografia de Leônidas da Silva*, Rio de Janeiro, Gryphus, 1999.

______, *Fio de esperança. Biografia de Telê Santana*, Rio de Janeiro, Gryphus, 2000.

RIBEIRO, P., *Didi, o gênio da folha-seca*, Rio de Janeiro, Imago, 1993.

RIVOIRE, X., *Arsènal Wenger*, Paris, Mango Sport, 2006.

ROUS, S., *Football worlds. A lifetime in sport*, Londres, Readers Union, 1978.

ROUX, G., *Fou de foot*, Paris, Robert Laffont, 2000.

SILVA, T. S., *Zizinho. O Mestre Ziza*, Rio de Janeiro, Edições do Maracanã/Secretaria de Estado de Esportes e Lazer, 1985.

SOUZA, K. M., *Divino — A vida e arte de Ademir da Guia*, Rio de Janeiro, Gryphus, 2001.
STUDD, S., *Herbert Chapman, football emperor*, Londres, Owen, 1981.
TAYLOR, R. e Jamrich, K., *Puskas. Uma lenda do futebol*, São Paulo, DBA, 1998.

RELATOS

ALBUQUERQUE, A., *Eu e o futebol*, São Paulo, Placar, s. d.
ANDRADE, C. D., *Quando é dia de futebol*, Rio de Janeiro/São Paulo, Record, 2002.
ANDRADE, O., *Ponta de lança*, São Paulo, Globo, 2000.
ASSAF, R. e MARTINS, C., *Fla × Flu. O jogo do século*, Rio de Janeiro, Letras e Expressões, 1999.
BELLOS, A., *Futebol. O Brasil em campo*, Rio de Janeiro, Jorge Zahar, 2003.
BUFORD, B., *Entre os vândalos. A multidão e a sedução da violência*, São Paulo, Companhia das Letras, 1992.
CARLIN, J., *Anjos brancos à beira do Inferno. Os bastidores do Real Madrid*, Rio de Janeiro, Relume Dumará, 2006.
CARVALHO, P. M., *Diário secreto de Paulo Machado de Carvalho*, São Paulo, Impressora Andreotti, 1959.
COIMBRA, D., NORONHA, N. e SOUZA, M. M. de, *A história dos Grenais*, Porto Alegre, Artes e Ofícios, 2ª ed., 2004.
DOUGAN, A., *Futebol e guerra. Resistência, triunfo e tragédia do Dínamo na Kiev ocupada pelos nazistas*, Rio de Janeiro, Jorge Zahar, 2004.
DUARTE, O. e FILHO, S., *Fried versus Pelé*, São Paulo, Makron Books, 2000.
EJNÈS, G. (dir.), *50 ans de Coupes d'Europe*, Paris, L'Équipe, 2005.
FONTANARROSA, R., *No te vayas, campeón. Equipos memorables del fútbol argentino*, Buenos Aires, Sudamericana, 2001.
GALEANO, E., *Futebol ao sol e à sombra*, Porto Alegre, L&PM, 1995.
GARCIA Candau, J., *Madrid-Barça: historia de un desamor*, Madri, El País, 1996.
GEHRINGER, M., *A saga da Jules Rimet. A história das Copas de 1930 a 1970*, São Paulo, Abril, 2005-6 (nove fascículos da *Placar* nº 1286-94).
GLANVILLE, B., *The history of World Cup*, Londres, Faber and Faber, 1997.
GUILHERME, P., *Goleiros. Heróis e anti-heróis da camisa 1*, São Paulo, Alameda, 2006.
HORNBY, N., *Febre de bola*, Rio de Janeiro, Rocco, 2000.
LAUDET, V. (dir.), *50 ans de Ballon d'Or*, Paris, France Football/L'Équipe, 2005.
LE BLÉ, A., *Superstitions, croyances et petites manies des grands footballeurs*, Paris, Michel Lafon, 1995.

LECLAIRE, J.-Ph., *Le Heysel. Une tragédie européenne*, Paris, Calmann-Lévy, 2005.

MÁRIO FILHO, *O negro no futebol brasileiro* [1947], Rio de Janeiro, Firmo, 1994.

______, *O sapo de Arubinha. Os anos de sonho do futebol brasileiro*, São Paulo, Companhia das Letras, 1994.

MÁXIMO, J., *Maracanã, meio século de paixão*, São Paulo, DBA, 2000.

MAZZONI, T., *História do futebol no Brasil, 1894-1950*, São Paulo, Leia, 1950.

MENDES, L., *As táticas do futebol brasileiro: da pelada a Pelé*, Rio de Janeiro, Tecnoprint, 1963.

MÉRCIO, R., *A história dos campeonatos cariocas de futebol*, Rio de Janeiro, Studio Alfa, 1985.

MUYLAERT, R., *Barbosa. Um gol faz cinquenta anos*, São Paulo, RMC, 2000.

NAPOLEÃO, A. C., *Corinthians × Palmeiras. Uma história de rivalidade*, Rio de Janeiro, Mauad, 2001.

NOGUEIRA, A., SOARES, J. e MUYLAERT, R., *A Copa que ninguém viu e a que não queremos lembrar*, São Paulo, Companhia das Letras, 1994.

OLIVEIRA, S. B. S. S. V. e GOZZI, R., *Democracia Corinthiana: a utopia em jogo*, São Paulo, Boitempo, 2002.

PATUSKA, A., *Os reis do futebol*, São Paulo, Bentivegna, 1976.

PAWSON, T., *100 years of the Football Association Cup*, Londres, Heinemann, 1972.

PÉRÈS, J-F. e RIOLO, D. *OM-PSG, PSG-OM, les meilleurs ennemis. Enquête sur une rivalité*, Paris, Mango Sport, 2003.

PERDIGÃO, P., *Anatomia de uma derrota*, Porto Alegre, L&PM, ed. revista e ampliada, 2000.

RIBEIRO, A. e LEMOS, V., *A magia da camisa 10*, Campinas, Verus, 2006.

RODRIGUES, N., *A pátria em chuteiras*, São Paulo, Companhia das Letras, 1994.

______, *O profeta tricolor. Cem anos de Fluminense*, São Paulo, Companhia das Letras, 2002.

______, *À sombra das chuteiras imortais*, São Paulo, Companhia das Letras, 1993.

SALDANHA, J., *Histórias do futebol*, Rio de Janeiro, Revan, 3ª ed., 1994.

SANDER, R., *Anos 40. Viagem à década sem Copa*, Rio de Janeiro, Bom Texto, 2004.

SASTURAIN, J., *La patria transpirada. Argentina en los mundiales 1930-2006*, Buenos Aires, Gárgola, 2006.

SUSSEKIND, H., *Futebol em dois tempos*, Rio de Janeiro, Relume-Dumará, 1996.

SZEPESI, G., *Rhapsodie de football en sol hongrois*, Budapeste, Pannonia, 1968.

WAHL, A., *Les archives du football. Sport et société en France (1880-1980)*, Paris, Gallimard/Julliard, 1989.

WINNER, S., *Brilliant OrangeL the neurotic genius of Dutch football*, Londres, Blomsbury, 2006.

HISTÓRIA DE ALGUNS CLUBES NACIONAIS

AUGUSTO, S., *Botafogo. Entre o céu e o inferno*, Rio de Janeiro, Ediouro, 2004.

BRANDÃO, I. de L., *São Paulo Futebol Clube. Saga de um campeão*, São Paulo, DBA, 1996.

CASTRO, R., *O vermelho e o negro. Pequena grande história do Flamengo*, São Paulo, DBA, 2001.

CUNHA, O., *Time dos sonhos. História completa do Santos F. C.*, São Paulo, Codex, 3ª ed., 2003.

FERLA, M., *Grêmio Foot-Ball Porto Alegrense. Imortal tricolor, 1903-2003*, Porto Alegre, L&PM, 2002.

GALUPPO, R., *Atlético Mineiro, raça e amor*, Rio de Janeiro, Ediouro, 2005.

GIACOMINI, C., *São Paulo, dentre os grandes és o primeiro*, Rio de Janeiro, Ediouro, 2005.

HELENA Jr., A., *Palmeiras, a eterna Academia*, São Paulo, DBA, 1996.

KFOURI, J., *Corinthians: paixão e glória*, São Paulo, DBA, 1996.

LEMOS, C. (org.), *Flamengo — Um século de paixão*, Rio de Janeiro, Francisco Alves/BR Comunicação, 1995.

Livro oficial do centenário do Club de Regatas Vasco da Gama, Rio de Janeiro, BR Comunicação, 1998.

NAPOLEÃO, A. C., *Fluminense Football Club. Histórias, conquistas e glórias no futebol*, Rio de Janeiro, Mauad, 2003.

OLIVETTO, W. e BEIRÃO, N., *Corinthians é preto no branco*, Rio de Janeiro, Ediouro, 2005.

OSTERMANN, R. C., *Meu coração é vermelho*, Porto Alegre, Mercado Aberto, 1999.

PORTO, R., *Botafogo: 101 anos de histórias, mitos e superstições*, Rio de Janeiro, Revan, 2005.

PRATA, M., *Palmeiras, um caso de amor*, São Paulo, DBA, 2002.

SANTANA, J., *Páginas heroicas. Onde a imagem do Cruzeiro resplandece*, São Paulo, DBA, 2003.

TORERO, J. R., *Dicionário santista: Santos de A a Z, mas sem X*, São Paulo, DBA, 2001.

HISTÓRIA DE ALGUNS CLUBES ESTRANGEIROS

AINAUD DE LASARTE, J., MERCÉ VARELA, A., MOLAS BATLLORI, J. et alii, *Barça, centenario de emociones. Libro oficial del centenario del FC Barcelona*, Barcelona, Lunwerg, 1999.

ALLAN, C., *The story of the Glasgow Rangers*, Essex, Desert Island, 1996.

ANDERSON, J., *The official Liverpool FC illustrated history*, Londres, Carlton, 2ª ed., 2006.
BAHAMONDE, A., *El Real Madrid en la historia de España*, Madri, Taurus, 2002.
BARBERO, S., *Il diavolo in corpo. Storia del grande Milan*, Turim, Graphot, 2005.
BARBOSA, A., *Dragão ano 111. História oficial do Futebol Clube do Porto*, Porto, O Comércio do Porto, 2004.
BERNARDI, B., *Inter. Una leggenda*, Turim, Graphot, 1997.
BERNARDI, B. e NOVELLI, M., *Il Toro. Una storia d'amore*, Turim, Graphot, 2001.
BERTHOU, T., *Histoire du Paris Saint-Germain Football Club (1904-1998)*, Saint--Maur-des-Fossés, Pages de Foot, 1998.
Boca, el libro del xentenario, Buenos Aires, Planeta, 2004.
BOLI, C., *Manchester United, l'invention d'un club*, Paris, La Martinière, 2004.
CHIAVEGATO, C., *La Juventus nella storia*, Milão, Forte, 1986.
DÍAZ, J.C., *River, el más grande*, Buenos Aires, Atlantida, 1999.
GLANVILL, R., *Chelsea FC. The official biography, definitive story of the first 100 years*, Londres, Headline, 2005.
GONZALEZ GÓMEZ, L. M., *Historia del Atlético de Madrid*, León, Everest, 2003.
HUTCHINSON, R., *The toon. A complete history of Newcastle United Club*, Edimburgo, Mainstream, 2002.
MCCOLL, G., *Celtic, the official illustrated history*, Londres, Hamlyn, 1996.
PÉCHERAL, A., *La grande historie de l'OM des origines à nos jours*, Paris, Prolongations, 2007.
PERDIGÃO, C. e PIRES, F., *100 anos de lenda*, Lisboa, Centenarium Benfica, 2004.
SIRI, N. e J., *Petite encyclopédie de l'AS Monaco. 50 ans de football professionnel (1948-1998)*, Mônaco, EGC, 1999.
SOAR, Ph. e TYLER, M., *Arsenal, the official history*, Londres, Hamlyn, 1989.

ENSAIOS

ARTIGOS E PERIÓDICOS CIENTÍFICOS

AUGÉ, M., "Football. De l'histoire sociale à l'anthropologie religieux", *Le Débat* (Paris), 19, 1982, pp. 59-67.
BALE, J., "Il calcio come fonte di topofilia. Il pubblico e lo stadio", em Lanfranchi, P., *Il calcio ed il suo pubblico*, Nápoles, Edizione Scientifiche Italiane, 1992, pp. 221-40.
BATE, R., "Football chance: tactics and strategy", em Reilly, T., Leeds, A., Davids, K. e Murphy, W. (dirs.), *Science and football*, Londres, Spon, 1988, pp. 293-301.

BEN-NAIM, E., Redner, S. e Vazquez, F., "What is the most competitive sport?", *Physics, abstract physics*, 15/12/2005 <http://arxiv.org/abs/physics/0512143>.

CARONE, M., "Cem anos de futebol", *Memória*, v. 6, 20, 1994.

COLES, R. W., "Football as a 'surrogate' religion?", em Hill, R. (ed.), *A sociological yearbook of religion in Britain* (Londres), 8, 1975, pp. 61-77.

DAMATTA, R. et alii, "Dossiê futebol", *Revista USP*, 22, 1994, pp. 6-109.

EHRENBERG, A., "Le football et ses imaginaires", *Les Temps Modernes* (Paris), 41, 1984, pp. 841-83.

______, "Des stades sans dieux", *Le Débat* (Paris), 40, 1986, pp. 47-61.

EHRENBERG, A., CHARTIER, R. e AUGÉ, M., "Sport, religion et violence", *Esprit* (Paris), 125, 1987, pp. 63-70.

ELIAS, N., "Sport et violence", *Actes de la recherche en sciences sociales* (Paris), 2, 1976, pp. 2-21.

FAURE, J.-M.,SUAUD, C., HOLT, R., MURRAY, B., MASON, T. e DINI, V., "Les enjeux du football", *Actes de la recherche en sciences sociales* (Paris), 103, 1994, pp. 3--111.

FLAMIGNI, M. e GROZIO, R., "Il GeMiTo del derby", em Grozio, R. (ed.), *Catenaccio e contropiede. Materiali e immaginari del football italiano*, Roma, Antonio Pellicani, 1990, pp. 139-48.

The International Journal of Sport History, Londres, 1984ss.

LENOIR, R., "Football et sociétés", número especial de *Sociétés et Représentations* (Paris), 7, 1998.

LEVINE, L., "The folklore of industrial society: popular culture and its audiences", *American Historical Review*, dezembro/1992, pp. 1369-99.

LEVINE, R. M., "Sport as metaphor for social dynamics in the history of popular culture", *Revista de História* (São Paulo), 125-6, 1991-2, pp. 81-2.

MAGOUN, F. P., "Il gioco del calcio fiorentino", *Italica. Bulletin of the American Association of Teachers of Italian* (Urbana, Illinois), 19, 1942, pp. 1-21.

MARKOVITS, A. S., "Pourquoi n'y a-t-il pas de football aux États-Unis?", *Vingtième Siècle, Revue d'Histoire* (Paris), 26, 1990, pp. 19-36.

Pesquisa de Campo. Revista do Núcleo de Sociologia do Futebol/UERJ, Rio de Janeiro, 1994ss.

RAMONET, I. e DE BRIE, C. (dirs.), *Football et passions politiques*, Paris, Le Monde Diplomatique (Manière de Voir, 39), 1998.

VOEGEL, A., "O momento feliz, reflexões sobre o futebol e o ethos nacional", em Damatta, R. (org.), *Universo do futebol: esporte e sociedade brasileira*, Rio de Janeiro, Pinakotheke, 1982, pp. 75-115.

LIVROS

AGOSTINO, G., *Vencer ou morrer. Futebol, geopolítica e identidade nacional*, Rio de Janeiro, FAPERJ/Mauad, 2002.

ANTUNES, F., "*Com brasileiro não há quem possa!*": *futebol e identidade nacional em José Lins do Rego, Mário Filho e Nelson Rodrigues*, São Paulo, Unesp, 2004.

AZEVEDO, F., "A evolução dos esportes no Brasil (1822-1922)", em *Da educação física, v. 1 — Obras completas*, São Paulo Melhoramentos, 1960.

BONIFACE, P., *Football & mondialisation*, Paris, Armand Colin, 2006.

______, *A Terra é redonda como uma bola. A geopolítica do futebol*, Mem Martins, Inquérito, 2002.

BOURG, J.-F. e GOUGUET, J.-J., *Economia do esporte*, Bauru, Edusc, 2005.

BRAY, K., *How to score*, Londres, Granta, 2006.

BREDEKAMP, H., *Florentiner Fussball: Die Renaissance der Spiele*, Frankfurt, Campus, 1993.

BRERA, G., *Storia del calcio italiano*, Milão, Bompiani, 1978.

BROHM, J.-M. e PERELMAN, M., *Le football, une peste émotionnelle*, Paris, Gallimard, 2006.

BROMBERGER, C., *Football, la bagatelle la plus sérieuse du monde*, Paris, Bayard, 1998.

______, *Le match de football. Ethnologie d'une passion partisane à Marseille, Naples et Turin*, Paris, Maison des Sciences de l'Homme, 1995.

BUREAU, J. (dir.), *L'amour foot*, Paris, Autrement, 1993.

BUTLER, B., *The official history of the Football Association*, Londres, Queen Anne, 1991.

CALDAS, W., *O pontapé inicial: memória do futebol brasileiro*, São Paulo, Ibrasa, 1990.

CANTER, D., COMBER, M. e UZZELL, D., *Football in its place. An environmental psychology of football grounds*, Londres, Routledge, 1989.

CARRANO, P. C. R. (org.), *Futebol: paixão e política*, Rio de Janeiro, DP&A, 2000.

CONN, D., *The beautiful game? Searching for the soul of football*, Londres, Yellow Jersey, 2007.

COSTA, M. R. et alii (orgs.), *Futebol, espetáculo do século*, São Paulo, Musa, 1999.

DAL LAGO, A., *Descrizione di una battaglia. I rituali del calcio*, Bolonha, Mulino, 1990.

DAL LAGO, A. e MOSCATI, R., *Regalateci un sogno. Miti e realtà del tifo calcistico in Italia*, Milão, Bompiani, 1992.

DAMATTA, R., *A bola corre mais que os homens*, Rio de Janeiro, Rocco, 2006.

______ (org.), *Universo do futebol: esporte e sociedade brasileira*, Rio de Janeiro, Pinakotheke, 1982.

DIAS, M. T., *História do futebol em Lisboa de 1888 aos grandes estádios*, Coimbra, Quimera, 2000.

DINI, V. e NICOLAUS, O. (ed.), *Te Diegum. Genio, sregolatezza e bacchettoni*, Nápoles, Leonardo, 1991.

DRUBSCKY, R., *O universo tático do futebol. Escola brasileira*, Belo Horizonte, Health, 2003.

DUNNING, E., MURPHY, P. e WILLIAMS, J., *The roots of football hooliganism: an historical and sociological study*, Londres, Routledge and Kegan Paul, 1988.

DUVERGER, Ch., *L'esprit du jeu chez les Aztèques*, Paris, Mouton/EHESS, 1978.

EISENBERG, C. (dir.), *Fussball, soccer, calcio. Ein englischer Sport auf seinem Weg um die Welt*, Munique, DTV, 1997.

EISENBERG, C., LANFRANCHI, P., MASON, T. e WAHAL, A., *FIFA 1904-2004. Le siècle du football*, Paris, Le Cherche Midi, 2004.

ELIAS, N. e DUNNING, E., *A busca da excitação*, Lisboa, Difel, 1992.

FLORENZANO, J. P., *Afonsinho & Edmundo. A rebeldia no futebol brasileiro*, São Paulo, Musa, 1998.

FOER, F., *Como o futebol explica o mundo*, Rio de Janeiro, Jorge Zahar, 2005.

FOOT, J., *Calcio: a history of italian football*, Londres, Fourth Estate, 2006.

GASTAUT, Y. e MOURLANE, S. (dirs.), *Le football dans nos sociétés. Une culture populaire, 1914-1998*, Paris, Autrement, 2006.

GHIRELLI, A., *Storia del calcio in Italia*, Turim, Einaudi, 1954.

GIULIANOTTI, R., BONNEY, N. e HEPWORTH, M. (eds.), *Football, violence and social identity*, Londres, Routledge, 1994.

GIULIANOTTI, R., *Sociologia do futebol. Dimensões históricas e socioculturais do esporte das multidões*, São Paulo, Nova Alexandria, 2002.

GOLDBLATT, D., *The ball is round: a global history of football*, Londres, Viking, 2006.

GREEN, G., *The world game*, Londres, Phoenix, 1953.

GURGEL, A., *Futebol S/A. A economia em campo*, São Paulo, Saraiva, 2006.

HARRIS, N., *The foreign revolution. How overseas footballers changed the English game*, Londres, Aurum, 2006.

HARTLAND, P., *Patterns in world football, 1863-2004*, Crowborough (East Sussex), Field, 2005.

HELAL, R., *Passes e impasses. Futebol e cultura de massas no Brasil*, Petrópolis, Vozes, 1997.

HOLT, R., *Sport and British. A modern history*, Oxford, Oxford University Press, 1989.

HOPCRAFT, A., *Football man: people and passions in soccer*, Londres, Collins, 1968.

INGLIS, S., *League football and the men who made it*, Londres, Collins, 1988.

KLEIN, M. A., *Futebol brasileiro: 1894 a 2001*, São Paulo, Escala, 2001.

MAGOUN Jr., F. P., *History of football from the beginnings to 1871*, Bochun/Langendreer, Pöppinghaus, 1938.

MALHANO, C. E. S. M. B. e MALHANO, H. B., *Memória social dos esportes: São Januário — Arquitetura e história*, Rio de Janeiro, Mauad/FAPERJ, 2002.

MANHÃES, E. D., *Política de esportes no Brasil*, Rio de Janeiro, Graal, 1986.

MARQUES, J. C., *O futebol em Nelson Rodrigues*, São Paulo, Educ/FAPESP, 2000.

MARPLES, M., *A history of football*, Londres, Secker and Warburg, 1954.

MASON, T., *Association football and English society, 1863-1915*, Brighton, Harvester, 1980.

MARTIN, S., *Football and Fascism. The national game under Mussolini*, Oxford, Berg, 2004.

MEIHY, J. C. S. B. e WITTER, J. S. (orgs.), *Futebol e cultura — coletânea de estudos*, São Paulo, Imesp/DAESP, 1982.

MEISL, H., *Soccer revolution*, Londres, Phoenix, 1955.

MIGNON, P., *La passion du football*, Paris, Odile Jacob, 1998.

MISCHEL, A., *Football, les systèmes de jeu*, Paris, Chiron, 1991.

MORRIS, D., *The soccer tribe*, Londres, Jonathan Cape, 1981.

MURAD, M., *Dos pés à cabeça: elementos básicos de sociologia do futebol 1*, Rio de Janeiro, Irradiação Cultural, 1996.

MURRAY, B., *Uma história do futebol*, São Paulo, Hedra, 2000.

ORMEZZANO, G. P., *Storia del calcio*, Milão, Longonesi, 1986.

PAPA, A. e PANICO, G., *Storia sociale del calcio in Italia*, Bolonha, Mulino, reed. 2002.

PEDROSA, M. (org.), *Na boca do túnel*, Rio de Janeiro, Gol, 1968.

PEREIRA, L. A. M., *Footballmania. Uma história social do futebol no Rio de Janeiro, 1902-1938*, Rio de Janeiro, Nova Fronteira, 2000.

PIMENTA, C. A. M., *Torcidas organizadas de futebol. Violência e autoafirmação. Aspectos da construção das novas relações sociais*, Taubaté, Vogal Editora, 1997.

PRADO, D. A., *Seres, coisas, lugares: do teatro ao futebol*, São Paulo, Companhia das Letras, 1997.

PRONI, M. W., *A metamorfose do futebol*, Campinas, IE/Unicamp, 2000.

RAMOS, R., *Futebol: ideologia do poder*, Petrópolis, Vozes, 1984.

REILLY, T. e WILLIAMS, A. M. (dirs.), *Science and soccer*, Londres, Routledge, 2003.

REIS, H. H. B., *Futebol e violência*, Campinas, Armazém do Ipê, 2006.

ROSENFELD, A., *Negro, macumba e futebol*, São Paulo, Edusp/Perspectiva, 1993.

RUSSELL, D., *Football and the English: a social history of Association Football in England, 1963-1995*, Preston, Carnegie, 1997.

SANTOS, J. R., *História política do futebol brasileiro*, São Paulo, Brasiliense, 1981.

SANTOS NETO, J. M., *Visão do jogo: primórdios do futebol no Brasil*, São Paulo, Cosac & Naify, 2002.

SEBRELI, J. J., *Fútbol y masas*, Buenos Aires, Galena, 1981.
______, *La era del fútbol*, Buenos Aires, Debolsillo, 2005.
SOARES, A. J. G., *Futebol, malandragem e identidade*, Vitória, Secretaria de Produção e Difusão Cultural, 1994.
STUDD, S., *Football emperor. A study in the origins of modern soccer*, Londres, Peter Owen, 1981.
TAYLOR, R., *Football and its fans: supporters and their relations with the game, 1885-1985*, Leicester, Leicester University Press, 1992.
TOLEDO, L. H., *Lógicas no futebol*, São Paulo, Hucitec/FAPESP, 2002.
______, *Torcidas organizadas de futebol*, Campinas, Autores Associados/Anpocs, 1996.
TOMLINSON, A. e YOUNG, C. (eds.), *German football. History, culture, society*, Londres, Routledge, 2006
VASSORT, P., *Football et politique. Sociologie historique d'une domination*, Paris, L'Harmattan, 2002.
VINNAI, G., *Fútbol como ideología*, Buenos Aires, Siglo XXI, 1975.
WAGG, S., *The football world. A contemporary social history*, Brighton, Harvester, 1984.
WAHL, A., *La balle au pied. Histoire du football*, Paris, Gallimard, 1990.
WAHL, A. e LANFRANCHI, P., *Les footballeurs professionels des années trente à nos jours*, Paris, Hachette, 1995.
WALVIN, J., *The people's game. A social history of British football*, Londres, Allen Lane, 1975.
WESSON, J., *The science of soccer*, Temple Back (Bristol), Institute of Physics, 2002.
WILLIAMS, J. e WAGG, S. (orgs.), *British football and social change: getting into Europe*, Leicester, Leicester University Press, 1991.

OBRAS DE APOIO TEÓRICO CITADAS

AGOSTINHO (Santo), *Confissões*, trad. J. Oliveira Santos e A. Ambrósio de Pina, São Paulo, Abril, 1980.
ARISTÓTELES, *Arte retórica e arte poética*, São Paulo, Difusão Europeia do Livro, 1959.
BAKHTIN, M., *A cultura popular na Idade Média e no Renascimento: o contexto de François Rabelais* [1965], São Paulo, Hucitec/UnB, 1987.
BLOOMFIELD, L., *Language* [1933], Nova York, Holt, Rinehart and Winston, 1961.
BOAS, F., *Primitive art* [1927], Nova York, Dover, 1955.
BRÉKILIEN, Y., *Vie quotidienne en Bretagne au XIX siècle*, Paris, Hachette, 1966.

CAILLOIS, R., *Les jeux et les hommes*, Paris, Gallimard, 1991.

CAMUS, A., *Oeuvres complètes*, Mônaco/Paris, Sauret, 1978-9, 8 vols.

DEBRAY, R., *Deus, um itinerário*, São Paulo, Companhia das Letras, 2004.

DOOB, L. W., *Patterning of time*, New Haven/Londres, Yale University Press, 1971.

DURKHEIM, E., *As formas elementares da vida religiosa* [1912], São Paulo, Paulinas, 1989.

EVANS-PRITCHARD, E. E., "The dance", *Africa* (Londres), 1, 1928, pp. 446-62.

FREUD, S., *Le malaise dans la culture* [1930], trad., Paris, PUF, 1994 (*Oeuvres complètes*, vol. XVIII), pp. 249-333.

_____, *Le mot d'esprit dans ses rapports avec l'inconscient* [1905], Paris, Gallimard, 1969.

_____, *Psychologie des masses et Analyse du Moi* [1921], Paris, PUF, 1991 (*Oeuvres complètes*, vol. XVI), pp. 5-83.

_____, *Totem et tabou* [1912], Paris, PUF, 1998 (*Oeuvres complètes*, vol. XI), pp. 190-385.

GIRARD, R., *A violência e o sagrado*[1972], São Paulo, Unesp/Paz e Terra, 1990.

GOLDENWEISER, A., "Totemism, an analytical study", *Journal of American Folklore* (Boston), 23, 1910, pp. 179-293.

GROOS, K., *Die Spiele der Menschen* [1899], Hildesheim/Nova York, Olms, 1973.

HOBSBAWM, E. e Ranger, T. (orgs.), *A invenção das tradições*, Rio de Janeiro, Paz e Terra, 1984.

HUIZINGA, J., *Homo ludens* [1938], São Paulo, Perspectiva, 1980.

ISIDORO DE SEVILHA, *Etimologias*, ed. W. Lindsay, trad. J. Orozo Reta e M. A. Marcos Casquero, Madri, BAC, 1982-3, 2 vols.

KIERKEGAARD, S., *Post-scriptum définitif et non scientifique aux Miettes philosophiques* [1846], trad., Paris, Orante, 1977.

LASCH, C., *O mínimo eu. Sobrevivência psíquica em tempos difíceis*, São Paulo, Brasiliense, 1986.

LE BON, G., *Psychologia das multidões* [1895], Rio de Janeiro/Paris, Garnier, s/d, 1922.

LÉVI-STRAUSS, C., "Canibalismo e disfarce ritual" [1974-5], em idem, *Minhas palavras*, São Paulo, Brasiliense, 1986, pp. 140-8.

LIDDELL HART, B. H., *As grandes guerras da história*, São Paulo, Ibrasa, 1967.

LORENZ, E., "Deterministic nonperiodic flow", *Journal of Atmospheric Sciences* (Boston), 20, 1963, pp. 130-41.

LORENZ, K., *A agressão* [1963], Lisboa, Relógio d'Água, 1992.

MARTINS, J. S., *O cativeiro da terra*, São Paulo, Livraria Editora Ciências Humanas, 1979.

MAUSS, M., *Manuel d'ethnographie*, Paris, Payot, 1947.

MAUSS, M., *Sociologie et anthropologie*, Paris, PUF, 1999.

MITHEN, S., *A pré-história da mente. Uma busca das origens da arte, da religião e da ciência* [1996], São Paulo, Unesp, 2002.

OGDEN, C. K. e Richards, I. A., *The meaning of meaning* [1923], Nova York, Harcourt, Brace & Co., 1956.

PARTRIDGE, G. E., *The psychology of nations: a contribution to the philosophy of history*, Nova York, Macmillan, 1919.

PASOLINI, P. P., "Il calcio 'è' un linguaggio con i suoi poeti e prosatori" [1971], em idem, *Saggi sulla letteratura e sull'arte*, Milão, Mondadori, 1999, vol. II (*Opere*), pp. 2545-51.

PASTOUREAU, M., "Les couleurs du stade", *Vingtième Siècle. Revue d'Histoire* (Paris), 26, 1990, pp. 11-8.

PONZIG, W., *Das Wunder des Sprache. Probleme, Methoden und Ergebnisse der modernen Sprachwissenschaft*, Berna, A. Francke, 1950.

RENOUVIER, Ch., *Uchronie* [1876], Paris, Fayard, reed. 1988.

RIZZOLATTI, S. DEHAENE, DUHAMEL, J.-R. e HAUSER, M. D. (orgs.), *From monkey brain to humain brain*, Cambridge (Mass.), MIT, 2005.

SAPIR, E., *Language: an introdution to the study of speech* [1921], Cambridge (Mass.), MIT, 1956.

SAUSSURE, F., *Curso de linguística geral* [1916], São Paulo, Cultrix, 2000.

SCHELER, M., *Wesen und Former der Sympathie* [1913], Berna, A. Francke, 1973 (*Gesammaelte Werke*, 7), pp. 9-258.

SMITH, D. L., *Por que mentimos. Os fundamentos biológicos e psicológicos da mentira*, Rio de Janeiro, Campus/Elsevier, 2006.

SUN TZU, *A arte da guerra*, Rio de Janeiro, Paz e Terra, 1996.

TRIVIZAS, E., "Sentencing the football hooligan", *British Journal of Criminology* (Londres), 21, 1981, pp. 342-9.

TROELTSCH, E., *Die Soziallehren der christlichen Kircher und Gruppen* [1912], Tübingen, Mohr, 1994.

TURNER, V., *The ritual process. Structure and anti-structure*, Londres, Routledge and Kegan Paul, 1974.

WINNICOTT, D., *O brincar e a realidade* [1971], Rio de Janeiro, Imago, 1975.

Créditos das imagens

Todos os esforços foram feitos para se determinar a origem das fotos utilizadas neste livro. Nem sempre isso foi possível, e teremos prazer em creditar esses fotógrafos caso se manifestem.

6. Acervo Fluminense Football Club
7. Acervo Club de Regatas Vasco da Gama
8. João Cerqueira/ Agência JB
9. Arquivo do Estado de São Paulo
10. ©2007 Popperfoto/ Ipress
12. Arquivo do Estado de São Paulo
13. Jair Cardoso/ Agência JB
14. Domício Pinheiro/ Agência Estado
15. Orlando Brito/ Editora Abril
18. Hulton Archive/ Getty Images
19. Shaun Botterill/ Getty Images
21. Carlo Baroncini/ Getty Images
22. ©2007 Popperfoto/ Ipress
27. Shaun Botterill/ Getty Images

30. Acervo pessoal do autor

31. Fabio Motta/ Agência Estado

32. Rubens Chiri/ Perspectiva

34. Eugênio Sávio

37. MORRIS, D. *The soccer tribe.* London: Jonathan Cape, 30 Bedford Square, 1981, pp. 96-97

38. Reprodução: Lucila Wroblewski

Índices

ÍNDICE ONOMÁSTICO

ÍNDICE DE CLUBES

ÍNDICE DE ESTÁDIOS

ÍNDICE DE ASSUNTOS

1ª EDIÇÃO [2007]

ESTA OBRA FOI COMPOSTA EM MINION POR TECO DE SOUZA
E IMPRESSA PELA UMLIVRO EM PROCESSO DE IMPRESSÃO SOB DEMANDA
SOBRE PAPEL POLÉN SOFT DA SUZANO PAPEL E CELULOSE
PARA A EDITORA SCHWARCZ A PARTIR DE MAIO DE 2019

FSC
www.fsc.org
MISTO
Papel produzido a partir de fontes responsáveis
FSC® C128038

A marca FSC® é a garantia de que a madeira utilizada na fabricação do papel deste livro provém de florestas que foram gerenciadas de maneira ambientalmente correta, socialmente justa e economicamente viável, além de outras fontes de origem controlada.